2026 특수교사임용시험 대비

KORea Special Education Teacher

김남진 KORSET 특수교육

기출분석 2

I 영역별 마인드맵 수록
I 2009~2025년 기출문제 수록

김남진 편저

박문각 임용 동영상강의 www.pmg.co.kr 박문각

이 책의

머리말

KORea Special Education Teacher

기출문제를 풀고, 분석하고, 이를 토대로 시험을 준비하는 일련의 과정은 시험을 준비하는 수험생들에게는 가장 기본이면서 필수적인 과정에 해당한다. 그만큼 기출문제 풀이 및 분석의 중요성은 아무리 강조해도 지나침이 없는 것이다. 이뿐만 아니라 이와 같은 중요성은 이전의 문제가 거듭 출제되고 있는바, 더욱더 현실적으로 체감할 수 있다.

이에 기출문제 분석집을 개정하는 입장에서는 상당한 심적 부담이 될 수밖에 없다. 편저자의 문제 풀이 접근 방식 그리고 제시되는 모범답안이 수험생들에게 절대적인 영향을 미친다는 것을 너무나 잘 알기에 더욱 그러하다. 그간 본인이 제시한 모범답안을 절대적인 기준으로 삼아 답안을 외우고 변형을 생각하는 수많은 수험생들을 보면서 답안에 사용될 단어 하나를 선택함에도 신중에 신중을 기해야 함을 수차례 경험하였다. 이와 같은 기출문제 및 분석의 중요성을 염두에 두고 개정판은 다음과 같은 점에 초점을 두었다.

첫째, 기출문제를 14개 영역별로 구분 후, 문제를 연도별(2009~2025년)로 제시하였다. 확인 과정을 거쳐 누락되었던 문제들을 추가함과 동시에 하나의 문항을 구성하고 있더라도 서로 다른 영역의 하위문제인 경우는 문제의 흐름을 깨지 않는 선에서 별개로 분리, 제시함으로써 내용 정리 및 기출 동향 파악을 보다 수월하게 할 수 있도록 하였다.

둘째, 내용을 보다 정확하고 명료하게 전달하는 데 초점을 두었다. 이는 기출문제 분석집이 갖추어야 할 기본에 해당하는 것으로, 정답 혹은 모범답안의 내용을 보다 깔끔하게 정리하여 제시함과 동시에 정답 또는 모범답안의 근거를 수험생들이 자주 접하는 각론서에 근거하여 구체적으로 제시하였다.

셋째, '내용 돋보기'를 강화하였다. 내용 돋보기는 수험생들의 자율적 학습 및 문제의 확장적 이해를 위한 것으로, 이를 통해 문제에 대한 분석과 제시된 내용에 대한 분석이 동시에 가능하도록 하였다.

넷째, 'Check Point'를 통해 중심 내용을 반복적으로 제시하였다. Check Point는 기출문제의 지문 그리고 해설과 관련하여 반드시 확인해야 될 내용을 보다 간결하게 정리한 것으로, 간헐적 제시를 통해 반복학습을 유도하고 학습에서의 효과성 증진을 추구하였다.

마지막으로, 수험생들의 가독성을 도모하였다. 수험생들의 문제풀이 과정상의 편의를 위해 문제는 한 페이지 내에서 볼 수 있도록 하였으며 답안을 작성할 수 있는 최소한의 공간을 남겨두고자 하였다.

수험서를 써 내려가다 보면 뭔가 이전과는 다른 형식에 남들과는 다른 내용으로 채워 넣어야 할 것만 같은 욕심이 마음 한켠에 지속적으로 남아 있던 것이 사실이다. 그러나 교재가 목적으로 삼고 있는 바를 고려하여 현재의 범위와 그리고 깊이 내에서 마무리 지었다. 끝으로 이 책이 특수교사 임용시험을 준비하고 있는 수험생들이 앞으로 한 걸음 더 나아갈 수 있도록, 그래서 모두가 바라는 자랑스러운 대한민국 특수교사의 꿈을 이루는 데 조금이나마 도움이 되었으면 하는 바람이다.

2025년 3월

김남진

이 책의
차례
KORea Special Education Teacher

김남진

KORSET 특수교육

기출분석 ❷

K O R e a S p e c i a l E d u c a t i o n T e a c h e r

PART 04

지적장애아교육

Part 04 지적장애아교육 Mind Map

Chapter 1 지적장애의 이해

1 지적장애의 개념
- 장애인 등에 대한 특수교육법의 정의
- 미국 지적 및 발달장애협회(AAIDD)의 지적장애 정의
  - 10차(2002년)
  - 11차(2010년)
  - 12차(2021년)

2 지적장애에 대한 조작적 정의의 핵심 구성요인
- 지적 기능성의 유의한 제한성
  - 지적 기능성의 구인
  - 지적 기능성의 심각한 제한성 기준
- 적응행동의 유의한 제한성
  - 적응행동의 구인
    - 개념적 적응기술
    - 사회적 적응기술
    - 실제적 적응기술
  - 적응행동의 심각한 제한성 기준
- 시작 연령

3 인간 기능성의 다차원적 모델
- 인간 기능성에 대한 다차원적 모델에 대한 이해
- AAIDD의 다차원적 모델을 구성하는 요인
  - 1. 지적 기능성
  - 2. 적응행동
  - 3. 건강
  - 4. 참여
  - 5. 맥락

4 지원에 대한 이해
- 지원의 개념
- 지원의 종류
  - 자연적 지원
  - 서비스 중심의 지원
- 강도에 따른 지원의 유형
  - 간헐적 지원
  - 제한적 지원
  - 확장적 지원
  - 전반적 지원

5 지원모델에 대한 이해
- 지원모델에 대한 표면적 설명
- 지원모델의 함축성
- 지원의 평가 및 계획과 실행과정
  - 1. 원하는 삶의 경험과 목표 확인하기
  - 2. 지원요구 평가하기
  - 3. 개별화된 계획 개발하고 실행하기
  - 4. 진전 점검하기
  - 5. 개인적 성과 평가하기

PART 04

6 지원체계에 대한 이해
- 지원체계의 개념
- 지원체계의 요소
  - 통합적인 환경
  - 선택 및 개인적 자율성
  - 일반적인 지원
  - 전문화된 지원
- 효과적인 지원체계의 특징
  - 개인 중심성
  - 종합성(포괄성) : 통합적인 환경, 선택 및 개인적 자율성, 일반적인 지원, 전문화된 지원
  - 협응성
  - 성과 지향성
- 지원체계에 관한 실행 지침

Chapter 2 지적장애의 원인과 예방

1 다중 관점 접근
- 생의학적 관점
- 사회문화적 관점
- 심리교육적 관점
- 사법적 관점

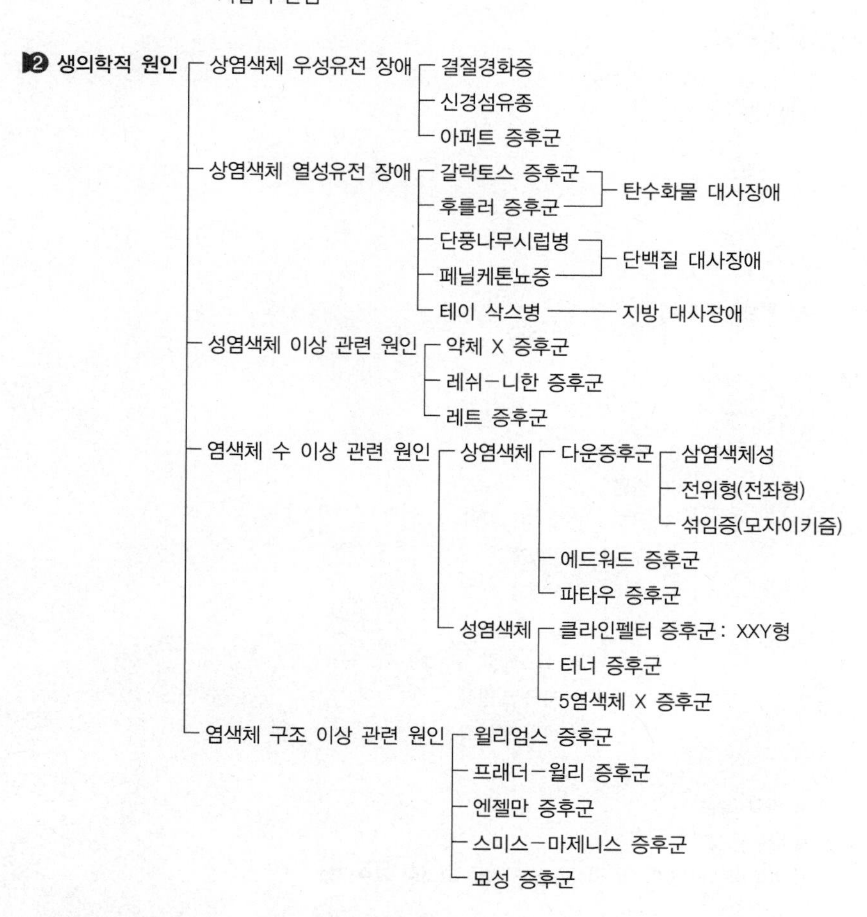

3 행동표현형에 대한 이해
- 행동표현형의 개념
- 증후군별 행동표현형

4 지적장애 예방을 위한 지원
- 발생률과 출현율
- 예방
  - 1차 예방
  - 2차 예방
  - 3차 예방

5 지적장애의 진단 및 평가
- 장애인 등에 대한 특수교육법: 지능검사, 사회성숙도검사, 적응행동검사, 기초학습검사, 운동능력검사
- 지적 기능성
- 적응행동
- 지적장애의 진단
- 지원정도척도
  - 특징
  - 강점
  - 구성
    - 지원요구척도
    - 보호·권리주장척도
    - 의료·행동특별지원요구
  - 평가 척도
    - 지원 빈도
    - 일일 지원시간
    - 지원 유형

6 지적장애의 분류
- 지적장애 분류의 전제
- 분류 체계
  - 지원요구 강도에 따른 분류
  - 지적 기능성의 제한성 정도에 따른 분류
  - 적응행동의 제한성 정도에 따른 분류

Chapter 3 지적장애 학생의 특성

1 지적장애 학생의 인지 및 학습 특성
- 인지 발달 특성
  - 발달론
  - 차이론
- 학습 특성
  - 주의집중
  - 기억
  - 일반화
    - 1. 습득
    - 2. 숙달
    - 3. 유지
      - 간헐 강화계획
      - 과잉학습
      - 분산연습
      - 연습기회 삽입
      - 유지 스케줄
    - 4. 일반화
      - 자극 일반화
      - 반응 일반화

2 지적장애 학생의 언어 및 의사소통 특성
- 언어 발달 특성
- 의사소통 특성
- 지적장애 학생의 언어 및 의사소통 특성을 고려한 교수방법

3 지적장애 학생의 사회 심리적 특성
- 외적 통제소재
- 외부 지향성
- 학습된 무기력
- 지적장애 학생의 심리적 특성을 고려한 교수방법

Chapter 4 교육과정의 구성과 선택

❶ 지적장애 학생의 교육과정 구성을 위한 접근

- 발달론적 접근
  - 개념
  - 장점
  - 단점
  - 발달적 교육과정
- 생태학적 접근
  - 개념
  - 특징
  - 장점
  - 부론펜브레너의 생태학적 체계 이론
    - 미시체계
    - 중간체계
    - 외체계
    - 거시체계
    - 시간체계

❷ 지적장애 학생의 교육과정 구성 및 운영을 위한 기본 전제

- 연령에 적합한 교육과정
- 궁극적 기능성의 기준
- 최소위험 가정 기준
- 영수준의 추측
- 자기결정 증진

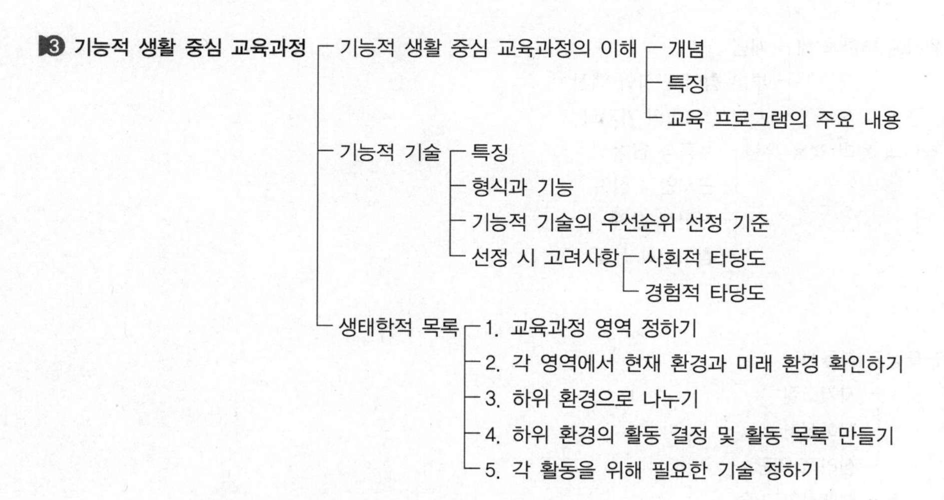

Chapter 5 교육적 접근

1 지역사회 중심 교수

- 지역사회 중심 교수
  - 개념
  - 원칙
  - 교수 절차
    - 1. 교수 장소와 목표 기술 설정
    - 2. 교수할 기술 결정
    - 3. 교수계획 작성
    - 4. 기술의 일반화 계획
    - 5. 교수 실시
  - 특징 및 문제점
- 지역사회 참조 교수
- 지역사회 모의 수업
  - 장점
  - 단점

2 일반사례 교수법

- 일반사례 교수법의 개념
- 일반사례 교수법의 절차
  - 1. 교수 영역 결정하기
  - 2. 지도할 기술을 과제분석하고 관련된 모든 자극과 반응을 조사하기
  - 3. 교수와 평가에 사용될 교수의 예 결정하기
  - 4. 교수 순서를 계열화하고 교수하기
  - 5. 비교수 상황에서 평가하기

3 부분 참여의 원리

- 부분 참여의 원리에 대한 이해
  - 개념
  - 부분 참여 원리의 핵심
  - 사회적 역할의 가치화
- 잘못된 부분 참여의 원리 적용 유형
  - 수동적 참여
  - 근시안적 참여
  - 단편적 참여
  - 참여기회 상실

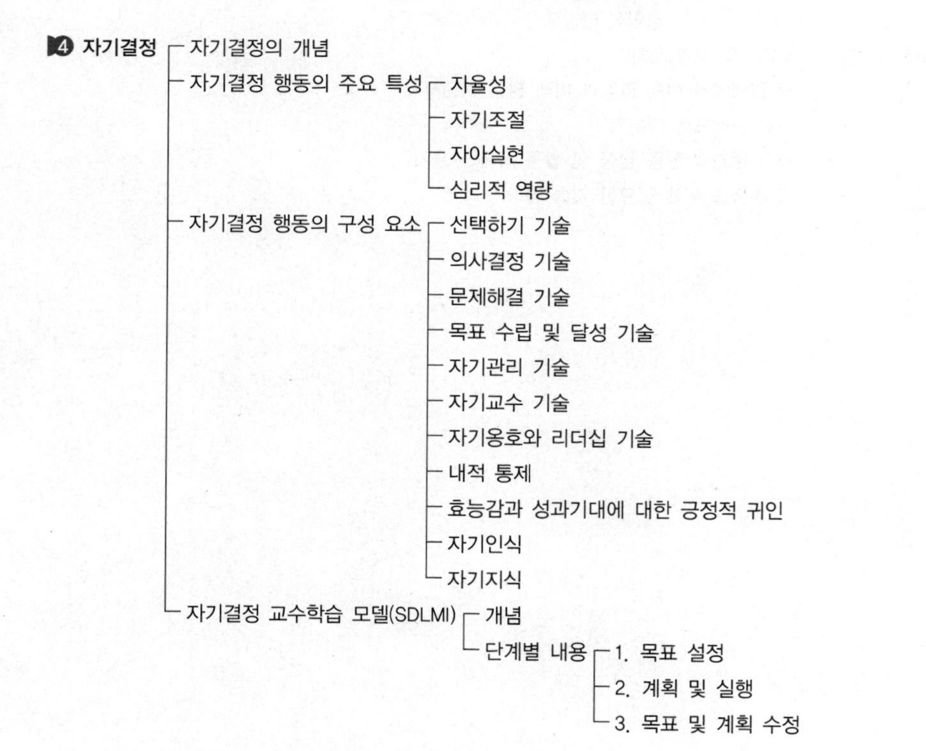

❺ 모델링
- 모델링의 개념
- 모델링의 기능
  - 반응 촉진
  - 금지/탈금지
  - 관찰학습
    - 주의집중
    - 파지
    - 재생
    - 동기화

❻ 삽입교수
- 삽입교수의 개념
- 삽입교수의 장점
- 삽입교수의 실행 절차

❼ 자기옹호 기술
- 자기옹호의 개념
- 자기옹호의 구성 요소
  - 자신에 대한 이해
  - 권리에 대한 이해
  - 의사소통
  - 리더십

❽ 일상생활 기술
- 일상생활 기술의 개념
- 일상생활 활동의 유형
  - 기본적 일상생활 활동
  - 수단적 일상생활 활동

❾ 우정활동
- 우정활동의 개념
- 우정활동의 장점

❿ 학습이론에 근거한 교수
- 행동주의
- 인지주의
- 구성주의
- 플립러닝

Chapter 6 사회적 능력의 지도

❶ 사회적 능력에 대한 이해
- 사회적 능력과 사회적 기술의 관계
  - 사회적 능력
  - 사회적 기술
  - 사회적 인지
- 지적장애 학생의 사회적 능력 위계 모형

❷ 지적장애 학생의 사회적 기술의 결함 유형
- 기술 결함
- 수행력 결함
- 자기통제 기술 결함: 불안, 분노
- 자기통제 수행력 결함: 충동성

기출문제 다잡기

정답 및 해설 p.4

01

2009 유아1-8

〈보기〉는 특수학교 박 교사가 초등부 1학년 정신지체 아동 민성이에 대해 기록한 메모이다. 각 메모를 통하여 알 수 있는 민성이의 특성을 적절하게 제시한 것은?

〈보기〉

ㄱ. 가지고 놀던 장난감을 빼앗겨도 자기 주장을 하지 못한다(10월 21일).

ㄴ. 만들기 활동에서 무엇을, 어떻게 만들어야 할지에 관한 계획, 실행, 평가의 전략을 사용하지 못한다(10월 24일).

ㄷ. 친구들과의 인사말 "안녕!"을 가르쳤더니 학교의 다른 선생님들께도 "안녕!"이라고 인사한다(10월 27일).

ㄹ. 과제를 주어도 하려고 하는 의욕이 전혀 없다. 성취감을 맛본 경험이 거의 없었던 것으로 보인다(10월 29일).

	ㄱ	ㄴ	ㄷ	ㄹ
①	과잉일반화	학습된 무기력	지속적 주의력 결함	초인지 결함
②	학습된 무기력	지속적 주의력 결함	자기결정력 부족	과잉일반화
③	자기결정력 부족	지속적 주의력 결함	과잉일반화	학습된 무기력
④	과잉일반화	초인지 결함	지속적 주의력 결함	자기결정력 부족
⑤	자기결정력 부족	초인지 결함	과잉일반화	학습된 무기력

02

2009 유아1-35

서 교사는 내년에 초등학교에 입학할 정신연령 2세인 발달지체 유아 유빈이를 대상으로 지역사회중심교수를 하고자 한다. 지역사회중심교수에 대한 설명으로 맞는 것을 〈보기〉에서 모두 고른 것은?

〈보기〉

ㄱ. 유아가 습득한 수행을 일반화할 수 있도록 계획한다.

ㄴ. 유아의 정신연령에 적합한 지역사회 적응기술을 지도한다.

ㄷ. 주된 한 가지 기술을 지도하면서 관련 기술도 함께 지도한다.

ㄹ. 지역사회에서의 의미 있는 수행을 위해 실제 지역사회에서 지도한다.

ㅁ. 자연적인 방법으로 지도하여 습득이 잘 되지 않으면 최소촉진법을 사용하여 지도한다.

① ㄱ, ㄴ
② ㄷ, ㅁ
③ ㄱ, ㄴ, ㄹ
④ ㄱ, ㄷ, ㄹ, ㅁ
⑤ ㄴ, ㄷ, ㄹ, ㅁ

03

2009 초등1-17

다음은 정신지체학교 초등부 5학년 학생 민지의 일기 내용이다. 민지의 일기에 대한 오 교사의 바른 분석을 〈보기〉에서 모두 고른 것은?

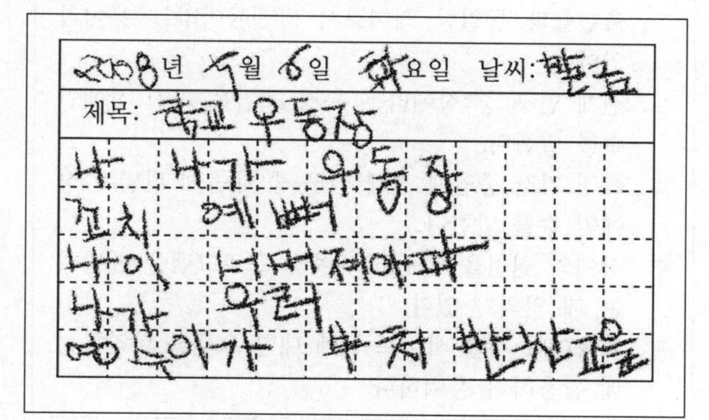

〈보기〉

ㄱ. 의미있는 문장을 구성할 수 있다.
ㄴ. 문장을 어순에 맞게 구성할 수 있다.
ㄷ. 의존형태소를 바르게 사용할 수 있다.
ㄹ. 날말 소리와 표기가 다를 수 있음을 가르칠 필요가 있다.

① ㄱ, ㄴ ② ㄱ, ㄹ
③ ㄴ, ㄷ ④ ㄱ, ㄷ, ㄹ
⑤ ㄴ, ㄷ, ㄹ

04

2009 초등1-18

〈보기〉는 김 교사가 정신지체 학생 경수에게 읽기 지도를 할 때 적용하려고 하는 전략이다. 각각의 전략에 부합하는 활동을 모두 고른 것은?

〈보기〉

ㄱ. 기능적 읽기 : 경수가 위인전을 반복해서 읽도록 한다.
ㄴ. 선행조직자 : 경수에게 글을 읽기 전에 글의 개요와 그에 관련된 질문을 준다.
ㄷ. 줄 따라가기 : 경수가 읽는 도중에 줄을 놓치지 않도록 문장에 선을 그어 준다.
ㄹ. 정밀교수 : 김 교사가 직접 읽으면서 구두점을 따라 쉬어 읽는 방법이나 모르는 단어가 나왔을 때 사전 찾는 방법을 보여준다.

① ㄱ, ㄴ ② ㄴ, ㄷ
③ ㄷ, ㄹ ④ ㄱ, ㄴ, ㄷ
⑤ ㄴ, ㄷ, ㄹ

05 2009 초등1-19

다음은 최 교사가 정신지체 학생 연수에게 제7차 특수학교 국민 공통기본교육과정 3학년 도덕과의 '깨끗한 생활' 단원을 지도하려고 학습목표, 과제분석, 지원방안을 표로 작성한 것이다. 최 교사가 선택한 적응행동 영역과 일반화의 유형을 바르게 짝지은 것은?

• 학습목표 : 여러 장소의 사물함 이용하기

과제분석 \ 장소	학교	수영장	목욕탕	지원방안
자기 사물함 찾기	+	△	△	열쇠번호에 해당하는 사물함 찾도록 하기
사물함을 열쇠로 열기	+	−	△	열쇠 형태에 따라 바르게 열도록 하기
물건 넣기	△	△	−	옷이나 책을 넣도록 하기
사물함을 열쇠로 잠그기	+	−	△	열쇠 형태에 따라 바르게 잠그도록 하기

+ : 독립수행 가능, △ : 촉진(촉구)을 제공하면 수행 가능,
− : 수행 불가능

	적응행동 영역	일반화 유형
①	실제적 적응행동	자극일반화
②	사회적 적응행동	반응일반화
③	개념적 적응행동	자극일반화
④	사회적 적응행동	자극일반화
⑤	실제적 적응행동	반응일반화

06 2009 중등1-1

장애인 출현율에 대하여 적절히 설명한 것을 〈보기〉에서 고른 것은?

〈보기〉
ㄱ. 출현율과 동일한 의미로서 발생률이라는 용어가 있다.
ㄴ. 전체 인구 중 장애라는 특정 조건을 가진 장애인 수를 말한다.
ㄷ. 특정 기간 동안에 전체 인구 중 새롭게 판별된 장애인 수를 말한다.
ㄹ. 장애의 원인을 연구하고 예방 프로그램을 개발하는 데 의의가 있다.
ㅁ. 교육이나 재활 서비스 등에 대한 요구를 파악하는 데 활용하기 용이하다.

① ㄱ, ㄷ
② ㄱ, ㄹ
③ ㄴ, ㄹ
④ ㄴ, ㅁ
⑤ ㄷ, ㅁ

07 2009 중등1-8

성공적인 전환(transition)을 위한 자기결정(self-determination)행동의 구성 요소를 <보기>에서 고른 것은?

〈보기〉
ㄱ. 독립성
ㄴ. 외적통제소
ㄷ. 문제해결하기
ㄹ. 장애에 초점 맞추기
ㅁ. 갈등과 비판에 대처하기

① ㄱ, ㄴ, ㄷ
② ㄱ, ㄷ, ㅁ
③ ㄱ, ㄹ, ㅁ
④ ㄴ, ㄷ, ㄹ
⑤ ㄷ, ㄹ, ㅁ

08 2009 중등1-10

정신지체학생에게 새로운 기술을 가르치기 위해 습득, 숙달 및 일반화 전략을 사용하려고 한다. <보기>에서 습득과 일반화를 촉진하는 방법끼리 바르게 묶인 것은?

〈보기〉
ㄱ. 다양한 환경을 제공한다.
ㄴ. 학습활동 시 교사의 참여를 줄인다.
ㄷ. 과제에 대하여 학생의 반응 양식을 다양화한다.
ㄹ. 정확한 수행을 위해 피드백을 집중적으로 제공한다.
ㅁ. 오류를 줄이기 위해 다양한 촉진(prompting)을 제공한다.
ㅂ. 정해진 시간 내에 과제를 완성하도록 연습 기회를 늘린다.

	습득	일반화
①	ㄴ, ㄹ	ㄱ, ㅁ
②	ㄴ, ㅁ	ㄱ, ㅂ
③	ㄷ, ㄹ	ㄱ, ㄴ
④	ㄷ, ㅂ	ㄴ, ㅁ
⑤	ㄹ, ㅁ	ㄱ, ㄷ

09 (2010 유아1-7)

다음은 일반학교 병설유치원 통합학급에 있는 경도 정신지체 아동 영호의 상황과 그에 따른 지원 요구이다. 영호에게 필요한 지원은 미국정신지체협회가 1992년에 제시한 지원 유형 중 어디에 속하는가?

> 2009년 3월 16일 기록
>
> 〈영호의 상황〉
> - 건강: 영호는 만성적 질환인 소아당뇨병이 있는 아동이다.
> - 문제행동: 최근 영호는 집안 사정으로 할머니 댁에 맡겨진 이후로 갑자기 유치원에서 주의산만한 행동을 보이기 시작했다.
> - 전환(transition): 2010년에 영호는 현재 다니고 있는 유치원이 소속된 초등학교의 특수학급으로 진학할 예정이다.
>
> 〈영호의 지원에 대한 요구〉
> - 건강: 만성적인 소아당뇨로 인하여 인슐린 주사를 장기적으로 매일 맞아야 한다.
> - 문제행동: 갑자기 생긴 주의산만한 행동에 대한 단기적인 행동중재를 받을 필요가 있다.
> - 전환: 초등학교로의 전환을 위해 필요한 기술들(예 학습준비 기술, 사회성 기술 등)을 올 한 해 동안 배울 필요가 있다.

	건강	문제행동	전환
①	전반적 지원	간헐적 지원	제한적 지원
②	전반적 지원	제한적 지원	간헐적 지원
③	확장적 지원	간헐적 지원	제한적 지원
④	확장적 지원	제한적 지원	간헐적 지원
⑤	제한적 지원	간헐적 지원	확장적 지원

10 (2010 초등1-23)

〈보기〉는 2008년 개정 특수학교 기본교육과정 사회과의 공동생활 영역을 지도하기 위해 송 교사가 수립한 교육계획의 일부이다. 송 교사가 계획하고 있는 지역사회 참조 수업(community-referenced instruction) 활동을 〈보기〉에서 고른 것은?

> 〈보기〉
>
> ㄱ. 수영장 이용 기술을 지도하기 위해 학생들에게 학교 내 수영장을 이용하게 한다.
> ㄴ. 우체국 이용 기술을 지도하기 위해 학생들에게 우체국을 방문하여 각자 편지를 부치게 한다.
> ㄷ. 음식점 이용 기술을 지도하기 위해 학생들에게 학교 식당에서 메뉴판을 보고 음식을 주문하게 한다.
> ㄹ. 은행 이용 기술을 지도하기 위해 학생들에게 은행을 방문하여 개별 예금통장을 개설해 보게 한다.
> ㅁ. 지하철 이용 기술을 지도하기 위해 학생들에게 교실 수업 중에 지하철 이용 장면을 담은 동영상을 보여준다.

① ㄱ, ㄷ ② ㄱ, ㄹ
③ ㄴ, ㄹ ④ ㄴ, ㅁ
⑤ ㄷ, ㄹ

11

2010 중등1-5

다음은 고등학교 2학년 중도 지체장애학생 A의 지도계획 수립을 위해 교사가 사용한 접근법이다. 교사가 사용한 접근법과 밑줄 친 부분에 대한 설명으로 옳은 것을 〈보기〉에서 모두 고른 것은?

> 교사는 기본 교육과정 사회과의 '소비생활' 단원을 이용하여, A의 전환교육 목표인 '지역사회 이용 및 참여'를 지도하려고 한다. 교사는 A가 사는 동네를 방문하여 상점들을 조사하였다. 다른 지역에도 흔히 있는 대형 할인점 한 곳을 선정한 교사는, 할인점 내의 물리적 환경에 따라 구매에 필요한 활동과 각 활동마다 요구되는 기술들을 조사하였다. 이후 교사는 몇 가지 사항을 고려하여, 조사된 기술들에서 A에게 우선적으로 지도할 기술을 선정하였다.

〈보기〉

ㄱ. 상향식 접근으로 A의 현재 수행수준을 기초로 하는 생태학적 목록 접근법이다.
ㄴ. 교육과정을 중심으로 독립생활로의 전환준비 과정을 목표로 한 수행사정 접근법이다.
ㄷ. 구매활동 기술이지만 할인점 외의 다른 환경과 활동에서도 사용할 수 있는지를 고려한다.
ㄹ. A의 정신연령에 비추어 현재는 물론 졸업 후 독립생활을 위해서도 필요한 기술을 선정한다.
ㅁ. 운동성 제한으로 인한 활동 제약을 고려하되, 부분참여의 원리를 반영하여 활동에 의미 있게 참여할 수 있는 기술을 선정한다.

① ㄱ, ㄹ ② ㄷ, ㅁ
③ ㄱ, ㄷ, ㅁ ④ ㄴ, ㄷ, ㄹ
⑤ ㄴ, ㄷ, ㅁ

12

2010 중등1-13

다음은 정신지체학생 A의 적응행동검사 결과를 요약한 것이다. 이에 기초하여 지도해야 할 내용으로 적절한 것을 〈보기〉에서 모두 고른 것은?

> [적응행동검사 결과 요약]
> A는 적응행동검사에서 전체점수가 평균으로부터 −2 표준편차 이하에 속하는 것으로 나타났다. 특히, 개념적 기술 점수는 사회적 및 실제적 기술 점수보다 매우 낮았다. 따라서 AAMR(2002)이 제시한 적응행동 기술 영역 중 개념적 기술에 관한 내용을 A의 교수·학습계획에 포함시키는 것이 필요하다고 본다.

〈보기〉

ㄱ. 구인광고 읽기
ㄴ. 식사도구 사용하기
ㄷ. 과제를 선택하고 해결하기
ㄹ. 다른 사람과 공동 작업하기
ㅁ. 화폐의 액면가와 단위 알기
ㅂ. 학급의 급훈 및 규칙 지키기

① ㄷ, ㅁ ② ㄱ, ㄷ, ㄹ
③ ㄱ, ㄷ, ㅁ ④ ㄷ, ㅁ, ㅂ
⑤ ㄱ, ㄴ, ㄹ, ㅂ

13

2010 중등1-15

정신지체에 대한 설명으로 옳은 것을 〈보기〉에서 고른 것은?

〈보기〉

ㄱ. 페닐케톤뇨증(PKU)은 출생 후 조기 선별이 어려우나 진단을 받은 후에는 식이요법을 통해 치료가 가능하다.
ㄴ. 다운증후군을 유발하는 염색체 이상 중에서 가장 일반적인 삼염색체성(trisomy)은 21번 염색체가 3개인 유형이다.
ㄷ. 저체중 출산, 조산 등의 생의학적 요인이 지적 기능과 적응행동상의 결함을 야기할 때 정신지체의 원인이 된다.
ㄹ. 정신지체학생은 일반학생과 동일한 인지발달 단계를 거치나, 발달 속도가 느려 최상위 발달단계에 이르는 데 어려움이 있을 수 있다.
ㅁ. 정신지체학생은 자신에 대한 기대수준이 낮음으로 인하여 타인에게 의존하고, 과제수행 결과 여부를 자신의 행동에 따른 결과로 받아들이는 경향이 있다.

① ㄱ, ㄴ, ㄷ ② ㄱ, ㄷ, ㅁ
③ ㄴ, ㄷ, ㄹ ④ ㄴ, ㄹ, ㅁ
⑤ ㄷ, ㄹ, ㅁ

14

2011 초등1-30

최 교사는 2008년 개정 특수학교 기본교육과정 실과 가정생활 영역 '음식 만들기와 식사하기' 내용을 지도하기 위해 다음과 같이 '감자 샌드위치 만들기 활동' 단계를 분석하였다. 〈보기〉는 중도 정신지체 학생 희수가 혼자서 할 수 없는 단계에 대한 활동참여 계획이다. 이 중 Baumgart 등이 제시한 '부분 참여 원리'를 적절하게 적용한 내용을 모두 고른 것은?

감자 샌드위치 만들기 활동	희수의 수행 수준
1단계 : 흐르는 물에 감자를 씻는다.	◎
2단계 : 칼로 감자를 깎는다.	×
3단계 : 냄비에 감자를 넣고 삶는다.	×
4단계 : 식은 감자를 움푹한 그릇에 넣어 으깬다.	×
5단계 : 으깬 감자에 치즈와 마요네즈를 넣는다.	◎
6단계 : 5단계 재료에 잘게 썬 채소를 넣어 감자 샐러드를 만든다.	◎
7단계 : 6단계에서 준비된 으깬 감자 샐러드를 식빵에 바른다.	×
8단계 : 감자 샐러드를 바른 식빵 위에 식빵 한 장을 덮는다.	◎
9단계 : 감자 샌드위치를 세모 모양으로 잘라 접시에 담는다.	×

◎ : 혼자서 할 수 있음, × : 혼자서 할 수 없음

〈보기〉

ㄱ. 2단계에서는 다칠 위험이 있기 때문에 교사가 대신해 준다.
ㄴ. 3단계에서는 현재 할 수 있는 기술인 '냄비에 감자 넣기'를 하게 한다.
ㄷ. 4단계에서는 움푹한 그릇 대신 자동으로 으깨는 기구에 식은 감자를 넣어주고, 작동버튼을 누르게 한다.
ㄹ. 7단계에서는 으깬 감자 샐러드를 식빵에 바르는 친구들의 활동을 관찰하게 한다.
ㅁ. 9단계에서는 감자 샌드위치를 자르지 않고 그대로 접시에 담게 한다.

① ㄱ, ㄹ ② ㄴ, ㄷ
③ ㄷ, ㅁ ④ ㄴ, ㄷ, ㄹ
⑤ ㄴ, ㄷ, ㅁ

15

2011 중등1-5

다음은 정신지체 특수학교에 재학 중인 중학생 A의 의사소통 특성을 기술한 것이다. 교사는 학생 A의 특성을 고려하여 국어과 교육 목표 및 내용을 기능중심 언어교육에 초점을 두고자 한다. 교사가 교육 프로그램 작성 시 고려하여야 할 내용으로 옳은 것을 〈보기〉에서 고른 것은?

- 의사소통에 소극적이며 상황에 맞지 않게 발화하는 경향이 있음
- 상대방의 언어적 지시에 대한 기본적인 이해는 가능하나, 자신의 의사를 말로 표현하는 데 어려움이 있음
- 교실에서 배운 언어를 일상생활에서 거의 적용하지 못하며, 낯선 사람과 의사소통하는 데 어려움이 있음

〈보기〉

ㄱ. 발달 연령을 기준으로 하여 언어 지도 내용을 구성하여야 한다.
ㄴ. 목표 어휘는 현재 생활환경에서 필요로 하는 어휘 내에서 선정하여야 한다.
ㄷ. 의사소통 기술 훈련은 독립성과 잠재력을 키우는 방향으로 이루어져야 한다.
ㄹ. 통합교육 환경과 지역사회 환경 내의 요구를 고려한 언어교수를 필수적으로 제공하여야 한다.
ㅁ. 생태학적 요인을 고려하여 의사소통 내용을 선정하고, 그 내용 교수를 위한 과제분석이 선행되어야 한다.

① ㄱ, ㄴ, ㄹ　② ㄱ, ㄴ, ㅁ
③ ㄱ, ㄷ, ㄹ　④ ㄴ, ㄷ, ㅁ
⑤ ㄷ, ㄹ, ㅁ

16

2011 중등1-6

장애학생의 자기결정과 관련된 설명으로 옳은 것만을 〈보기〉에서 모두 고른 것은?

〈보기〉

ㄱ. 장애학생의 자기결정 증진은 장애학생의 성공적인 성인기 전환 및 삶의 질과 관련이 있다.
ㄴ. 자기결정행동 구성 요소에는 의사결정, 문제해결, 목표설정 및 달성, 자기인식 등이 포함된다.
ㄷ. 교사주도적 학습을 통한 장애학생의 자기결정 증진은 장애학생의 긍정적인 학업성취에 영향을 미친다.
ㄹ. 장애학생에게 다양한 선택의 기회를 제공하는 것은 장애학생의 자기결정 증진에 긍정적인 영향을 미친다.
ㅁ. 자기결정 기능 모델에서는 자율성, 사회적 능력, 심리적 역량 강화, 자아실현의 네 가지 특성으로 자기결정행동의 기능을 설명한다.

① ㄱ, ㄹ　② ㄷ, ㅁ
③ ㄱ, ㄴ, ㄹ　④ ㄱ, ㄹ, ㅁ
⑤ ㄴ, ㄷ, ㅁ

17

2011 중등1-15

다음은 정신지체학생을 지도하고 있는 중학교 통합학급 교사를 위해 특수학급 교사가 실시한 교내 연수 내용의 일부이다. 연수 내용 중 옳은 것만을 〈보기〉에서 모두 고른 것은?

〈보기〉

ㄱ. 중도 정신지체학생이 관심을 끌기 위해 수업을 방해하는 행동을 보이면 주의를 주시기 바랍니다.
ㄴ. 프레더－윌리 증후군(Prader-Willi syndrome)을 지닌 학생은 과도한 식욕으로 비만이 될 수 있으므로 운동과 식사 조절에 관심을 가져주시기 바랍니다.
ㄷ. 학습된 무기력으로 과제를 쉽게 포기하는 경도 정신지체 학생을 위해 가능한 한 성공 경험을 많이 할 수 있도록 과제 난이도를 조절하고 학생을 격려해 주시기 바랍니다.
ㄹ. 윌리엄스 증후군(Williams syndrome)을 지닌 학생은 시공간적 기술에 비해 언어에 심각한 문제가 있으므로 자연스러운 상황에서 바람직한 의사소통 모델을 모방할 수 있는 기회를 제공해 주시기 바랍니다.
ㅁ. 정신지체는 염색체 이상, 외상성 뇌 손상, 조산과 같이 출생 전에 나타나는 생의학적 원인 외에도 출생 후에 사회적·행동적 요인의 영향을 받을 수 있으므로 아동 학대 및 가정 폭력, 가정 형편에 문제가 없는지 확인해 주시기 바랍니다.

① ㄴ, ㄷ　② ㄷ, ㄹ
③ ㄱ, ㄴ, ㄷ　④ ㄱ, ㄹ, ㅁ
⑤ ㄴ, ㄷ, ㅁ

18

2011 중등1-16

다음은 중학교 1학년 특수학급에 입급된 정신지체학생 A에 대한 정보이다. 학생 A에게 적합한 교수적 지원을 제공하고자 특수교사가 취한 행동 중 적절한 것만을 〈보기〉에서 모두 고른 것은?

- 한국인 아버지와 베트남인 어머니 사이에서 태어남
- 베트남에서 초등학교를 다니다가 중학교 입학을 앞두고 한국으로 옴
- IQ는 65이며, 적응행동기술 영역에서 개념적 기술 점수가 사회적·실제적 기술 점수에 비해 매우 낮음

〈보기〉

ㄱ. 학생 A의 가정생활에 대한 정보를 수집하기 위해 부모와 면담을 하였다.
ㄴ. 지능검사의 언어성 점수와 동작성 점수를 비교하여 지능검사 결과를 해석하는 데 참고하였다.
ㄷ. 중학교 1학년 통합학급에서 학생 A의 학교생활을 일정 기간 동안 직접 관찰하고 분석하였다.
ㄹ. 학생 A의 개념적 기술 향상을 위하여 책임감 및 자존감을 증진시킬 수 있는 교육 계획을 수립하였다.
ㅁ. 필기의 양이 많은 수업 시간에 학생 A의 필요에 따라 일시적·단기적으로 제공되는 제한적 지원 계획을 구상하였다.

① ㄱ, ㄴ, ㄷ　② ㄱ, ㄷ, ㄹ
③ ㄴ, ㄹ, ㅁ　④ ㄱ, ㄴ, ㄷ, ㅁ
⑤ ㄴ, ㄷ, ㄹ, ㅁ

19

2011 중등1-17

다음은 정신지체학생 A에 대한 관찰 내용이다. 학생 A를 위한 특수교사의 교수적 고려로 적절하지 않은 것은?

- 학습한 내용을 일반화하는 데 어려움이 있음
- 과제 수행 시 집중하는 시간이 짧고, 선택적 주의집중이 어려움
- 학습 의지가 부족하고 수동적이며, 학습한 내용을 잘 기억하지 못함
- 정해진 일정은 잘 따르지만 갑작스러운 환경 변화에는 민감하게 반응함

① 기억에 어려움이 있는 것을 고려하여 시연전략을 사용한다.
② 과제와 관련된 적절한 자극과 부적절한 자극을 구별할 수 있도록 지도한다.
③ 과제 수행에 대한 자기점검과 자기강화를 통해 과제 참여도와 학습동기를 높인다.
④ 여러 가지 색깔 단서를 사용하여 과제 수행에 대한 일반화를 높이고 흥미를 유도한다.
⑤ 과제를 단계별로 나누어 쉬운 내용을 먼저 지도하고, 과제의 난이도를 서서히 높인다.

20

2012 초등1-9

다음은 정신지체 특수학교 임 교사가 중등도 정신지체 학생 창수에게 독립적 생활기능을 지도한 교육내용과 교수전략 및 학습결과이다. 이에 대한 설명으로 옳은 것은?

	교육내용	교수전략	학습결과
(가)	옷 입기	지퍼가 달린 점퍼 입기를 옷 입기 마지막 단계부터 처음 단계 순으로 지도하였다.	점퍼는 물론 지퍼 달린 다른 옷도 스스로 입을 수 있게 되었다.
(나)	청소하기	책상 정리 방법을 알려주고 시범을 보인 후, 자기 책상을 정리하게 하였다.	매일 책상을 정리하지만, 사물함은 정리하지 못한다.
(다)	양치질 하기	양치질하기를 작은 단계로 나누어 지도하였다.	타인의 도움 없이 서툴게 양치질을 할 수 있다.
(라)	인사하기	친구가 담임선생님께 인사하는 모습을 관찰한 후 따라 하도록 하였다.	다른 선생님과 이웃 어른들을 만나면 인사를 할 수 있게 되었다.
(마)	이동하기	학교 주변 그림지도로 학교에서 놀이터까지 가는 길을 교실에서 반복하여 지도하였다.	놀이터보다 먼 문구점이나 슈퍼마켓도 다녀올 수 있게 되었다.

① (가)의 교수전략은 후진연쇄법이며, 창수의 기능 수준은 일반화 단계이다.
② (나)의 교수전략은 자기점검법이며, 창수의 기능 수준은 획득 단계이다.
③ (다)의 교수전략은 과제분석법이며, 창수의 기능 수준은 숙달 단계이다.
④ (라)의 교수전략은 모델링이며, 창수의 기능 수준은 숙달 단계이다.
⑤ (마)의 교수전략은 현장학습법이며, 창수의 기능 수준은 일반화 단계이다.

21

2012 초등1-24

다음은 정신지체 학생들에게 기본교육과정 사회과 '화장실 사용하기'를 지도하기 위한 학습활동의 예이다. 이에 대한 지도 방법 중 옳은 것을 모두 고르면?

(가) 화장실 예절 지키기

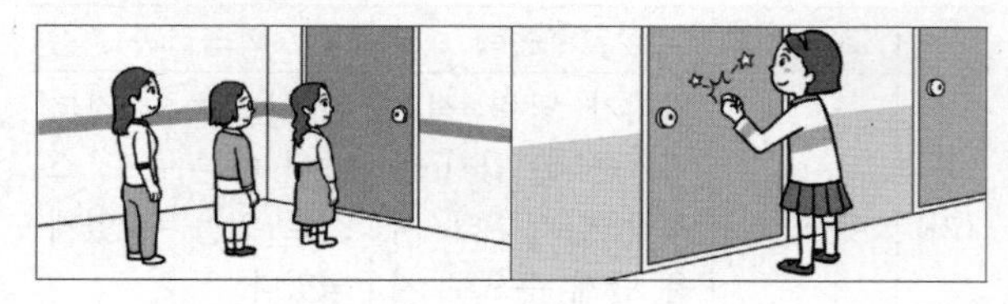

(나) 용변 처리 바르게 하기

ㄱ. 학생이 바지에 오줌을 쌌을 경우에는 지체 없이 학생을 청결하게 해 주고, 사회적 강화를 해 준다.
ㄴ. 중도 정신지체 학생의 경우 남녀 화장실을 구별하기는 어렵다고 하더라도, 스스로 화장실을 이용할 수 있도록 자조 능력을 길러주어야 한다.
ㄷ. (가)에서 중도 정신지체 학생의 경우 언어적 지시만으로는 부족하므로, 교사가 직접 시범을 보여주고 그 동작을 따라 하도록 지도한다.
ㄹ. (나)에서 필요한 기술은 정신지체 학생들에게 반드시 지도해야 하는 사회적 적응행동 기술이다.
ㅁ. (나)를 행동연쇄법을 적용하여 ①~④의 순서로 지도할 경우, 순서의 수행마다 조건적(인위적) 강화인을 준다.

① ㄱ, ㄴ
② ㄴ, ㄹ
③ ㄷ, ㄹ
④ ㄱ, ㄹ, ㅁ
⑤ ㄴ, ㄷ, ㅁ

22

2012 초등1-26

다음은 정신지체 학생을 대상으로 기본교육과정 수학과를 지도하기 위한 계획의 일부이다. 이에 대한 설명으로 적절하지 <u>않은</u> 것은?

주제	㉠ <u>물건값 계산하기</u>
학습 목표	㉡ <u>계산기를 사용하여 사고 싶은 물건의 물건값을 계산할 수 있다.</u>
학습 활동	〈물건값 구하기〉 ㉢ <u>교과서에 제시된 물건의 이름과 가격을 읽어본다.</u> ㉣ <u>계산기로 물건값의 합을 구해본다.</u> ㉤ <u>광고지에서 교사가 정해준 물건값의 총액을 구해본다.</u>

① ㉠과 같은 기술을 가르치기 위해 지역사회 중심 교수를 적용할 때에는 실제 환경에서 수업하는 것이 기술의 일반화에 도움이 된다.
② ㉡과 같은 활동을 계획할 때에는 계산 원리의 이해나 능숙한 연산 기술의 습득이 전제되지는 않는다.
③ ㉢을 교수한 후 장애 정도가 심한 학생에게 이 내용을 좀 더 확장하여 교수할 때 유의할 점은 발달연령에 적합한 교수자료를 사용해야 한다는 것이다.
④ ㉣과 같은 계산기의 사용은 학생으로 하여금 실생활의 문제해결 과정과 전략에 더욱 초점을 맞추게 할 수 있다.
⑤ ㉤과 같이 실제적인 자료를 활용하는 것은 기술의 자극 일반화를 촉진할 수 있다.

23

2012 초등1-30

정신지체 특수학교 김 교사는 기본교육과정 실과의 '동물 기르기와 관련된 직업 알아보기'를 지도하기 위해 학생들의 특성을 고려하여 아래와 같은 교수 · 학습과정안을 작성하였다. 자기결정력의 구성요소를 지도하기 위한 전략이 적절히 반영된 것을 고르면?

학습 목표		애완동물 기르기와 관련된 직업을 말할 수 있다.	
단계		교수 · 학습 활동	지도상의 유의점
도입		• 학습활동 안내 • 교사가 학생이 기르고 싶어할 만한 애완동물 사진을 3장씩 골라 나누어주기	
전개	인식하기	• 교사가 나누어 준 사진 중에서, ㉠ 학생이 자신의 선호도에 따라 하나씩 골라 이야기하기 – 애완동물의 이름과 생김새 알아보기 – 애완동물 용품의 이름 알아보기 • ㉡ 자신이 선택한 애완동물을 왜 좋아하게 되었는지 말하게 하고, 그 동물을 기르는 데 필요한 애완동물 용품의 이름을 발표하기	㉢ 애완동물 및 애완동물 용품의 이름을 기능적 어휘와 관련지어 지도한다.
	적용하기	• 강아지 기르는 방법 알아보기 • 금붕어 기르는 방법 알아보기 • ㉣ 강아지와 금붕어 기르는 방법에 대해 알고 있는 정도를 학생이 체크리스트에 표시하고 결과 확인하기	애완동물에게 먹이를 많이 주었을 때 발생하는 문제에 대처하는 방법을 지도한다.
	실천하기	• 자신의 적성, 흥미, 능력을 고려해 자기가 선택한 애완동물과 관련된 직업 종사자 역할놀이하기	
정리 및 평가		• 단원정리 • 차시예고	㉤ 본 주제는 직업 교과의 '가축 기르는 방법 알아보기'로 발전됨을 안내한다.

① ㉠, ㉡, ㉢ ② ㉠, ㉡, ㉣
③ ㉠, ㉢, ㉤ ④ ㉡, ㉣, ㉤
⑤ ㉢, ㉣, ㉤

24

2012 중등1-8

장애학생을 위한 사회성 증진 프로그램을 수립할 때 고려해야 하는 사회적 기술(social skills), 사회적 능력(social competence), 사회인지(socio-cognition)의 개념을 설명한 것으로 옳은 것만을 〈보기〉에서 있는 대로 고른 것은?

〈보기〉

ㄱ. 사회적 기술은 특정한 사회적 과제를 해결하기 위해 사용하는 구체적이고 관찰 가능한 행동으로서, 특히 장애학생에게는 사회적 타당성이 있는 사회적 기술을 가르칠 필요가 있다.

ㄴ. 사회적 능력은 특정 개인의 행동에 대해 상대방이 판단하는 효과성 및 수용 정도와 관련이 있으므로, 사회적 능력의 신장을 위해 장애학생에게 또래와 함께하는 풍부한 사회적 경험을 제공하는 것이 필요하다.

ㄷ. 사회인지는 사회적 단서를 통해 상대방의 생각과 감정 상태 등을 이해하고 적절한 판단을 내리는 것과 관련이 있으므로, 비언어적인 사회적 단서를 이해하는 데 어려움이 있는 장애학생에게 사회인지 훈련이 필요하다.

ㄹ. 인지, 언어, 정서, 운동 능력 등이 통합적으로 작용하는 사회적 기술의 특성은 장애학생이 사회적 기술을 습득하는 데 어려움을 겪는 이유를 설명해 줄 수 있다.

ㅁ. 위계적 차원에서 사회적 기술은 사회적 능력과 사회인지의 상위 개념이므로, 장애학생을 위한 사회성 증진 프로그램의 최종 목표는 사회적 기술의 신장으로 설정하는 것이 바람직하다.

① ㄱ, ㄴ, ㄷ ② ㄱ, ㄷ, ㄹ
③ ㄴ, ㄹ, ㅁ ④ ㄱ, ㄴ, ㄷ, ㄹ
⑤ ㄴ, ㄷ, ㄹ, ㅁ

25 2012 중등1-16

다음은 특수교사와 일반교사가 나눈 대화이다. ㉠~㉤ 중에서 옳은 내용만을 있는 대로 고른 것은?

일반교사: 정신지체는 지적 능력과 적응기술에서의 어려움을 동시에 가지고 있다고 하던데, 적응기술이 뭔가요?
특수교사: '미국 지적장애 및 발달장애학회(AAIDD)'에 따르면 ㉠'실제적 적응기술'은 '손해 보지 않기'와 같은 일상생활 활동에 필요한 기술을 의미해요. 그리고 ㉡'사회적 적응기술'에는 '자존감'과 '대인관계'와 같은 기술이 포함되어 있어요.
일반교사: 그렇군요. 그런 제한점이 있을 수 있겠네요.
특수교사: 하지만, 정신지체학생이 제한점만 가지고 있는 것은 아니에요. '미국 지적장애 및 발달장애학회'에서는 여러 증후군을 지닌 사람들에게서 자주 나타나는 행동적 징후 중에서 강점을 찾아 제시했어요.
일반교사: 그래요? 증후군에 따라 강점이 다른가요?
특수교사: 네. ㉢약체엑스증후군(Fragile X syndrome)을 지닌 사람은 일반적으로 음성언어 기술보다는 시·공간적 기술에 강점이 있고요. 또, ㉣ 프레더-윌리증후군(Prader-Willi syndrome)이 있는 사람은 대체로 시각적 처리와 퍼즐 해결에 강점이 있어요.
일반교사: 그럼, 다운증후군(Down syndrome)은요?
특수교사: ㉤ 다운증후군을 지닌 사람은 일반적으로 언어 또는 청각적 과제보다 시·공간적 과제를 더 잘 수행하는 강점이 있다고 해요.
일반교사: 그렇군요. 그런 강점을 잘 활용해서 지도하면 좋겠네요. 좋은 말씀 감사합니다.

① ㉠, ㉢ ② ㉠, ㉣
③ ㉡, ㉢, ㉤ ④ ㉡, ㉣, ㉤
⑤ ㉡, ㉢, ㉣, ㉤

26 2012 중등1-37

다음은 중도·중복장애학생 A의 통합학급 과학과 수업 참여 방법에 대해 교사들이 나눈 대화이다. ㉠~㉤ 중에서 옳은 것만을 있는 대로 고른 것은?

최 교사: 학생 A를 과학과 수업에 참여시키기 위해 '최소위험 가정(least dangerous assumption)'의 기준을 적용할 수 있겠어요. 분명한 근거 없이 장애가 심하다고 통합학급 수업에 따라가지 못할 것이라는 가정을 함부로 해서는 안 된다는 것이죠.
강 교사: 수업 활동 중에 학생 A가 스스로 하기 어려운 활동도 있겠지만, ㉠'부분 참여의 원리'를 적용해서 친구들에게 모두 의존하지 않고 활동에 일정 수준 참여하게 한다면 활동을 통해 배우게 될 뿐만 아니라 자존감도 높아진다고 생각해요.
최 교사: ㉡'부분 참여의 원리'를 적용하는 것은 통합학급에서 학생 A의 이미지와 역량에 긍정적인 영향을 줄 수 있다는 점에서 '사회적 역할 가치화(social role valorization)'라는 개념을 실현하는 것으로 볼 수 있어요.
강 교사: ㉢과학 수업이 매주 3시간 있는데, 2시간은 수업에 참여하고 1시간은 치료지원을 받게 하면, '부분 참여의 원리'도 살리고 치료 지원과 학습 요구의 균형도 이룰 수 있습니다.
김 교사: 학생 A를 위한 교수 방법으로 ㉣'최소개입 촉진(least intrusive promptings)의 원리'에 따라 효과적인 교수법 중 가장 간단하고 사용하기 쉬운 것을 선택하도록 하지요.
강 교사: 학생 A의 운동장애를 감안한다면, 신체적 도움이 필요해요. ㉤학습 단계 초기에는 도움을 주지 않다가 필요할 때는 즉시 촉진을 제공할 수 있고, 과제 수행에 따라 점차 신체적인 안내를 늘려가는 점진적 안내(graduated guidance)가 좋겠어요.

① ㉠, ㉡ ② ㉢, ㉣
③ ㉠, ㉡, ㉣ ④ ㉠, ㉡, ㉣, ㉤
⑤ ㉡, ㉢, ㉣, ㉤

27

2013 유아B-3

다음은 특수학교 유치원 과정 5세반 유아의 수업 관찰 내용이다. 물음에 답하시오.

유아	수업 관찰 내용
승호	승호가 미술 활동 중에 물감을 바닥에 뿌리면 교사는 "승호야"라고 이름을 부르며 다가와 흘린 물감을 닦아 주었다. 그러자 승호는 물감을 계속해서 바닥에 뿌렸다. 이러한 행동이 교사의 관심을 받기 위한 것이라고 판단한 교사는 승호가 물감 뿌리는 행동을 해도 흘린 물감을 더 이상 닦아 주지 않았다. 그러자 ㉠ 승호는 물감을 이전보다 더 많이 바닥에 뿌렸다.
다혜	다혜는 협동 그림을 완성하기 위해 자신이 맡은 부분을 색칠하려고 하였다. 그러나 저시력으로 인해 도화지 위에 연필로 그린 밑그림의 경계선이 잘 보이지 않아서 밑그림과 다르게 색칠하였다. 교사는 다혜의 수업 참여를 증가시키기 위하여 ㉡ 도안의 경계선을 도드라지게 해 주었고, ㉢ 조명이 밝은 곳으로 자리를 옮겨 주었다.
철희	철희는 손 힘이 약해서 그리기 활동에 많은 어려움을 겪었다. 그 결과 자신은 그리기 활동을 잘 할 수 없다고 생각하여 색칠하기를 거부하였다. 교사는 여러 가지 방법으로 지원하면서 "철희야, 너도 잘 할 수 있을 거야."라고 하였다. 그러나 철희는 여전히 "난 잘 할 수 없어요."라고 말하며 그리기를 주저하였다.

3) 학습 동기 이론에 근거하여 철희와 같이 실패 경험을 반복적으로 한 유아가 나타낼 수 있는 특성 1가지를 쓰고, 이러한 철희를 위해 교사가 해야 할 동기 유발 전략 1가지를 쓰시오.

- 특성 :

- 동기 유발 전략 :

28

2013 초등B-2

다음의 (가)는 정신지체 학생인 선진이의 '화폐' 관련 수행 수준이다. (나)는 교육실습생이 선진이를 지도하기 위하여 '2010 개정 특수교육 교육과정' 중 기본 교육과정 수학과에 근거해 수립한 지도 계획의 일부이다. 물음에 답하시오.

(가) 선진이의 수행 수준

- 화폐와 화폐가 아닌 것을 구별할 수 있음
- 같은 모양의 화폐를 찾을 수 있음
- 화폐의 단위를 모름
- 화폐의 금액을 모르고 세지 못함

(나) 지도 계획

- 제재 : 화폐 계산하기
- 학습 목표 : 단위가 다른 화폐를 모았을 때 얼마인지 알 수 있다.
- 학습 활동 1 : 모형 화폐를 세어보고 얼마인지 알아보기
- 학습 활동 2 : 화폐 그림을 보고 얼마인지 알아보기

천 원 (1,000원)

천오백 원 (1,500원)

천육백 원 (1,600원)

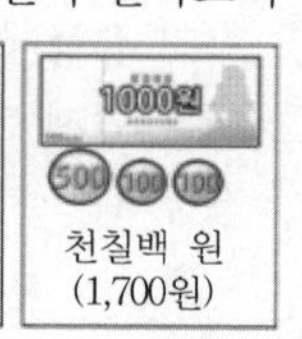

천칠백 원 (1,700원)

3) 교육실습 지도 교사는 화폐 관련 수업 시 다음과 같은 교수 전략을 활용해 보라고 제안하였다. ㉠의 명칭과 ㉡에 해당하는 활동의 예를 쓰시오. 그리고 ㉠과 '지역사회 참조 교수'의 차이점 1가지를 쓰시오.

교수 전략	화폐 계산하기 활동의 예
㉠	시장 놀이나 가게 놀이 하기
지역사회 참조 교수	㉡

㉠ :

㉡ :

- 차이점 :

29 2013 중등1-23

2010년 11차 미국 지적장애 및 발달장애 학회(AAIDD)가 발표한 지적장애의 정의 및 지원체계에 대한 설명으로 옳은 것은?

① 정신지체에서 지적장애로 용어가 변경되었다. 정신지체라는 용어는 장애를 한 개인이 지닌 '결함'의 의미로 본다면, 지적장애라는 용어는 장애를 한 개인이 지닌 개인내차에 초점을 둔 '능력의 불일치'라는 의미로 본다.

② 10차 정의와 동일하게 지능지수의 절사점은 평균으로부터 2 표준편차 이하이고, 75 이상도 포함하도록 하여 지원 대상의 범위를 넓혔다.

③ 인간 기능성에 대한 개념적 틀은 '기능성, 장애 및 건강의 국제 분류(ICF)' 모델과는 차원을 달리하는데, 개인에 대한 적절한 지원은 유동적인 것으로 삶의 상황이나 단계에 따라 변화 가능한 것으로 본다.

④ 지원 모델은 개인의 지원요구에 대해 일상적이고 보편적인 지원을 하게 함으로써, 개인의 안녕과 삶의 만족감이 상당히 향상될 것으로 본다.

⑤ 지원 유형에는 주어진 환경 내에서 자연스럽게 제공되는 인적·물적 지원과 개인의 필요와 요구에 따라 제공되는 서비스 중심의 지원이 있다.

30 2013 중등1-24

교사가 중도 정신지체 학생을 지도하기 위해 지역사회 중심 교수를 실시하고자 한다. 옳은 것을 〈보기〉에서 고른 것은?

〈보기〉

ㄱ. 지역사회라는 의미 있는 자연적 맥락에서 기능적 기술을 가르치는 교수적 실제이다.
ㄴ. 장애학생들이 성인이 되었을 때 필요한 기술들을 습득할 수 있도록 현장학습이나 적응훈련 중심으로 비구조적인 교수를 계획한다.
ㄷ. 학교 안에서는 지역사회 중심 교수를 구현하기 위해 지역사회 참조 교수와 지역사회시뮬레이션을 활용할 수 있다.
ㄹ. 지역사회 중심 교수의 효과를 극대화하기 위해서는 장애의 정도와 유형에 상관없이 지역사회에 접근할 수 있어야 하고, 특수학급의 수업 맥락에서 이루어져야 한다.
ㅁ. 지도방법 중에는 학습한 기술이 다양한 상황이나 조건에서도 사용될 수 있도록 하는 일반사례 교수법(general case instruction)이 있다.

① ㄱ, ㄴ, ㄷ　② ㄱ, ㄴ, ㅁ
③ ㄱ, ㄷ, ㅁ　④ ㄴ, ㄷ, ㄹ
⑤ ㄷ, ㄹ, ㅁ

31

2013 중등1-26

중도 정신지체 학생을 지도하기 위해 교사가 사용한 교육과정적 접근이다. 이 중에서 기능적 접근에 대한 설명으로 옳은 것을 〈보기〉에서 고른 것은?

〈보기〉

ㄱ. 기능적 교육과정을 결정하기 위해 생태학적인 목록을 활용한다.
ㄴ. 학생의 생활연령을 고려하여 다양한 환경에서 가르칠 기술들을 선택한다.
ㄷ. 학생의 현재와 미래 환경을 바탕으로 기술을 가르치는 상향식 접근 방법이다.
ㄹ. 학생이 일정한 능력 수준을 갖추기 전에는 상위의 독립적 기술을 가르치지 않는다.
ㅁ. 기술을 습득하기 위해서는 좀 더 많은 시간을 필요로 하는데, 학습의 단계와 위계에 따라 영역별로 발달 단계에 맞추어 학습해야 한다.

① ㄱ, ㄴ　② ㄱ, ㄹ
③ ㄴ, ㄷ　④ ㄷ, ㅁ
⑤ ㄹ, ㅁ

32

2013추시 유아A-7

다음은 발달지체 유아인 민아의 개별화교육계획 목표를 활동중심 삽입교수로 실행하기 위해 박 교사가 작성한 계획안이다. 물음에 답하시오.

유아명	정민아	시기	5월 4주	교수 목표	활동 중에 제시된 사물의 색 이름을 말할 수 있다.

<table>
<tr><th colspan="3">교수활동</th></tr>
<tr><th>활동</th><th>㉠ 학습 기회 조성</th><th>㉤ 교사의 교수 활동</th></tr>
<tr><td>자유선택 활동 (쌓기 영역)</td><td>블록으로 집을 만들면서 블록의 색 이름 말하기</td><td rowspan="6">㉡ <u>민아에게 사물을 제시하며 "이건 무슨 색이야?" 하고 물어본다.</u>

"빨강(노랑, 파랑, 초록)" 하고 색 이름을 시범 보인 후 "따라 해 봐" 하고 말한다.

㉢ <u>정반응인 경우 칭찬과 함께 긍정적인 피드백을 제공하고 오반응인 경우 색 이름을 다시 말해 준다.</u></td></tr>
<tr><td>자유선택 활동 (역할놀이 영역)</td><td>소꿉놀이 도구의 색 이름 말하기</td></tr>
<tr><td>자유선택 활동 (언어 영역)</td><td>존대말 카드의 색 이름 말하기</td></tr>
<tr><td>대소집단 활동 (동화)</td><td>그림책 삽화를 보고 색 이름 말하기</td></tr>
<tr><td>간식</td><td>접시에 놓인 과일의 색 이름 말하기</td></tr>
<tr><td>실외활동</td><td>놀이터의 놀이기구 색 이름 말하기</td></tr>
</table>

㉣ 관찰					
정반응률	월	화	수	목	금
	%	%	%	%	%

1) ㉠을 계획할 때 교사가 고려해야 할 점을 2가지 쓰시오.

①:

②:

33

2013추시 유아B-8

준이는 통합유치원에 다니는 만 5세 자폐성장애 유아이다. 물음에 답하시오.

(가) 준이의 행동 특성

- 단체 활동에서 차례를 기다리는 것을 어려워한다.
- 친구가 인사를 하면 눈을 피하면서 ㉠ 반향어 형태의 말만 하고 지나간다.
- 친구가 제안하는 경우 놀이에 참여하나 자발적으로 친구에게 놀이를 제안하거나 시작행동을 보이지는 않는다.

(나) 활동계획안

활동명	친구와 나의 그림자
활동 목표	• 그림자를 보면서 나와 친구의 모습을 인식한다. • 빛과 그림자를 탐색한다.
활동 자료	• 빔 프로젝터, 동물 관련 동요 CD • ㉡ 재생과 정지 버튼에 스티커를 붙인 녹음기
활동 방법	1. 빔 프로젝터를 통해 비치는 자신의 그림자를 탐색해 본다. • 유아의 순서를 네 번째 정도로 배치해 차례 기다리기를 지도한다. 2. 신체를 움직여 보면서 달라지는 그림자를 관찰한다. 3. 다양한 동작을 이용하여 그림자를 만들어 본다. • 유아들이 그림자 모양을 만들 때, ㉢ 친구와 손잡고 돌기, 친구 껴안기, 친구와 하트 만들기, 간지럼 태우기 등 유아 간의 신체적 접촉이 일어나도록 그림자 활동을 구조화하여 지도한다. • 동요를 들으며 유아가 선호하는 동물모양을 친구와 함께 다양한 동작으로 표현하도록 지도한다.

4) 교사는 그림자 활동 중 준이의 또래 상호작용을 촉진하기 위해 ㉢과 같은 전략을 활용하였다. ㉢에 해당하는 교수전략을 쓰시오.

34

2013추시 중등A-2

다음은 A 특수학교(고등학교) 2학년 윤지가 창의적 체험활동 시간에 인터넷에서 직업을 검색하도록 박 교사가 구상 중인 계획안의 일부이다. 물음에 답하시오.

학습 단계	교수 활동	지도상의 유의점
습득	윤지에게 인터넷에서 직업 검색 방법을 다음과 같이 지도한다. ① 바탕 화면에 있는 인터넷 아이콘을 클릭하게 한다. ② 즐겨 찾기에서 목록에 있는 원하는 검색 엔진을 클릭하게 한다. ③ 검색 창에 직업명을 입력하게 한다. ④ 직업에서 하는 일을 찾아보게 한다. …(이하 생략)…	• 윤지가 관심 있어하는 5가지 직업들로 직업 목록을 작성한다. • ㉢ 직업 검색 과정을 하위 단계로 나누어 순차적으로 지도한다.
(가)	윤지가 직업 검색하기를 빠르고 정확하게 수행하도록 ㉠ 간격시도 교수를 사용하여 지도한다.	• ㉣ 간격시도 교수 상황에서 윤지와 친구를 짝지은 후, 관찰기록지를 주고 수행결과에 대해 서로 점검하여 피드백을 제공하도록 한다.
유지	윤지가 정기적으로 직업명을 인터넷에서 검색할 수 있도록 한다.	
(나)	학교에서는 ㉡ 분산시도 교수를 사용하여 지도한 후, 윤지에게 복지관에서도 자신이 관심 있어 하는 직업명을 검색하도록 한다.	

1) (가)와 (나)에 해당하는 학습 단계의 명칭을 쓰시오.

- (가) :
- (나) :

35 2013추시 중등A-5

(가)는 준호의 정보이고, (나)는 김 교사가 준호를 관찰한 자료와 이에 대한 분석을 토대로 구성한 교수적 지원방안이다. 물음에 답하시오.

(가) 준호의 정보

- 경도 정신지체를 가진 중학교 3학년 학생임
- 대부분이 1학년 학생으로 구성된 특수학급에 배치되어 있으며, 일부 교과는 통합학급에서 공부함
- 다문화 가정에서 성장하여 한국어 어휘가 부족함

(나) 준호에 대한 김 교사의 관찰, 분석 및 지원방안

관찰내용		분석의견		지원방안
간단한 단어를 읽고 쓸 수 있으며 화폐 개념이 있음. 책임감이 낮고 학급 및 도서실에서의 규칙 따르기가 어려움	➡	개념적 적응행동에 비해 (㉠) 적응 행동에 어려움이 있다.	➡	도서실 이용 규칙에 대해 지도하고, 도서 대출과 반납을 위해 도서실 이용 시 필요할 때마다 도움을 주는 (㉡) 지원을 제공한다.
관련 있는 중요한 자극에 집중하기 어려움. 단기간 내 사용할 수 있는 정보를 기억하는 데 어려움이 있음	➡	(㉢)와(과) 단기 기억에 어려움이 있다.	➡	집중해야 할 중요한 단서를 강조하고, 정보를 조직화해 주거나 시연전략을 지도한다.
㉣ 특수학급에서는 수업 참여나 다른 학생들과의 의사소통에 무리가 없는 편임. 국내 표준화된 지능검사 결과 지능 지수가 2표준편차 이하로 나타남	➡	정신지체 정의의 적용에 필수적으로 전제되어야 할 가정들 중 2가지가 제대로 반영되지 못한 점을 고려할 때, 관찰 및 검사 결과 해석에 주의가 요구된다.	➡	학생의 지원요구 파악 및 지원방안을 구체화하기 위하여 필요하다면 추후 관찰 및 검사를 실시한다.

1) 2010년 11차 미국 지적장애 및 발달장애협회(AAIDD)의 지적장애 정의 및 지원체계에 근거하여 ㉠과 ㉡에 들어갈 말을 쓰시오.

㉠:

㉡:

2) ㉢에 들어갈 말을 쓰시오.

㉢:

3) 2010년 11차 미국 지적장애 및 발달장애협회(AAIDD)에서는 지적장애 정의와 그 정의를 적용할 때 전제되어야 하는 필수적인 가정들을 제시하였다. 이 중에서 (가)의 정보를 바탕으로 ㉣을 해석하는 데 고려되어야 할 가정을 2가지 쓰시오.

36

2013추시 중등A-7

(나)는 경아를 지도하기 위해 작성한 차시별 지도계획안의 일부이다. 물음에 답하시오.

(나) 차시별 지도 계획안

- 단원: 나의 진로
- 단원목표: 진로 과정을 이해하고 미래에 자신이 하고 싶은 일을 탐색한다.
- 제재: 희망하는 직업 살펴보기

차시 (단계)	활동 내용	자료	교수 지원
1차시 (㉣)	◦ "내가 희망하는 직업은 무엇인가?"를 지도하기 – 학생 질문 1: 내가 배우고 싶은 것은 무엇인가? …(중략)… – 학생 질문 4: 이것을 위해 내가 할 수 있는 것은 무엇인가?	• 동영상 • 직업 카드	◦ 선택하기 교수
2차시 (계획 및 실행)	◦ "내가 희망하는 직업을 가지기 위한 계획은 무엇인가?"를 지도하기 – 학생 질문 5: 모르는 것을 배우기 위해 내가 할 수 있는 것은 무엇인가? …(중략)… – 학생 질문 8: 나는 언제 계획을 실행할 것인가?	• 동영상 • 유인물	◦ 자기 일정 계획 ◦ 자기 점검 전략
3차시 (㉤)	◦ "내가 희망하는 직업을 가지기 위해 배운 것은 무엇인가?"를 지도하기 – 학생 질문 9: 내가 실행한 계획은 무엇인가? …(중략)… – 학생 질문 12: 내가 알고 있었던 것을 알게 되었는가?	• 동영상	◦ 자기 평가 전략

4) (나)는 자기결정 학습을 위한 교수모델(Self－Determined Learning Model of Instruction: SDLMI) 3단계에 기초하여 작성된 차시별 지도 계획안의 일부이다. ㉣과 ㉤에 들어갈 단계명을 쓰시오.

㉣:

㉤:

37

2013추시 중등B-3

다음은 중학교 통합학급에서 참관실습을 하고 있는 A 대학교 특수교육과 2학년 학생의 참관후기와 김 교사의 피드백 일부이다. 물음에 답하시오.

> 통합학급 국어 시간에 은수의 학습보조를 했다. 은수와 같은 중도 정신지체 학생이 왜 통합학급에서 공부하는지, 그리고 이 시간이 은수에게 무슨 의미가 있는지 의문이 들 때가 많다. 은수가 과연 무엇인가를 배울 수는 있는 것일까?
>
> 중도 정신지체 학생들을 위해 ㉠ 확실한 자료나 근거가 없다면 혹시 잘못된 결정을 하더라도 학생의 미래에 가장 덜 위험한 결과를 가져오는 교수적 결정을 해야 해요. 학생의 잠재력을 전제하여 통합 상황에서 또래와 함께 공부할 수 있는 기회를 제공하는 것이 중요합니다.

1) ㉠이 의미하는 용어를 쓰시오.

- 용어:

38

2014 유아A-2

다음은 5세 유치원 통합학급에서 유아특수교사와 유아 교사가 쿡과 프렌드(L. Cook & M. Friend)의 협력교수 유형을 적용하여 작성한 활동계획안의 일부이다. 물음에 답하시오.

○ 대집단-일반 유아 21명
● 소집단-발달지체 유아(나리)/일반 유아(서영, 우재, 민기)

소주제	우리 동네 사람들이 하는 일	활동명	일하는 모습을 따라 해 봐요
활동 목표	• 다양한 직업에 대해 관심을 갖는다. • 직업의 특징을 몸으로 표현한다.		
활동 자료	다양한 직업(버스기사, 교통경찰, 미용사, 요리사, 화가, 발레리나, 의사, 사진기자, 택배기사, 축구선수)을 가진 사람들의 모습이 담긴 사진 10장		
㉠ 나리의 IEP 목표 (의사소통)	• 교사의 질문에 사물을 손가락으로 가리킬 수 있다. • 자신의 느낌과 생각을 손짓이나 몸짓으로 표현할 수 있다.		

교수 · 학습 활동내용	
○ 대집단-유아교사	● 소집단-유아특수교사
○ 다양한 직업의 모습이 담긴 사진을 보면서 이야기 나누기 - 다양한 직업의 특징을 말하기 ○ 직업을 신체로 표현하는 방법에 대해서 이야기 나누기 - 이 사람은 무엇을 하고 있니? - 이 사람은 일을 할 때 어떻게 움직이고 있니? ○ 직업을 다양하게 몸으로 표현하고 알아맞히기 - 사진 속 직업을 몸으로 표현해 보자. ○ 직업을 가진 사람들의 움직임을 창의적인 방법으로 표현해 보기 - 또 다른 방법으로 표현해 볼 수 있을까?	● 유아가 자주 접하는 직업의 모습(동작)이 담긴 5장의 사진을 보면서 이야기 나누기 - ㉡ <u>사진(의사, 버스기사, 요리사)을 보여주면서 "맛있는 음식을 만드는 사람은 누구니?"</u> - ㉢ <u>사진(축구선수, 미용사)을 보여주면서 "축구공은 어디 있니?"</u> - "요리사는 음식을 만들 때 어떻게 움직이고 있니?" ● 유아가 자주 접하는 직업의 모습(동작)이 담긴 사진을 보면서 손짓이나 몸짓으로 표현하기 - (교통경찰 사진을 보며) "손을 어떻게 움직이고 있니?"

	활동평가	평가방법
○	• 다양한 직업에 대해 관심을 갖고 있는가? • 직업의 특징을 다양하게 몸으로 표현할 수 있는가?	• 관찰 • (㉣)
● (나리)	• 직업의 특징을 손짓이나 몸짓으로 표현할 수 있는가?	

1) 유아특수교사는 ㉠을 포함하여 ㉡과 ㉢의 교수활동을 계획하였다. 이에 해당하는 교수법을 쓰시오.
- 교수법 :

39 2014 유아A-8

(가)는 발달지체 유아 진아에 대해 통합학급 김 교사와 특수학급 박 교사가 나눈 대화 내용이고, (나)는 진아를 위해 박 교사가 제안한 지도 내용이다. 물음에 답하시오.

(가) 김 교사와 박 교사의 대화 내용

김 교사: 이번에 ㉠ 자기결정에 대한 연수를 받고 왔는데 내용이 어려웠어요. 박 선생님께서 자기결정행동에 대해 설명해 주시겠어요?

박 교사: 네, 선생님. 자기결정행동에는 여러 가지 구성 요소가 있어요.

박 교사: (자기결정행동의 구성 요소를 메모지에 적으면서 자세하게 설명한다.)

메모 내용

- 자신이 기대하는 결과를 성취할 능력이 있다고 믿는 것을 ㉡ '효능성에 대한 긍정적 인식'이라고 함
- 가능한 정보들을 이용하여 문제에 대한 다양한 해결책을 찾아보고 구상하는 것을 ㉢ '문제해결 기술'이라고 함
- 개인의 선호도를 확인하고 두 가지 이상의 선택 상황에서 자신이 선호하는 것을 분명하게 표현하는 것을 ㉣ '선택하기 기술'이라고 함
- 자신의 강점이나 능력, 요구 등에 대해 합리적이며 정확하게 이해하는 것을 ㉤ '자기옹호 기술'이라고 함

…(중략)…

박 교사: 김 선생님, 지난번에 말씀드린 대로 진아는 슈퍼마켓에서 물건을 사는 데 어려움이 있어요. 그래서 진아에게 지역사회 중심 교수를 체계적으로 실시할 수 있는 (㉥) 을(를) 적용하여 지도해 보면 좋겠어요.

(나) 박 교사가 제안한 (㉥)의 지도 내용

단계	지도 내용
교수목표 범위 정의하기	교사는 '진아가 지역사회에 있는 다양한 슈퍼마켓에서 물건을 살 수 있다.'를 교수목표로 정한다.
일반적 과제분석 작성하기	교사는 슈퍼마켓에서 물건을 살 때 필요한 일반적인 단계를 과제분석한 후, 지역사회에 있는 다양한 슈퍼마켓의 대표적인 형태가 되는 몇 곳을 선정하고, 자극과 반응 유형을 분석한다.
교수와 평가에 사용할 예 선택하기	교사는 자극과 반응 유형을 분석한 대표적인 형태의 슈퍼마켓 몇 곳 중 지역사회에서 가장 일반적인 유형인 A 슈퍼마켓을 우선 지도할 장소로 정하고, 이와 동일한 유형의 B 슈퍼마켓을 평가할 장소로 정한다.
교수하기	(㉦)
평가하기	(㉧)
자극과 반응 유형이 분석된 슈퍼마켓에서 반복하여 지도한다.	

1) 위마이어(M. Wehmeyer)가 분류한 ㉠의 특성 4가지를 쓰시오.

2) ㉡~㉤ 중에서 설명에 맞지 않는 자기결정행동 구성 요소 1가지를 찾아 기호를 쓰고, 설명에 맞는 구성 요소로 고쳐 쓰시오.

- 기호:
- 구성 요소:

3) (나)의 지도 내용을 참조하여 ㉥의 명칭을 쓰고, ㉦과 ㉧에 들어갈 지도 내용을 각각 쓰시오.

㉥:

㉦ 지도 내용:

㉧ 지도 내용:

40

2014 초등B-5

(가)는 정신지체 특수학교 교사가 교육 실습 중인 예비교사와 나눈 대화이고, (나)는 예비교사가 실과과 '청소하기' 단원을 지도하기 위해 구상한 수업 계획안이다. 물음에 답하시오.

(가) 교사와 예비교사의 대화

교　　사: 선생님, 연구수업을 위한 교과와 주제를 정하셨나요?

예비교사: 아직 못 정했어요. 하지만 학생들이 생활하는 데 꼭 필요한 기능적 기술을 가르치는 수업을 해보고 싶어요.

교　　사: 그렇군요. 그렇다면 학생들에게 필요한 기술이 무엇인지부터 파악해 보세요.

예비교사: 네, 그래서 저는 (㉠)을(를) 사용해 보려고 해요. ㉡ 각 학생의 주요 생활 영역에서 현재와 미래의 환경을 파악하고, 그 환경의 하위 환경에서 요구되는 활동을 하는 데 필요한 기술을 확인해 보고 싶어서요. 그런데 그렇게 확인한 다양한 기술 중 어떤 기술을 먼저 가르쳐야 할지는 잘 모르겠어요.

교　　사: 다양한 기술 중에서 '우선 가르쳐야 하는 기능적 기술'을 선정하는 기준이나 고려 사항이 있어요. 먼저 여러 생활 영역에 걸쳐서 중요하거나 유용한 기술인지 살펴봐야 되죠. 그리고 그 밖에 몇 가지 다른 기준도 있으니 꼭 살펴보세요.

예비교사: 네, 그렇게 하겠습니다. 수업 계획안을 구상한 후 다시 의논을 드리겠습니다. 감사합니다.

(나) 예비교사가 구상한 수업 계획안

- 교과: 실과
- 단원명: 청소하기
- 제재: 깨끗하게 청소하기
- 학습 목표: 청소기로 바닥을 밀어 청소할 수 있다.
- 수업 모형: 기능학습 모형
- 수업 절차
  1. 교사는 학생들에게 청소기의 기능과 사용 방법을 설명한다.
  2. 교사는 학생들에게 청소기로 청소하는 과정을 시범 보인다.
  3. ______________ ㉢ ______________
  4. 교사는 학생들이 배운 기술을 이용하여 깨끗이 청소했는지 평가한다.
  5. 교사는 학생들에게 '수업시간에 배운 기술을 이용하여 청소하기'를 과제로 낸다.
- 평가 계획

평가 목적	평가 방법
청소기 기능과 사용 방법을 아는지 확인한다.	구술평가, 수행평가
청소기를 사용하여 깨끗이 청소했는지 확인한다.	수행평가, 자기평가
가정에서 청소기로 깨끗이 청소할 수 있는지 확인한다.	관찰(부모의 평정기록)
유의점: 부모님께 가정에서의 청소기 사용에 대한 지도 내용과 평가 방법을 안내하고 협조를 요청한다.	

1) (가)에서 예비교사가 학생들에게 필요한 기술을 확인하기 위해 언급한 ㉠의 명칭을 쓰시오.

2) (나)의 학습 목표가 '우선 가르쳐야 할 기능적 기술'로서 적절한 이유를 ㉡의 내용을 바탕으로 1가지 쓰시오[단, (가)에서 교사가 언급한 기준을 제외하고 작성할 것].

41 　2014 중등A-8

다음은 특수교육지원센터 홈페이지 게시판에 올라온 ○○청소년 수련원의 담당자가 질문한 내용에 대해 특수교사가 답변한 것이다. 괄호 안의 ㉠과 ㉡에 해당하는 말을 각각 쓰시오.

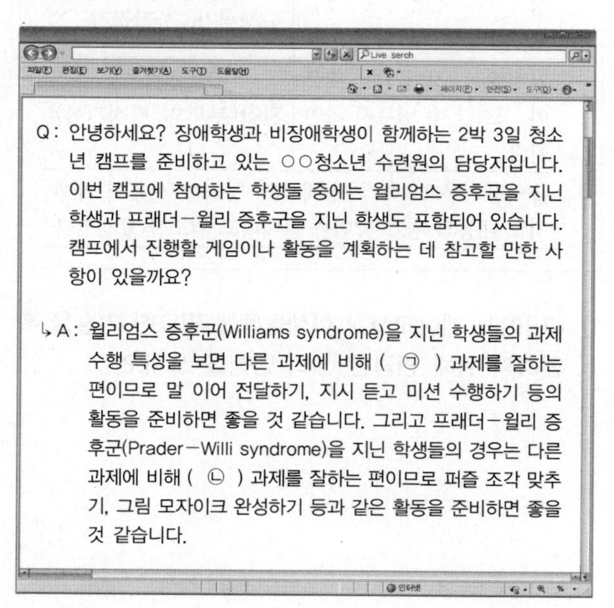

Q: 안녕하세요? 장애학생과 비장애학생이 함께하는 2박 3일 청소년 캠프를 준비하고 있는 ○○청소년 수련원의 담당자입니다. 이번 캠프에 참여하는 학생들 중에는 윌리엄스 증후군을 지닌 학생과 프래더-윌리 증후군을 지닌 학생도 포함되어 있습니다. 캠프에서 진행할 게임이나 활동을 계획하는 데 참고할 만한 사항이 있을까요?

↳A: 윌리엄스 증후군(Williams syndrome)을 지닌 학생들의 과제 수행 특성을 보면 다른 과제에 비해 (㉠) 과제를 잘하는 편이므로 말 이어 전달하기, 지시 듣고 미션 수행하기 등의 활동을 준비하면 좋을 것 같습니다. 그리고 프래더-윌리 증후군(Prader-Willi syndrome)을 지닌 학생들의 경우는 다른 과제에 비해 (㉡) 과제를 잘하는 편이므로 퍼즐 조각 맞추기, 그림 모자이크 완성하기 등과 같은 활동을 준비하면 좋을 것 같습니다.

42 2014 중등B-논1

다음의 (가)는 고등학교 3학년 정신지체학생 A의 현재 실습지에서의 실습활동 평가 결과를 요약한 것이고, (나)는 학생 A가 실습하게 될 다음 실습지에 대한 사전 조사 내용을 요약한 것이다. (가)의 상황평가 결과에 나타난 학생 A의 행동 특성을 '2010년 11차 미국 지적장애 및 발달장애협회(AAIDD)의 지적장애 정의'에 있는 적응행동 유형과 관련지어 설명하시오. 그리고 (가)와 (나)의 정보를 바탕으로 학생 A에게 다음 실습지로 ○○카페가 적합한 이유를 실습지의 직무, 실습지의 구성원, 실습지의 문화 측면에서 각각 1가지씩 쓰고, 학생 A가 ○○카페에서 실습을 하기 전에 갖추어야 할 기술 1가지와 그 기술을 선정한 이유를 쓰시오.

(가) 학생 A의 현재 실습지에서의 실습활동 평가 결과 요약
- 실습 장소: 집 근처 분식집(도보로 이동 가능한 거리)

〈상황평가 결과〉
- 출근 시간을 잘 지킨다.
- 맡은 일은 끝까지 마무리한다.
- 메뉴판의 음식명을 읽을 수 있다.
- 손님과 다른 직원들에게 인사를 잘 하고 친절하다.
- 다른 사람의 도움 없이는 화장실 청소를 하지 못한다.
- 음식 주문 번호와 일치하는 번호의 테이블에 음식을 가져간다.
- 화폐의 종류는 구분하나, 음식 값을 계산하는 데는 어려움이 있다.

〈학생과의 면담 내용〉
- 카페나 레스토랑에서 유니폼을 입고 일하는 친구들이 부럽다.
- 친하게 지낼 만한 또래가 있었으면 좋겠는데, 같이 일하는 분들이 모두 나이가 많다.

〈어머니와의 면담 내용〉
- 학생 A의 출퇴근을 지원할 여건이 안 된다.
- 학생 A가 대중교통을 혼자 이용하는 것이 걱정이 돼서 아직까지 기회를 주지 않고 있다.
- 학생 A가 방과 후에 바리스타 수업을 받기는 했지만, 다른 사람의 도움 없이는 커피를 내리지 못한다.

(나) 학생 A의 다음 실습지에 대한 사전 조사 내용 요약
- 실습 장소: 인근 지역에 있는 ○○카페(학생 A의 집에서 지하철로 20분 거리)
- 실습 시간: 오전 9시~오후 3시
- 직무별 직원 구성 및 직원 특성
  - 사장, 바리스타(2명), 카운터(1명), 서빙(4명: 고등학생과 대학생 아르바이트)
  - 장애인과 함께 근무한 경험이 있어 장애인에 대한 이해가 전반적으로 높음
- 복무규정
  - 정시 출근
  - 단정한 유니폼 착용

43 2015 유아A-2

다음은 발달지체 유아 지우에 대해 통합학급 김 교사와 특수학급 박 교사가 나눈 대화 내용이다. 물음에 답하시오.

김 교사: 선생님, 지우 때문에 의논 드리고 싶은 일이 있어요. 오늘 ㉠ 친구들이 역할놀이 영역에서 집안 꾸미기를 하는데, 지우는 목적 없이 교실을 돌아다니기만 해요. 제가 놀이하는 모습을 보여 주려고 해도 쳐다보지 않아요.
박 교사: 그렇다면 지우의 참여 행동을 구체적으로 점검해 봐야 할 것 같아요. 참여 행동을 진단하려면 맥윌리엄(R. McWilliam)의 이론에 따라 참여 수준과 함께 (㉡)와(과) (㉢)을(를) 살펴보는 게 좋겠어요.
김 교사: 네, 그래야 할 것 같아요. 또 지우는 한 활동이 끝나고 다른 활동으로 전이하는 것도 힘들어하는 것 같아요.
박 교사: 그러면 ㉣ 지우에게 그림 일과표를 보여 주세요. 활동을 마칠 때마다 그림카드를 떼어 다음 활동을 알 수 있도록 하면 좋을 것 같아요.
김 교사: 아! 그러면 지우의 참여 행동에 도움이 될 수 있겠네요. 참여를 해야 비로소 학습이 시작되고, 그래야 학습한 내용을 습득할 수 있겠지요. 그 다음에 (㉤), 유지와 일반화가 이루어지므로 참여가 중요한 것 같아요.

4) ㉤에 들어갈 내용을 학습 단계에 근거하여 쓰시오.

㉤:

44 2015 초등A-4

(가)는 학습장애 학생 은수의 인지적 특성이다. 물음에 답하시오.

(가) 은수의 인지적 특성

- (㉠) 능력이 부족하여, 관련 없는 정보나 자극을 무시하고 중요한 정보에 주의를 기울이는 데 어려움이 있음
- (㉡) 능력이 부족하여, 과제 해결을 위해 어떤 전략이 필요한지 잘 모르고, 하는 일에 대해 지속적으로 검토하지 못함

1) (가)의 ㉠과 ㉡에 들어갈 용어를 각각 쓰시오.

㉠:

㉡:

2) 은수의 ㉡ 능력을 고려하여 다음과 같은 기록지를 제공하였다. 이는 은수에게 어떤 전략을 가르치기 위한 것인지 쓰시오.

선인장 관찰하기

이름: 채은수

나는……	○	×
1. 색을 관찰하여 적었다.		
2. 모양을 관찰하여 그렸다.		
3. 가로로 잘랐다.		
4. 가로로 자른 단면을 그렸다.		
5. 세로로 잘랐다.		
6. 세로로 자른 단면을 그렸다.		

45

2015 중등A-3

다음은 정신지체 학생 A와 B에게 마트 이용하기 기술의 일반화를 촉진하기 위한 지역사회 중심 교수 전략들이다. (가)와 (나)에 해당하는 지도 전략의 명칭을 순서대로 쓰시오.

> (가) 학생 A가 이용할 것으로 예상되는 집 근처 마트를 조사하여 10곳을 정한다. 선정한 마트 10곳의 이용 방법을 모두 분석한 후, 이용 방법에 따라 범주화한다. 범주화된 유형에 대해 각각 과제분석을 하고, 유형별로 마트를 1곳씩 정하여 지도한다. 교사는 학생 A가 학습한 것을 나머지 마트에서도 수행할 수 있는지 평가한다.
>
> (나) 학생 B에게 학교 안에 있는 매점을 활용하여 지역사회 마트 이용하기 기술을 가르친다. 학교 매점에서 물건 고르기, 물건 가격 확인하기, 계산대 앞에서 줄 서기, 돈 지불하기, 거스름돈 확인하기를 지도한다.

46 2016 유아B-2

(가)는 박 교사가 3명의 유아를 대상으로 실시한 중재 결과를 보여주는 그래프이고, (나)는 중재 시 활용한 활동계획안의 일부이다. 물음에 답하시오.

(가) 중재 결과 그래프

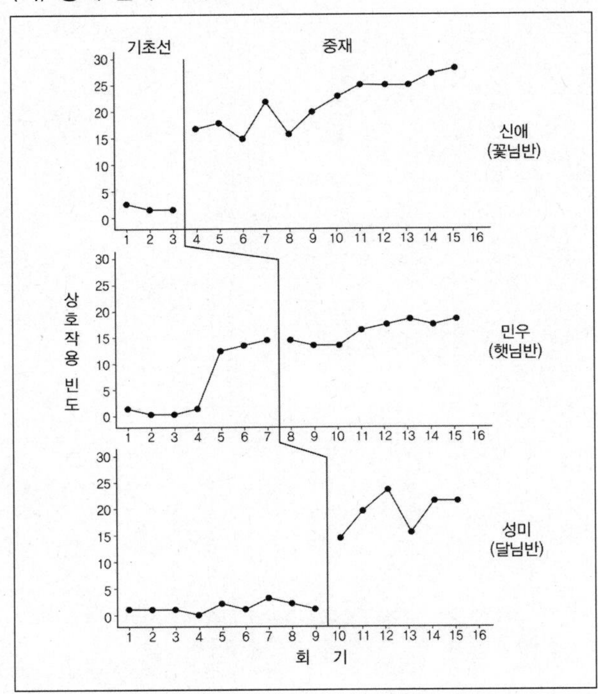

(나) 활동계획안

활동명	투호놀이	대상 연령	3세
활동 목표	• 투호놀이를 경험해 본다. • 투호놀이 방법을 익히고 즐겁게 놀이한다.		
활동 자료	화살, 항아리, 투호놀이 영상		
활동 방법		신애를 위한 지원	
1. 투호놀이 영상을 보며 투호 놀이에 대해 이야기 나눈다. 2. 투호놀이를 잘 할 수 있는 방법을 생각해 본다. 3. 놀이하는 순서를 정한다. 4. 출발선에 차례대로 줄을 서게 한 후 화살을 나누어 준다. 5. 화살을 항아리 안에 들어가도록 던진다. 6. 활동을 하고 난 후 생각과 느낌을 이야기 나눈다. 		• 친구들에게 화살을 나누어 주게 하고, 친구들도 신애에게 화살을 건네게 한다. • 화살을 던지는 거리를 짧게 조절하고 잘 던질 수 있도록 ㉠ 어깨를 잡아 몸의 방향을 조정해 준다. • 친구들의 투호놀이를 보며 놀이 방법을 익히도록 신애의 참여 순서를 약간 뒤쪽으로 한다. • 두 명이 한 팀이 되어 화살을 던지게 하고, ㉡ 활동 중에 서로 격려하며 신체 접촉을 자주 하게 한다. • "투호놀이는 재미있었니?"라고 수렴적 질문을 한다.	

3) (나)의 ㉡과 관련하여 다음의 (　　) 안에 들어갈 말을 쓰시오.

> 박 교사는 또래와의 사회적 상호작용을 증진시키기 위해 매일 유치원에서의 일과와 활동 중에 신체적·언어적인 애정 표현 활동을 삽입하여 실시하였다. 이 활동은 브라운, 오돔, 콘로이(W. Brown, S. Odom, & M. Conroy)의 사회적 상호작용 증진을 위한 중재 모델의 (　　)에 해당한다.

47 2016 유아B-4

다음은 김 교사가 작성한 활동계획안의 일부이다. 물음에 답하시오.

활동명	식빵 얼굴	활동 형태	대·소집단 활동	활동 유형	미술
대상 연령	4세	주제	나의 몸과 마음	소주제	감정 알고 표현하기
활동 목표	• 얼굴 표정을 보고 어떤 감정인지 안다. • 친구들과 협동하며, 도움이 필요할 때 도움을 주고받는다. • 미술 재료를 이용하여 다양한 표정의 얼굴을 표현한다.				
누리과정 관련요소	• 사회관계: 나와 다른 사람의 감정 알고 조절하기 – 나와 다른 사람의 감정 알고 표현하기 • 사회관계: 다른 사람과 더불어 생활하기 – (㉠) …(생략)…				
활동 자료	얼굴 표정 가면, 다양한 표정의 반 친구 사진, 식빵, 여러 색깔의 초콜릿펜				

활동 방법	발달지체 유아 효주를 위한 활동 지원
• 얼굴 표정 가면을 이용하여 나의 감정에 대해 이야기 나눈다.	…(생략)…
• 다양한 표정의 반 친구 사진을 보며, 친구의 감정에 대해 이야기 나눈다.	
• 활동 방법을 소개한다. – 식빵과 그리기 재료를 나눈다. – 식빵에 초콜릿펜을 이용하여 얼굴 표정을 그린다.	• 좋아하는 친구와 짝이 되어 협동 활동을 하도록 한다. • 초콜릿펜 뚜껑을 열기 어려워할 경우, 도움을 요청하도록 한다.
• 식빵에 다양한 표정의 얼굴을 그린다. – 어떤 표정을 그렸니? – 누구의 사진을 보고 표정을 그렸니? • ㉡ <u>'식빵 얼굴'을 들고 앞으로 나와 친구들에게 보여 준다.</u>	• 상호작용을 촉진하기 위해 각각 다른 색깔의 초콜릿펜을 주고, 친구와 바꿔 쓰게 한다. • ㉢ <u>얼굴 표정 전체를 그리기 어려워하는 경우, 얼굴 표정의 일부를 표현하게 한다.</u>
• 활동에 대해 평가한다. – 무엇이 재미있었니? – 어려운 점은 없었니?	• 활동 후 성취감을 느끼도록 친구들과 서로 칭찬하는 말이나 몸짓을 주고받을 수 있게 한다.

3) ㉢에서 김 교사가 적용하고자 하는 교수 방법은 무엇인지 쓰시오.

48

2016 초등A-4

다음은 ○○특수학교의 오 교사와 강 교사가 '정신지체의 원인과 예방을 위한 지원'에 대한 교사연수에 참여한 후 나눈 대화의 일부이다. 물음에 답하시오.

> 오 교사: 저는 이번 연수에서 정신지체를 유발하는 위험 요인에 따라 ㉠ 1차, 2차, 3차적 예방을 다르게 할 수 있다는 것을 알게 되었어요.
> 강 교사: 저도 생의학적 위험요인뿐만 아니라 ㉡ 행동적 위험요인 등과 같은 다양한 위험요인들이 정신지체의 원인이 될 수 있다는 점에 대해 다시 한번 생각하게 되었어요.
> 오 교사: 그러고 보니 ㉢ 주거 환경 속에서 납 성분에 지속적으로 노출되는 것은 정신지체의 원인이 될 수도 있으니, 주거 환경을 정비·규제하는 것은 1차적 예방이 될 수 있겠네요.
> 강 교사: 그러네요. 그렇다면 ㉣ 아이들이 자전거를 탈 때 사고로 인해 뇌 손상을 입지 않도록 안전모를 쓰게 하는 것은 3차적 예방이 되겠네요. 그리고 ㉤ 장애 학생의 건강상의 문제를 최소화하기 위해 의학적 접근을 하는 것도 3차적 예방이 되겠지요.
> 오 교사: 맞아요. 저는 이번 기회를 통해 무엇보다도 ㉥ 정신지체 학생들의 특성을 고려하여 교육을 잘 하는 것이 우리 교사들이 할 수 있는 중요한 예방이라고 생각하게 되었어요.
>
> … (하략) …

1) ㉠ 중에서 2차적 예방의 예를 1가지 쓰시오.

2) ㉡의 예를 1가지 쓰시오.

3) ㉢~㉤에서 잘못된 것을 1가지 골라 기호를 쓰고, 그것이 잘못된 것이라고 판단한 이유를 쓰시오.

4) 다음은 ㉥을 실천하기 위해 오 교사가 정신지체 학생에게 [A]와 같은 쌍연합학습전략(매개전략)을 사용하여 '꽃'이라는 낱말 읽기를 지도하는 장면이다. ① ⓐ와 ⓑ에 들어갈 오 교사의 말을 각각 쓰고, ② 오 교사가 이 전략을 사용하는 이유를 정신지체 학생의 일반적인 인지적 특성과 관련지어 쓰시오.

> 〈준비물〉
> • '나비' 그림과 낱말이 같이 제시된 카드 1장
> • '꽃' 낱말만 적힌 카드 1장
>
> 오 교사: (두 개의 카드를 동시에 보여주며)
> "(ⓐ)"
> (두 개의 카드를 뒤집어 놓았다가 다시 그중 '꽃' 낱말카드만을 보여주며)
> "(ⓑ)"
> 학 생: (아직 낱말을 읽을 수는 없지만 ⓑ를 듣고)
> "꽃이요."
> [A]
>
> 오 교사는 ⓑ의 말을 몇 번 더 반복하여 학생의 대답을 이끌어낸 후, 학생이 '꽃'이라는 낱말을 읽을 수 있는지 확인하는 질문을 한다.

① ⓐ:

ⓑ:

②:

49

2016 중등A-3

다음은 미국 지적장애 및 발달장애협회(AAIDD; American Association on Intellectual and Developmental Disabilities)의 11차 정의(2010)에서 제시한 '인간 기능성의 개념적 틀'이다. 이 개념적 틀을 통해 지적장애를 이해할 때 강조되는 점 2가지를 쓰시오.

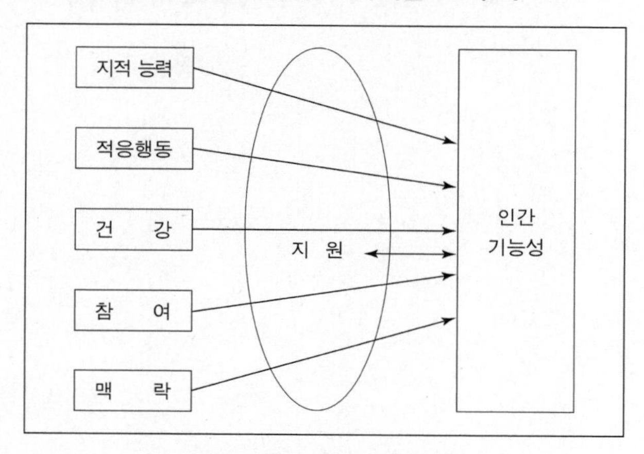

[인간 기능성의 개념적 틀]

50

2016 중등A-9

(가)는 학생 A에 대한 정보이고, (나)는 학생 A를 위해 예비 교사가 부분 참여의 원리를 적용하여 작성한 활동 참여 계획이다. 사회적 관점에서 학생이 얻을 수 있는 부분 참여의 이점을 쓰고, 학생 A의 활동목표를 고려하였을 때, ㉠~㉤ 중에서 부분 참여의 원리가 잘못 적용된 것의 기호 3가지를 쓰고, 각각의 문제점을 설명하시오.

(가) 학생 A의 정보

- 뇌성마비(경직형 왼쪽 편마비)
- 첨족으로 스스로 걸을 수 있으나 핸드레일을 잡아야 함
- 왼쪽 어깨, 팔꿈치, 손목은 몸의 안쪽을 향해 구축과 변형이 있음
- 왼쪽 엄지손가락이 손바닥 쪽으로 굽어진(thumb-in-palm) 채 구축이 되어 변형됨
- 구어로 의사소통하는 데 어려움이 있어 음성출력 의사소통기기를 사용함

(나) 활동 참여 계획

학생 A의 활동목표	학생 A의 현행 수행 수준	참여 촉진 방법
이야기를 읽고 내용을 파악하는 질문에 답할 수 있다.	이야기를 읽고 중요한 내용을 표현할 수 있음	㉠ 제재 글과 관련된 어휘 목록을 교사가 의사소통 기기에 미리 구성해 두고 활동에 참여하게 함
구입한 물건값을 계산할 수 있다.	지폐와 동전의 구분은 가능하나 물건값을 계산하기 어려워함	㉡ 다른 학생들이 물건값을 계산하는 과제를 푸는 동안 바로 앞 시간에 마치지 못한 쓰기 과제를 완성하게 함
탈 만들기를 할 때 탈 틀에 종이 죽을 붙일 수 있다.	왼손의 변형으로 인해 종이 죽을 붙이는 데 어려움이 있음	㉢ 다른 학생들이 탈 틀에 종이 죽을 붙이는 동안 선생님이 학생 A의 것을 붙이고 학생 A에게 이를 지켜보게 함
조립 순서에 맞게 상자를 조립할 수 있다.	양손과 팔을 자유롭게 움직이기 어려워 접이선대로 상자를 접지 못함	㉣ 다른 학생들이 상자 조립을 완료할 때까지 학생 A가 다른 학생의 상자를 움직이지 않게 붙잡아 주도록 함
칫솔을 쥐고 이를 닦을 수 있다.	칫솔을 쥘 수 있지만 손목의 회전과 상하 움직임이 자유롭지 않음	㉤ 전동 칫솔을 사용하여 앞니는 학생 A가 닦게 하고 어금니는 교사가 닦아 줌

KORSET

51

2016 중등A-14

다음은 자폐성장애 학생의 사회적 상호작용 증진을 위한 두 교사의 대화이다. 밑줄 친 ㉠과 ㉡에서 나타난 준철이와 민경이의 사회적 기술 결함을 순서대로 쓰고, 해당 결함이 나타나게 된 이유를 각각 1가지 쓰시오.

김 교사: 자폐성장애 학생의 사회성 지도를 효과적으로 하기 위해서는 먼저 학생이 가진 어려움이 무엇인지 파악해서 그에 따른 적절한 중재를 선택해야 해요.
정 교사: 그럼요. 어제 선생님 반 준철이가 급식 줄에 끼어들어서 소란스러웠어요.
김 교사: 네, 준철이는 ㉠ <u>차례 지키기를 어떻게 해야 하는지 몰라요. 식당에서 밥을 먹으려면 줄을 서야 하는 데도 그냥 앞으로 나가기도 하고 끼어들기도 해요.</u>
정 교사: 아, 그랬군요. 민경이는 ㉡ <u>1 : 1 교수에서 잘 모르면 도와 달라고 하는데, 소집단 활동에서는 소리를 질러요. 잘 모를 때는 어떻게 해야 하는지 알면서도 안 해요.</u>
김 교사: 우리 학생들이 사회적 기술을 가지고 있다고 해도 여전히 또래 관계에 어려움이 있으니 좀 더 신경 써서 지도해야겠어요.

52

2016 중등B-5

다음은 일반 중학교 특수학급을 담당하는 특수교사 A가 작성한 수업 구상 일지이다. 〈작성 방법〉에 따라 순서대로 서술하시오.

2015년 ○○월 ○○일

■ 영역 : 측정

■ 제재 : 아날로그시계의 시각 읽기

■ 학생의 현행 수준

- 시간의 전후 개념을 알고 있다.
- 디지털시계의 시각(시, 분)을 읽을 수 있다.
- 아날로그시계에 바늘과 눈금이 있음을 알고 있다.
- 시계 바늘이 움직이는 방향을 알고 있다.
- 시계 바늘이 다른 속도로 움직인다는 것을 알고 있다.
- 모형 시계의 돌림 장치를 돌릴 수 있다.

■ 선수 학습에서 학생의 수행

■ 수업 계획을 위해 해야 할 것

- ㉠ <u>학습 내용의 과제 분석</u>
- 학습 활동의 고안
  (시각 읽기 방법 가르치기, 다양한 시각 읽기 연습하기, 시계 사전 만들기)
- 학습 활동에 따른 교재 · 교구 준비
- 학생이 학습 내용을 습득하고 난 뒤 ㉡ <u>숙달할 수 있도록</u> 교수·학습 방법을 보다 구체적으로 생각할 것

■ ㉢ <u>수업 계획과 운영 시 고려할 점</u>

1. 학생들이 모형 시계를 조작하며 시각 읽기 활동에 능동적으로 참여할 수 있게 한다.
2. 시각 읽기 연습은 실물 시계보다는 모형 시계와 준비된 학습지를 활용한다.
3. 학생들에게 적절한 차별화교수를 할 수 있도록 자료를 다양화하고 교수 속도를 조절한다.
4. 수학에 대한 흥미를 유발할 수 있도록 학생이 좋아하는 '급식 시간의 시각 읽기'와 같이 학생의 경험을 활용한다.
5. 후속 학습으로 '하루 일과를 시간의 순서대로 배열하기'를 계획한다.

〈 작성 방법 〉

- 교사 A가 밑줄 친 ㉠을 할 때 학생의 현행 수준을 고려하여 가장 먼저 가르쳐야 할 내용이 무엇인지 기술할 것
- 밑줄 친 ㉡에서 교사 A가 중점을 두어야 할 사항을 쓸 것
- '학생의 현행 수준'과 '수업 계획을 위해 해야 할 것'을 고려할 때, 밑줄 친 ㉢에서 잘못된 내용 2가지를 찾고, 각각 그 이유를 설명할 것

53 2016 중등B-7

다음은 일반 고등학교에 다니는 정신지체 학생인 준하의 개별화교육계획(IEP) 관련 상담 내용이다. 밑줄 친 ㉠의 특징 2가지를 쓰고, 밑줄 친 ㉣의 절차를 순서대로 쓰시오.

특수교사: 오늘은 준하의 IEP에 대해 의견을 듣고자 합니다.
어 머 니: 저는 우리 아이가 졸업 후에 비장애인들과 함께 일할 수 있도록 교육을 받았으면 해요.
특수교사: 네, 그렇군요. 장애학생의 진로를 결정하는 데 효과적인 방법의 하나로 ㉠ 개인중심계획(PCP, person-centered planning)을 적용하여 전환 계획을 수립하는 것이 강조되고 있어요. 이제 준하의 진로를 위해서 우리도 전환 계획을 구체화할 필요가 있겠네요.
담임교사: 네, 준하는 친구들과 지내는 데 별 문제가 없으니까 친구들과 함께 일할 수 있겠네요.
특수교사: 준하야, 너는 졸업하면 어떤 곳에서 일하고 싶니?
준　　하: 저는 우리 반 친구들이랑 같이 일하고 싶어요.
특수교사: 그렇구나. 여러분의 의견을 들어 보니 준하는 졸업 후 ㉡ 지원고용이나 ㉢ 경쟁고용을 고려해 보는 것이 더 좋겠네요. 이제 준하의 진로 준비를 위해서 직무능력 평가와 ㉣ 생태학적 목록(ecological inventory)을 조사해 봐야 할 것 같아요.

54 2017 초등A-2

(가)는 초등학교 5학년 지적장애 학생 희수에 대해 특수교사와 일반교사가 나눈 대화의 일부이고, (나)는 초등학교 6학년 지적장애 학생 민기에 대해 특수교사와 어머니가 나눈 대화의 일부이다. 물음에 답하시오.

(가)

특수교사:	지난주에 우리가 계획했던 사회과 모둠학습에 희수가 잘 참여했는지 궁금해요.
일반교사:	친구들과 모둠학습을 하는 것은 좋아했는데 자신의 의견이나 권리를 주장하지 못해서 피해를 보는 경우가 있었어요.
특수교사:	희수가 아직은 자기옹호기술이 부족해서 그래요. 무엇보다 ㉠ 희수가 자신이 좋아하고 싫어하는 것을 아는 것이 중요해요. 그러면 모둠학습을 할 때 다른 학생들이 부당한 것을 요구해도 거절하거나 협상할 수 있을 거예요.
	…(중략)…
특수교사:	희수는 스스로 화장실 이용하기, 옷 입기 등의 일상생활 활동은 잘하는데, ㉡ 휴대전화 사용하기, 물건 사기 등과 같이 조금 더 복잡한 환경적 상호작용을 요구하는 일상생활 활동을 하는 데에는 어려움이 있어요.
일반교사:	선생님, 희수에게 물건 사기와 같은 일상생활 활동은 어떻게 지도하면 좋을까요?
특수교사:	직접 가게에 가서 물건을 사는 활동을 하는 것이 좋아요.
일반교사:	한 번도 해보지 않은 일이라 희수가 잘 할 수 있을까요?
특수교사:	그래서 저는 ㉢ 교실을 가게처럼 꾸며놓고 실제와 유사한 물건과 화폐를 이용하여 물건 사기 활동을 지도하고 있어요.

(나)

특수교사:	학교에서는 ㉣ 민기의 읽기능력 향상을 위해 책 읽기 지도를 꾸준히 하고 있어요.
어 머 니:	저도 집에서 ㉤ 민기에게 유아용 동화책을 읽게 하고 있어요. 그런데 제가 잘하고 있는지 모르겠어요.
	…(중략)…
특수교사:	민기가 곧 중학교에 입학하니까 버스 이용하기를 가르치고 있어요.
어 머 니:	그런데 선생님, ㉥ 민기가 지금은 학교 통학버스를 이용하고 있어서 아직은 배울 필요가 없을 것 같아요.

1) (가)의 ① ㉠에 해당하는 자기옹호기술을 쓰고, ② ㉡에 해당하는 일상생활 활동의 유형을 쓰시오.

①:

②:

2) (가)의 ㉢에 해당하는 교수 방법의 명칭을 쓰시오.

3) (나)의 ㉣을 위해 교사가 학급에서 활용할 수 있는 '자연적 지원'의 예 1가지를 쓰시오.

4) (나)의 ㉤과 ㉥이 적절하지 않은 이유를 지적장애 학생을 위한 교육과정 구성 시 고려해야 할 기본원리(전제)에 근거하여 각각 1가지씩 쓰시오.

㉤:

㉥:

55 2017 중등A-3

다음은 일반교사가 특수교육 관련 연수를 받으며 필기한 내용이다. ㉠, ㉡에 들어갈 증후군의 명칭을 순서대로 쓰시오.

지적장애의 이해

- 지적장애: 지적 기능과 적응행동상의 어려움이 함께 존재하는 장애
- 지적장애 학생은 제한점도 있지만 강점도 동시에 갖고 있으므로 이를 잘 파악하여 지원하여야 함
- 미국 지적장애 및 발달장애협회(AAIDD, 2010)에서 제시한, 지적장애를 초래하는 증후군 및 행동 표현형

증후군	행동 표현형
㉠	• 시공간적 기술에 비해 더 나은 음성언어 기술을 가지고 있음 • 일상생활기술과 자조기술에서 상대적으로 강점을 보임 • 무관심, 과잉행동, 자폐성 행동과 빈번히 연관됨
프래더-윌리 증후군	• 시각적 처리와 퍼즐을 해결하는 데 강점을 가짐 • 손상된 포만감, 탐식행동, 비만 등이 있음 • 모든 연령대에 걸쳐 강박장애와 충돌조절장애가 흔히 있음
㉡	• 언어나 청각적 과제보다 시공간적 과제 수행이 더 우수함 • 지능에 비해 적응기술이 뛰어남 • 명랑하고 사회적인 성격임 • 성인기에 우울증이 흔히 나타남

56 2018 유아A-2

(나)는 통합학급 5세반 경수에 대한 김 교사의 반성적 저널의 일부이다. 물음에 답하시오.

(나)

오늘은 '여름'이라는 주제로 유아들이 여름 하면 생각나는 것들을 자유롭게 표현하는 활동을 하였다. 지난 시간 '여름 바다' 영상을 보여 주어서인지 대부분의 유아들은 바다 속 장면을 떠올려 그림을 그렸다. 물과 관련된 활동에 많은 관심을 보이는 경수의 활동 참여를 위해 영상에서 본 '바다 속 물고기 사진'을 보여 주고 그림을 그리도록 촉진하였다.
평소 물고기를 즐겨 그리는 경수에게는 수정된 도화지를 제공하였다. 그림을 그리지 않고 가만히 있는 경수에게 사인펜을 보여 주면서 ㉠ <u>"어떤 색 사인펜으로 그리고 싶어요?"라고 물어 보았다.</u> 경수는 검정 사인펜으로 물고기 밑그림을 그린 후 크레파스를 사용하여 색칠도 하고, 잘라 놓은 색종이를 물고기 비늘에 붙이기도 하였다. 경수가 바다 속 장면을 다양한 방법으로 표현하는 것을 보며 앞으로 더 다양한 재료를 준비하여 미술 활동을 촉진하면 좋겠다는 생각이 들었다.

… (하략) …

2) (나)의 밑줄 친 ㉠에서 교사가 경수의 자기 결정 증진을 위해 사용한 전략이 무엇인지 쓰시오.

57

2018 유아B-7

(가)는 통합학급 5세반 김 교사와 유아특수교사 박 교사가 나눈 대화이고, (나)는 박 교사가 은지를 위해 작성한 교수 계획의 일부이다. 물음에 답하시오.

(가)

박 교사:	선생님, 우리가 ㉠은지가 생활하는 환경과 그 환경 내에서 이루어지는 활동, 필요한 기술들을 조사해서 교육 계획에 반영했잖아요. 이번에는 그 중에서 횡단보도 건너기 기술을 가르치려고 해요.
김 교사:	그럼, ㉡횡단보도 건너기 상황극, 신호 따라 건너기 게임과 같은 활동도 하고, ㉢유치원 내에 설치된 횡단보도 건너기도 해 보면 좋겠네요.
박 교사:	참 좋은 생각이네요. 저는 은지의 경우 추가적으로 개별화된 교수가 더 필요해 보여서 실제 상황에서 직접 지도해 보려고 해요. 은지가 실제 상황에서도 신호를 확인하여 횡단보도 건너기를 할 수 있도록 다양한 자극과 반응들을 조사하고 계열화해서 가르치려고요.

(나)

단계 1. 은지의 도보 통학 반경 내에서 교수 범위를 선택한다.
단계 2. '신호등이 있는 횡단보도 건너기' 기술을 과제 분석하여 이와 관련된 자극과 반응을 조사한다.
단계 3. (   )
단계 4. 교수 순서를 계열화하여 등·하원 시에 교수한다.
단계 5. 비교수 상황에서 평가한다.

1) 밑줄 친 ㉠에서 기능적 기술을 교수하기 위해 사용한 진단 방법이 무엇인지 쓰시오.

2) 밑줄 친 ㉡과 ㉢에 해당하는 기능적 기술 교수 방법을 쓰시오.

㉡:

㉢:

3) ① (나)의 교수 방법을 쓰고, ② 그 교수 방법의 실시 단계 중 (　　)에 해당하는 내용을 쓰시오.

①:

②:

58

2018 초등A-5

(가)는 지적장애 학생 세호와 민지의 특성이고, (나)는 교사가 작성한 2015 개정 특수교육 교육과정 중 기본 교육과정 미술과 3~4학년 수업을 위한 아이디어 노트이다. 물음에 답하시오.

(가)

세호	• ㉠ 과잉 행동과 공격성이 강함 • 주의집중이 어려움
민지	• 중도 · 중복장애를 지님 • 구어 사용이 어려움

(나)

○ 제재 : 재미있는 찍기 놀이
○ 수업 활동

〈활동 1〉 체험 영역(지각)

● 자신이 좋아하는 나뭇잎을 선택하고 학교 주변에서 찾기
— 나뭇잎 목록표 사용하기
— ㉡ 민지에게는 미리 준비한 나뭇잎을 제공하기

〈활동 2〉 표현 영역(활용)

● 여러 가지 나뭇잎을 찍어 작품 만들기
— 다양한 찍기 활동을 할 수 있도록 기회 제공하기
— ㉢ 찍기 재료별로 점차 활동 시간을 늘려 나가고 각 활동을 마칠 때마다 칭찬 스티커로 강화하기
— ㉣ 자존감을 높이기 위해 학생들이 이미 알고 있는 나뭇잎 이름을 말할 수 있는 기회 주기
— ㉤ 책임감을 향상시키기 위해 도화지를 친구들에게 나누어 주는 역할 부여하기

〈활동 3〉 감상 영역(㉥)

● 완성된 작품 소개하기

2) 교사의 임의적 판단에 따른 (나)의 밑줄 친 ㉡이 적절하지 않은 이유를 최소 위험 가정 기준(criterion of the least dangerous assumption) 측면에서 쓰시오.

3) 세호의 주의집중 특성과 관련하여 (나)의 밑줄 친 ㉢의 효과를 쓰시오.

4) (나)의 밑줄 친 ㉣과 밑줄 친 ㉤을 통해 향상시키고자 하는 적응 기술 유형을 2010년에 미국 지적장애 및 발달장애협회(AAIDD)에서 제시한 11차 정의에 근거하여 쓰시오.

5) 다음은 〈활동 1〉에서 세호가 사용한 나뭇잎 목록표와 지도 내용이다. 위마이어(L. Wehmeyer)가 제시한 자기 결정 행동 주요 특성에 따라 ⓐ와 ⓑ에 들어갈 내용을 순서대로 쓰시오.

세호가 사용한 나뭇잎 목록표

종류	찾고 싶은 나뭇잎	찾은 나뭇잎
단풍잎	✓	✓
은행잎	✓	✓
솔잎		
감나무잎	✓	✓

자기 결정 행동 향상을 위한 지도 내용

- 심리적 역량 : 세호의 자기 효능감 향상을 위해 나뭇잎 수집 활동의 성공을 위한 환경을 제공함
- ⓐ : 나뭇잎 목록표에서 세호가 찾고 싶은 나뭇잎을 스스로 표시하도록 지도함
- ⓑ : 나뭇잎 목록표에 세호가 자신이 찾은 나뭇잎을 표시하여 파악할 수 있도록 지도함
- 자아실현 : 자기 지식 향상을 위해 나뭇잎 수집 활동 후 세호가 수행한 활동에 대한 자기 평가 기회를 제공함

59

2018 중등A-3

다음은 지적장애 고등학생 A를 위한 전환교육계획을 수립하기 위해 특수교사와 어머니가 나눈 대화의 일부이다. ㉠과 ㉡에 들어갈 내용을 쓰시오.

특수교사: 어머니, 학생 A에게 적절한 전환교육계획을 수립하기 위해 몇 가지 평가를 하려고 합니다.
어 머 니: 어떤 평가를 하나요?
특수교사: 먼저, 지원정도척도(Supports Intensity Scale ; SIS)를 활용하여 학생 A에게 필요한 지원 요구를 파악하고자 합니다.
어 머 니: 그런데 지원정도척도는 처음 듣는 거라서 잘 모르겠어요. 그게 무엇인가요?
특수교사: 예, 지원정도척도는 개인이 사회에서 성공적으로 살아가기 위해 필요한 지원 요구를 (㉠), 일일 지원 시간, (㉡)의 3가지 차원에서 파악하는 것입니다.

60

2018 중등A-9

다음은 특수학교 박 교사와 이 교사가 자유학기 편성·운영과 관련하여 나눈 대화이다. 〈작성 방법〉에 따라 서술하시오.

박 교사: 이제 중학교 과정 중 한 학기는 자유학기로 운영한다고 하던데요?
이 교사: 예, 그래서 우리 학교는 다음 학기에 자유학기의 취지에 부합하도록 교과 및 창의적 체험활동을 편성하여 운영하려고 계획 중입니다.
박 교사: 그렇군요. 자유학기에는 지역사회와 연계해서 다양한 체험 중심의 활동을 운영해야 한다고 들었어요.

…(중략)…

이 교사: 그런데 자유학기에 지역사회와 연계한 다양한 체험 중심의 활동을 하려면 학생들에게 시내버스를 이용하는 방법도 지도하면 좋을 것 같아요.
박 교사: 맞아요. 시내버스 이용과 관련하여 우리 학급의 지적장애 학생 G는 교통카드 사용하기, 빈자리 찾아 앉기, 하차 벨 누르기 등을 잘 못합니다. 적절한 방법이 없을까요?
이 교사: 그렇다면 다음과 같은 과정에 따라 지도하면 좋을 것 같아요. 먼저, ㉢ <u>교실을 버스 안처럼 꾸미고 교통카드 사용하기, 빈자리 찾아 앉기, 하차 벨 누르기를 반복 훈련</u>하는 거예요. 그 다음으로 정차되어 있는 학교 버스를 이용하여 교통카드 사용하기, 빈자리 찾아 앉기, 하차 벨 누르기를 지도하면 좋을 것 같군요. 그런 다음에 실제 시내버스를 이용하면서 지도하면 돼요.

〈작성 방법〉

- 밑줄 친 ㉢에 해당하는 교수법(교수적 접근)의 명칭을 쓰고, 이와 같은 교수법을 사용하는 이유를 1가지 쓸 것

61 2018 중등B-8

(가)는 지적장애 고등학생 S의 특성이고, (나)는 특수교사가 교육 실습생에게 자문한 내용이다. 학생 S의 과제 습득, 일반화, 유지 능력을 향상시키기 위하여 특수교사가 교육실습생에게 자문한 전략과 방법을 〈작성 방법〉에 따라 논하시오.

(가) 학생 S의 특성

- ㉠ 새로운 과제를 제시하면 "이거 하기 싫어요.", "다음에 할래요.", "전에도 해 봤는데 어차피 못해요.", "너무 어려워요.", "저는 잘 못해요."라고 함
- 주어진 문제를 스스로 해결하기보다는 선생님의 눈치를 살핌
- 새로운 과제를 학습하는 데 어려움이 있음
- 학습할 때 자신이 스스로 얼마나 잘할 수 있는지를 알지 못함

(나) 자문 내용

교육실습생: 학생 S의 특성을 관찰해보니 ㉡ 이전에 과제 수행에 대한 실패 경험이 많아서 주어진 과제를 하려고 하지 않아요. 이 문제를 해결해야 할 것 같은데 어떻게 하면 좋을까요?

특수 교사: 교사는 칭찬이나 격려를 해 줄 수도 있지만, 그런 경우에는 ㉢ 과제를 해보는 실제 경험을 통해 학생 S의 문제를 지도해야 해요.

교육실습생: 학생 S는 동기적 측면뿐만 아니라 인지적 측면에서도 어려움이 있는 것 같아요. 자신이 배운 내용을 일반화하는 데 어려워하는 것 같은데, 일반화에 대하여 설명해 주시겠어요?

특수 교사: 일반화는 크게 ㉣ 자극일반화와 ㉤ 반응일반화로 구분되기도 합니다.

… (중략) …

교육실습생: 예, 잘 알겠습니다. 한 가지 더 궁금한 것이 있어요. 학생 S가 학습한 기술을 유지하는 데 도움이 되는 좋은 방법이 있을까요?

특수 교사: 예, 그런 경우에는 ㉥ 자기점검 방법을 적용해 볼 수 있을 것 같네요.

〈작성 방법〉

- 서론, 본론, 결론의 형식으로 작성할 것
- 다음의 내용을 포함하여 논술할 것
  - 학생 S를 위한 지도 초기 단계부터 일반화를 고려해야 하는 이유를 제시할 것
  - 밑줄 친 ㉠과 ㉡에 근거하여 학생 S의 정의적 측면에서의 문제를 1가지 제시하고, 이 문제를 해결하기 위한 교수 방법을 ㉢에 근거하여 1가지 서술할 것
  - 밑줄 친 ㉣과 ㉤의 개념을 순서대로 서술할 것
  - 밑줄 친 ㉥의 장점을 학생 S의 특성에 근거하여 2가지 서술할 것
  - 유지의 중요성과 자기점검 방법을 연계하여 서술할 것

62 2019 유아A-5

원기는 손을 흔드는 상동 행동을 하는 5세 발달지체 유아이다. 다음은 현장 체험학습을 다녀온 후에 통합학급 김 교사와 특수학급 박 교사가 평가회에서 나눈 대화의 일부이다. 물음에 답하시오.

박 교사: 김 선생님, 지난 현장 체험학습 때 원기에게 일어난 일 기억하시죠?
김 교사: 물론이죠. 다른 아이들이 원기가 손을 반복적으로 흔드는 행동을 쳐다보며 흉내 내고 놀렸잖아요. 그때 아이들이 원기를 도와주었고, 박 선생님과 제가 칭찬을 많이 해 주었죠.
박 교사: 그랬죠. 그래서 평소에 우리 아이들이 장애에 대해 올바른 태도를 가질 수 있도록 사전 교육이나 활동이 꼭 필요합니다.
김 교사: 네. 저도 박 선생님의 생각에 동의해요. 그리고 장애가 있는 친구들에 대한 태도에서 ㉠ 대상과 관련된 정보나 지식 또는 신념 등이 부족하거나 왜곡되면 장애가 있는 친구들에 대한 태도에 매우 부정적인 영향을 미치기도 한대요.

…(중략)…

김 교사: 아이들은 교사의 말이나 행동을 그대로 따라 하는 것 같아요. 지난번 현장 체험학습 때 놀림을 받은 원기에게 아이들이 다가가 안아주거나 토닥거려 주고, 함께 손을 잡고 다녔죠. ㉡ 평소 박 선생님과 제가 원기에게 하던 행동을 아이들이 자세히 본 것 같아요. 교사의 행동이 아이들에게 참 중요하다는 것을 다시 알았어요.
박 교사: 네. 그리고 아이들끼리도 서로 영향을 주고받는 것 같아요. ㉢ 지난번 현장 체험학습 때 제가 원기를 도와주었던 친구들을 칭찬해 줬더니, 그 모습을 보고 몇몇 유아들은 원기를 도와주는 행동을 따라 하는 것 같아요.

…(하략)…

2) 반두라(A. Bandura)의 사회학습이론에 근거하여, ㉡은 관찰학습과정 중 어디에 해당하는지 쓰시오.

63 2019 유아B-2

다음은 5세 주의력결핍과잉행동장애 유아 상희에 대해 통합학급 김 교사와 특수학급 박 교사가 나눈 대화의 일부이다. 물음에 답하시오.

김 교사: 선생님, 다음 달에 공개 수업을 하려고 하는데 좀 걱정이 됩니다. 상희가 교실에서 자기 자리에 앉지 않고 계속 돌아다니고, 또 ㉠ 선택적 주의력도 많이 부족합니다.
박 교사: 그래서 제 생각에는 먼저 상희에게 수업 시간에 지켜야 할 약속이나 규칙을 이해할 수 있도록 지도하는 것이 필요합니다.
김 교사: 그게 좋겠습니다. 그런데 상희를 자기 자리에 앉게 만드는 좋은 방법은 없을까요?
박 교사: 네. 그때는 이런 방법이 있는데요. 일단 ㉡ '자기 자리에 앉기'라는 목표 행동을 정하고, '책상 근처로 가기, 책상에 가기, 의자를 꺼내기, 의자에 앉기, 의자에 앉아서 의자를 당기기'로 행동을 세분화합니다. 이때 단계별로 목표 행동을 성취했을 때마다 강화를 주는데, ㉢ 칭찬, 격려, 인정을 강화제로 사용하는 것도 좋겠습니다.
김 교사: 아, 그리고 상희가 활동 중에 자료를 던지는 공격적인 행동을 하는데 이에 대해서는 어떻게 할까요?
박 교사: 우선 상희의 행동을 ㉣ ABC 서술식 사건표집법이나 ㉤ 빈도 사건표집법으로 관찰해 보는 것이 좋겠습니다.

1) ㉠의 의미를 쓰시오.

64

2019 중등A-5

다음은 ○○고등학교 현장실습위원회가 협의한 내용의 일부이다. 밑줄 친 ㉡이 의미하는 지원 방법의 명칭을 쓰시오.

> 장 교사: 학생들의 현장실습을 위해 교내·외 실습 장소에서 도움을 줄 수 있는 방법에 대해 논의해 봅시다.
>
> 홍 교사: 통합된 환경에서 실습이 어려운 중도 장애학생들을 위해 교내에서는 특수학급에서 워크 액티비티를 실시하고, 외부 실습은 ㉠ <u>장애인 직업재활시설 작업장에서 인근 사업체 하청 작업(볼펜 조립)을 반복적으로 수행</u>하여 작업 기능을 높일 수 있도록 합시다.
>
> 민 교사: 분리된 환경에서의 실습은 사회 통합의 기회를 제한할 수 있습니다. 교내실습은 보조 인력을 제공하고, 외부에서 실시하는 바리스타 실습은 직무지도원을 배치하여 도울 수 있습니다.
>
> 최 교사: 유급 인력의 공식적인 지원에만 의존하는 것도 사회통합을 방해할 수 있을 것입니다. ㉡ <u>교내에서는 비장애 또래를 통해 도움을 제공하고, 외부에서는 직장 동료의 도움을 활용하는 방법</u>으로 지역사회 통합과 개인의 삶의 질 향상을 도모할 수 있도록 합시다.

65

2019 중등A-6

다음은 지적장애 학생을 지도하는 신규 교사와 멘토 교사의 대화이다. 괄호 안의 ㉠에 해당하는 용어를 쓰고, ㉡에 나타난 학생 E의 증후군 명칭을 쓰시오.

> 멘토 교사: 선생님, 지난 학기에 전학 온 학생 D와 E는 잘 적응하고 있나요?
>
> 신규 교사: 학생 D는 주어진 과제를 성취하기 위해 필요한 행동을 성공적으로 해낼 수 있다는 믿음이 있고, 그러한 행동을 잘 수행한다면 원하는 성과를 이룰 것이라고 기대하고 있어요.
>
> 멘토 교사: 구체적이고 실제적인 자신의 과제수행능력을 믿고 있군요. (㉠)이/가 높은 학생인 것으로 보입니다. 학업 상황에서 친구들이 과제를 완수하는 것을 보면 자신도 그 과제를 완성할 수 있다고 생각하게 됩니다. 이러한 방법을 통해 (㉠)을/를 더욱 향상시키면 좋겠습니다.
>
> 신규 교사: [㉡ 학생 E는 XXY형 염색체를 가진 성 염색체 이상증후군이라고 해요. 남성 호르몬 감소로 인해 여성형 체형으로 변해가고 있어 부모님께서 고민하더군요. 이 학생은 의사소통에 어려움이 있고, 사회성도 부족한 것 같아요. 활동량이 부족해서 운동 발달에도 영향을 주는 듯합니다.]
>
> 멘토 교사: 학생 E에게는 사회성 향상 프로그램뿐만 아니라, 운동발달을 위한 중재 프로그램도 개발해 적용하는 것이 좋겠네요.

66 2019 중등A-11

(가)는 중도 지적장애 학생 M의 특성이다. 〈작성 방법〉에 따라 서술하시오.

(가) 학생 M의 특성

- 15번 염색체 쌍 가운데 어머니로부터 물려받은 염색체가 결손이 있음
- 발달지연이 있으며, 경미한 운동장애를 보임
- 부적절한 웃음, 행복해하는 행동, 손을 흔드는 것 같은 독특한 행동을 종종 보임
- 수용언어 능력이 표현언어 능력보다 비교적 좋음
- 표현언어는 두 단어 연결의 초기 단계임

〈 작성 방법 〉

- (가) 학생 M의 특성에서 설명하고 있는 증후군의 명칭을 쓸 것

67 2019 중등A-12

다음은 손 교사가 경도 장애 학생 N의 사회성 기술을 지도하기 위해 작성한 계획의 일부이다. 〈작성 방법〉에 따라 서술하시오.

학생 N의 사회성 기술 지도 계획

- 목적: 사회성 기술(social skills)을 바탕으로, (㉠)을/를 기르고, 사회성(sociality)을 형성하고자 함
  ※ (㉠)은/는 사회성 기술을 사용하여 사회적 과제를 성공적으로 해결하고 유지할 수 있는 종합적인 역량임
- 목표행동: 공공장소에서 질서 지키기
  - 이해: 수업 시간에 관련 상황 제시 및 지도
  - 적용: 실제 상황에 적용
  - 평가: 학생 N의 (㉠)이/가 타인(들)에 의해 적절하다고 판단되는지에 초점을 둠

〈 작성 방법 〉

- 괄호 안의 ㉠에 해당하는 내용을 쓸 것

68 2019 중등B-2

다음은 ○○특수학교 참관 실습생을 위해 담당 교사가 중도·중복장애 교육을 주제로 작성한 교육 자료의 일부이다. 〈작성 방법〉에 따라 서술하시오.

〈교육 자료〉

1. 교육 가능성에 대한 신념
- ㉠ 정상화 원리(principle of normalization)
  - 시사점: 장애인의 교육에서 중요한 것이 무엇인가에 대한 관점의 패러다임 제공
- (　　㉡　　)
  - 정상화 원리에 기반하여 올펜스버거(W. Wolfensberger)가 체계화
  - 개인이 한 사회의 가치로운 구성원으로 인식되도록 하는 것의 중요성을 역설함
  - 시사점: 중도·중복장애 학생이 자유 의지와 권리를 지켜 나갈 수 있도록 필요한 교수와 지원을 제공하여 사회적 이미지를 긍정적으로 개선시킴

〈작성 방법〉
- 밑줄 친 ㉠이 중도·중복장애학생 교육에 제공하는 시사점을 교육 환경(즉, 교육적 배치)과 교육 내용(즉, 가르치고 배우는 내용) 차원에서 각 1가지씩 서술할 것(단, <교육 자료>에 제시된 내용은 제외할 것)
- 괄호 안의 ㉡에 해당하는 내용을 쓸 것

69 2020 유아B-2

다음은 통합학급 4세반 교사들이 협의회에서 나눈 대화이다. 물음에 답하시오.

김 교사: 요즘 준우가 자유선택활동 시간에 너무 자주 "아" 하고 짧게 소리 질러요. 제가 준우에게 가서 "쉿"이라고 할 때만 멈추고 제가 다른 영역으로 가면 또 소리 질러요. 소리를 길게 지르지는 않지만, 오늘도 스무 번은 지른 것 같아요. 소리 지르는 횟수가 줄었으면 좋겠어요. [A]

이 교사: 그럼 제가 자유선택활동 시간에 준우가 ㉠ 몇 번이나 소리 지르는지 관찰하면서 기록할게요.

…(중략)…

박 교사: 준우가 ㉡ 소리 지르지 않고 친구와 이야기하거나 노래 부르면, 제가 관심을 보이며 칭찬해 주는 것이 어떨까요?

김 교사: 네. 알겠습니다.

이 교사: 그런데 준우가 넷까지 수를 알고 세는 거예요? 얼마 전에 준우가 수·조작 영역에서 자동차를 세 개 들고 있어서 모두 몇 개인지 물어보았더니 대답을 못하더라고요.

김 교사: 준우는 자동차와 수 이름을 하나씩 대응하면서 수 세기를 하고, 항상 동일한 순서로 안정적으로 수를 셀 수 있어요. 그런데 넷까지 세고 난 후 모두 몇 개인지 물어보면 세 개라고 할 때도 있고, 두 개라고 할 때도 있어요. 준우의 개별화교육계획 목표가 "다섯 개의 사물을 보고 다섯까지 수를 정확하게 센다."인데 어떻게 지도하는 것이 좋을지 고민하고 있어요.

이 교사: ㉢ 수를 셀 때 준우와 같이 끝까지 세고, 교사가 "모두 몇 개네."라고 말한 후 준우에게 "모두 몇 개지?"라고 물어요. 예를 들어 자동차를 셀 때 준우와 같이 하나, 둘, 셋, 넷, 다섯까지 세고, 교사가 "자동차가 모두 다섯 개네."라고 말한 후 준우에게 "자동차가 모두 몇 개지?"라고 물어요.

김 교사: 수 세기를 다양한 활동에서도 가르치고 싶은데 어떻게 할까요?

이 교사: 준우에게 ㉣ 간식시간, 자유선택활동 시간, 미술활동 시간에 사물을 세게 한 후 모두 몇 개인지 묻고 답하게 하여 준우의 개별화교육계획 목표가 달성될 수 있도록 해보세요.

4) ㉣에 해당하는 교수방법을 쓰시오.

70 2020 유아B-3

(가)는 통합학급 5세반 특수교육대상 유아들의 특성이고, (다)는 교사들의 평가회 장면이다. 물음에 답하시오.

(가)

민지	• 자신감이 부족함 • 지혜를 좋아하고 지혜의 행동을 모방함 • 워커를 이용하여 이동함
경민	• 1세 때 선천성 백내장 수술로 인공수정체를 삽입하였음 • 가까운 사물은 잘 보이지만 5m 이상 떨어진 사물은 흐릿하게 보임 • 눈이 쉽게 피로하며 안구건조증이 심함
정우	• 자발적으로 활동에 참여하려고 하지 않음 • 다른 사람과 눈맞춤은 하지 않지만 상대방의 말을 듣고 이해함 • 불편한 점이 있을 때 '아' 소리만 내고 아직 말을 못함

(다)

송 교사: 꽃빛 1반 교실 배치가 좀 달라졌나요?
박 교사: ㉠ 민지를 고려해서 미리 충분한 공간을 확보하려고 교실 교구장 배치를 좀 바꿨어요.
최 교사: 저는 민지가 동물의 움직임을 표현하는 것을 보고 감동 받았어요. 작년에는 남에게 많이 의존하고 수동적인 태도를 보였어요.
박 교사: 민지가 전에는 ㉡ 실패의 경험들이 누적되어 활동에 참여하는 것을 두려워하고, 끈기 있게 노력하거나 도전하려고 하지 않았어요. "나는 잘 걸을 수 없으니까 못해요. 못 할 거예요."라고 자주 말했어요. 그런데 지금은 민지가 시간이 걸리고 힘들어도 스스로 하려고 노력하고, 성공하는 기쁨을 가끔 맛보기도 해요.
최 교사: 아, 그리고 상희가 활동 중에 자료를 던지는 공격적인 행동을 하는데 이에 대해서는 어떻게 할까요?
박 교사: 박 선생님이 아이들에게 자유롭고 허용적인 분위기를 조성해 주셔서 유아들이 모두 참여할 수 있었던 것 같아요.

…(하략)…

3) (다)의 ㉡에 해당하는 심리상태를 쓰시오.

71 2020 유아B-5

(가)는 5세 발달지체 유아들의 행동특성이고, (나)는 음악활동 자료이며, (다)는 활동계획안이다. 물음에 답하시오.

(가)

민정	• 활동 시 교사의 말에 집중하는 시간이 짧음 • 대집단 활동 시 활동영역을 떠나 돌아다니는 경우가 많음
주하	• 음악활동은 좋아하나 활동 참여시간이 짧음 • 일상생활에서 자주 사용하는 3음절의 단어(사람, 사물 이름)로 말함
소미	• 수줍음이 많고 활동 참여에 소극적임 • 수업 중 앉아 있는 시간이 짧음

(나)

(다)

활동 목표	… (생략) …	
	활동 방법	자료(재) 및 유의점(유)
활동 1	• '○○○ 옆에 누가 있나요?' 노래를 듣는다. －노래 전체 듣기 －노랫말 알아보기	재 '○○○ 옆에 누가 있나요?' 노래 음원, 그림 악보 유 ㉠ <u>민정, 주하, 소미가 일정 시간 동안 활동에 참여하면 각자 원하는 놀이를 하게 해준다.</u>
활동 2	• 다양한 방법으로 노래를 부른다. －한 가지 소리(아아아~)로 불러 보기 －친구 이름 넣어서 노래해 보기 －유아들을 나누어 불러 보기 －다함께 불러 보기 … (중략) …	유 민정이는 좋아하는 또래들과 어깨동무를 하고 노래 부르게 한다. 유 주하는 ○○○에만 친구 이름을 넣어 부르게 한다. 유 바닥에 원형 스티커를 붙여 놓고 자리를 이동하며 노래 부르게 한다.
활동 3	• 리듬악기를 연주해 본다. －리듬패턴 그림을 보며 리듬 알아보기 －리듬에 맞추어 손뼉 치기 －리듬에 맞추어 리듬악기 연주하기 … (하략) …	유 리듬패턴은 그림악보로 제공한다. 유 유아가 익숙하게 다룰 수 있는 리듬악기를 제공한다. 유 소미가 친구들에게 리듬악기를 나누어 주도록 한다.

3) (다)의 활동 2와 활동 3의 '자료 및 유의점' 중에서 부분 참여의 원리를 적용한 내용을 찾아 쓰시오.

72 2020 초등A-4

(가)는 초등학교 6학년 자폐성장애 학생 민호의 특성이고, (나)는 '지폐 변별하기' 지도 계획의 일부이다. 물음에 답하시오.

(가) 민호의 특성

- 물건 사기와 같은 일상생활의 문제를 해결하기 위해 스스로 계획하고 수행하는 데 어려움이 있음 [A]
- 점심시간과 같이 일상적으로 반복되던 시간에 작은 변화가 생기면 유연하게 대처하기보다 우는 행동을 보임 [A]
- 수업시간 중 과자를 먹고 싶을 때 충동적으로 과자를 요구하거나 자리이탈 행동을 자주 보임
- 다른 사람의 감정과 사고를 파악하는 데 어려움이 있음
- 시각적 자극으로 이루어진 교수 자료에 관심을 보임
- 지폐의 구분과 사용에 어려움이 있음

(나) '지폐 변별하기' 지도 계획

- 표적 학습 기술: 지폐 변별하기
- 준비물: 1,000원짜리 지폐, 5,000원짜리 지폐
- 학습 단계 1
  - 교사가 민호에게 "천 원 주세요."라고 말했을 때, 1,000원짜리 지폐를 찾아 교사에게 주도록 지도함
  - 교사가 민호에게 "오천 원 주세요."라고 말했을 때, 5,000원짜리 지폐를 찾아 교사에게 주도록 지도함
  - 민호가 정반응을 보일 때마다 칭찬으로 강화함
  - 민호가 정해진 수행 기준에 따라 '지폐 변별하기'를 습득하면 다음 학습 단계로 넘어감
- 학습 단계 2
  - ㉠ <u>민호가 '지폐 변별하기' 반응을 5분 내에 15번 정확하게 수행할 수 있도록 지도한 다음, 더 짧은 시간 내에 15번 정확하게 수행할 수 있도록 연습하게 함</u>

… (중략) …

- 유의 사항
  - ㉡ <u>민호가 습득한 '지폐 변별하기' 기술을 시간이 지난 뒤에도 수행할 수 있도록 '학습 단계 1'의 강화 계획(스케줄)을 조정함</u>
  - 민호가 ㉢ <u>습득한 '지폐 변별하기' 기술을 일상생활에서 사용할 수 있도록 다양한 실제 상황(편의점, 학교 매점, 문구점 등)에서 1,000원짜리 지폐와 5,000원짜리 지폐를 변별하여 민호가 좋아하는 과자를 구입하도록 지도함</u>

2) (나)의 ㉠은 학습자의 반응 수행 수준에 따른 학습 단계 중 어느 단계에 해당하는지 쓰시오.

73 2020 초등B-4

다음은 통합학급 교사인 최 교사가 특수교사인 강 교사와 교내 메신저로 지적장애 학생 지호의 음악과 수행평가에 대해 나눈 대화의 일부이다. 물음에 답하시오.

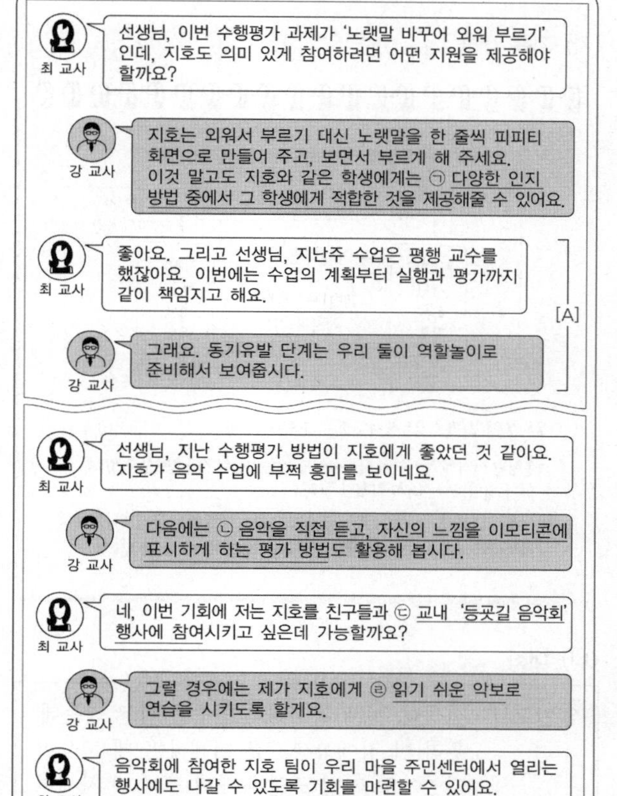

4) 2010년에 '미국 지적장애 및 발달장애협회(AAIDD)'에서 제시한 '지원 모델'에 근거하여 ㉤에 해당하는 내용을 1가지 쓰시오.

74

2020 중등A-4

(가)는 일반교사가 특수교육 연수를 받으며 기록한 내용의 일부이고, (나)는 일반교사와 특수교사가 나눈 대화의 일부이다. 괄호 안의 ㉠, ㉡에 해당하는 용어를 순서대로 쓰시오.

(가) 기록 내용

○지원 모델(미국 지적장애 및 발달장애협회, AAIDD, 2010)

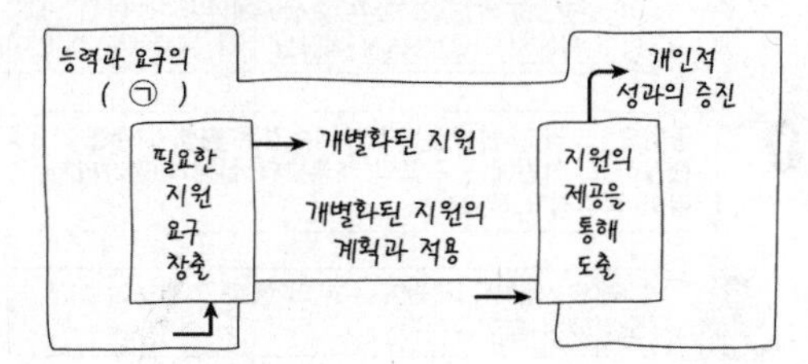

○중도장애인(미국 중도장애인협회, TASH, 2000)

- 통합된 사회에 참여하여 다른 사람과 비슷한 삶의 질을 향유할 수 있도록 삶의 영역에서 지속적 지원이 필요함.
- 이동, 의사소통, (㉡)와/과 같은 생활 영역에서 지원이 필요함.
- 지역사회에서의 주거, 고용, 자족에 필요한 학습을 위해 지원이 필요함.

(나) 대화

일반교사: 선생님, 어제 특수교육 연수를 받고 왔는데, 우리 반 장애학생 C를 이해하는 데 도움이 되었어요. 지원 모델에 대해 조금 더 자세히 설명해 주세요.

특수교사: 네, 장애를 이해하는 데 예전에는 장애학생의 결함에 초점을 맞추었지만, 요즘에는 지원을 강조하고 있어요. 그래서 개인의 능력과 환경적 요구의 (㉠)(으)로 인해 지원 요구가 생긴다고 보고 있고요.

… (중략) …

특수교사: 미국 중도장애인협회에서도 개인의 결함보다는 통합 환경에서 성공할 수 있도록 도와주는 생활 영역에서의 지원을 강조해요. 생활 영역 중에서 (㉡)은/는 2015 개정 특수교육 교육과정에서 중점적으로 기르고자 하는 핵심 역량의 하나인 (㉡) 역량과도 일맥상통하는 것 같아요. 자아정체성과 자신감을 가지고 자신의 삶과 진로에 필요한 기초 능력과 자질을 갖추어 갈 수 있는 것이지요.

75 2020 중등B-6

(가)는 지적장애 학생 G의 학부모가 특수교사와 상담한 내용의 일부이고, (나)는 기본 교육과정 중학교 사회과 '마트에서 물건 구입하기'를 주제로 지역사회 중심 교수에 기반하여 작성한 수업 지도 계획의 일부이다. 〈작성 방법〉에 따라 서술하시오.

(가) 상담

학 부 모: 안녕하세요. 학생 G의 엄마입니다. 우리 아이와 같은 증후군의 아이들은 15번 염색체 이상이 원인인데, 가장 큰 특징은 과도한 식욕으로 인한 비만이라고 해요. 그래서 저는 늘 우리 아이의 비만과 합병증이 염려됩니다. ㉠

특수교사: 가정에서도 식단 관리와 꾸준한 운동으로 체중 조절을 해 주시면 좋겠어요. 학교에서도 학생 G를 위해 급식 지도와 체육 활동에 신경 쓰겠습니다.

학 부 모: 네, 그리고 교과 공부도 중요하지만 학생 G가 성인기에 지역사회에서 살아가기 위해 필요한 실제적인 기술을 지도해 주시면 좋겠어요.

특수교사: 알겠습니다. 학급에서 배운 기술을 지역사회 환경에 적용할 수 있도록 ㉡<u>'영수준 추측'</u>과 '최소위험가정기준'을 바탕으로 지역사회 중심 교수를 하려고 합니다.

(나) 수업 지도 계획

학습 주제	마트에서 물건 구입하기
지역사회 모의수업	• 과제분석하기 필요한 물건 말하기 → 구입할 물건 정하기 → 메모하기 …(중략)… → 거스름 돈 확인하기 → 영수증과 구매 물건 비교하기 → 장바구니에 물건 담기 • 과제분석에 따라 ㉢ <u>전진형 행동연쇄법</u>으로 지도하기 • 교실에서 모의수업하기
(㉣)	• 학교 매점에서 과제 실행하기 －학교 매점에서 판매하는 물건 알아보기 －학교 매점에서 구입할 물건 정하기 －학교 매점에서 물건 구입하기
지역사회 중심 교수	• 마트에서 과제 실행하기

〈 작성 방법 〉

- (가)의 ㉠을 참고하여 학생 G의 증후군 명칭을 쓸 것
- (가)의 밑줄 친 ㉡의 의미를 서술하고, (나)의 괄호 안의 ㉣에 해당하는 용어를 쓸 것

76

2021 유아A-1

다음은 유아특수교사 최 교사가 통합학급 김 교사와 나눈 대화의 일부이다. 물음에 답하시오.

> 최 교사: 오늘 활동은 어땠어요?
> 김 교사: 발달지체 유아 나은이가 언어발달이 늦어 활동에 잘 참여하지 못했어요.
> 최 교사: 동물 이름 말하기 활동은 보편적 학습 설계를 적용하여 계획하면 어떤가요?
> 김 교사: 네, 좋아요.
> 최 교사: 유아들이 동물 인형을 좋아하니까, 각자 좋아하는 동물 인형으로 놀아요. ㉠ 나은이뿐만 아니라 유아들의 관심과 흥미를 유도할 수 있도록 유아들이 좋아하는 동물 인형을 준비하고, 유아들이 직접 골라서 놀이를 하게 하면 좋을 것 같아요.
> 김 교사: 다른 유의 사항이 있을까요?
> 최 교사: 네, 모든 문제를 해결하기는 어렵겠지만 나은이가 재미있게 놀이 활동을 할 수 있게 하면 될 것 같아요. 그리고 ㉡ 나은이의 개별화 교육목표는 선생님이 모든 일과 과정 중에 포함시켜 지도할 수 있어요. 자유놀이 시간에 유아들이 동물 인형에 관심을 보이고 놀이 활동에 열중할 때 나은이에게 동물 이름을 말하게 하는 거에요. 예를 들어, "이건 뭐야?"라고 물어보고 "호랑이"라고 대답하면 잘 했다고 칭찬을 해요. 만약, 이름을 말하지 못하면 ㉢ "어흥"이라고 말하고 ㉣ 호랑이 동작을 보여주면, 호랑이라고 대답할 거예요.

2) ㉡ 교수 전략의 장점을 2가지 쓰시오.

77

2021 유아A-5

(가)는 통합학급 박 교사와 최 교사, 유아특수교사 김 교사가 지적 장애 유아 은미와 민수의 행동에 대해 협의한 내용의 일부이다. 물음에 답하시오.

(가)

> [3월 23일]
> 김 교사: 은미와 민수가 통합학급에서 또래들과 잘 어울리고 있는지 궁금해요.
> 박 교사: 은미는 혼자 있는 걸 좋아하고 자기표현이 거의 없어요. 그래서인지 친구들도 은미와 놀이를 안 하려고 해요. 오늘은 우리 반 현지가 자기 장난감을 은미가 가져갔다고 하는데 은미가 아무 말도 하지 않아서 오해를 받았어요. 나중에 찾아보니 현지 사물함에 있었어요.
> 김 교사: 은미가 많이 속상해 했겠네요. ㉠ 은미가 자신에게 억울한 상황을 자신의 입장에서 분명하게 이야기할 수 있도록 지도해야겠어요. 최 선생님, 민수는 어떤가요?
> 최 교사: 민수가 활동 중에 갑자기 자리를 이탈해서 아이들이 놀라는 경우가 많아요. 그래서 친구들이 민수 옆에 앉지 않으려고 해요. 민수의 이런 행동은 이야기 나누기 활동에서 많이 나타나는 것 같아요.
> 김 교사: 선생님들의 말씀을 듣고 보니, 은미와 민수가 속해 있는 통합학급 유아들을 대상으로 ㉡ 또래지명법부터 해 봐야겠다는 생각이 들어요.
> 박 교사: 네, 좋은 생각이네요.
> 최 교사: 그런데 김 선생님, 요즘 민수가 자리이탈 행동을 더 많이 하는 것 같아서 걱정이 되네요.
> 김 교사: 그러면 제가 민수의 행동을 관찰해 보고 다음 주에 다시 협의하는 건 어떨까요?
> 최 교사: 네, 그렇게 하는 것이 좋겠어요.
>
> [4월 3일]
> 최 교사: 선생님, 지난주에 민수의 행동을 관찰하기 위해 이야기 나누기 활동을 촬영하셨잖아요. 결과가 궁금해요.
> 김 교사: 네, ㉢ 민수의 자리이탈 행동의 원인이 선생님의 관심을 얻기 위한 것으로 확인되었어요.
> 최 교사: 그렇군요. 그러면 민수의 자리이탈 행동을 줄이려면 어떻게 해야 할까요?
> 김 교사: ㉣ 자리이탈을 하지 않고도 원하는 강화를 받을 수 있게 하여 문제 행동의 동기를 제거할 수 있는 전략을 적용해 보는 것도 좋을 것 같아요.

1) ㉠에 근거하여 은미에게 지도해야 할 자기결정 행동의 구성요소를 쓰시오.

78 2021 초등A-5

(가)는 민지의 특성이고, (나)는 교육실습생과 지도 교사의 대화이다. 물음에 답하시오.

(가) 민지의 특성

- 간단한 문장을 읽고 이해할 수 있다.
- 자신의 의사를 간단하게 표현할 수 있다.
- 학교에서 배운 것을 일상생활에 잘 적용하지 못한다.

(나) 교육실습생과 지도 교사의 대화

교육실습생: 다음 국어시간에는 '바른 말 고운 말 사용하기' 수업을 역할 놀이로 진행한다고 들었어요. 선생님, 지적장애 학생을 교육할 때 어떤 점을 유의해야 할까요?

지도 교사: 교사는 ㉠ 결정적인 자료가 없는 한 학생을 수업 활동에 배제하지 않고 교육적 지원을 계속해야 하고, 학교에서 배운 것이 학습 결과로 바로 나타난다고 생각하기보다 ㉡ 학생의 생활, 경험, 흥미 등을 중심으로 현재 필요한 것이면서 미래의 가정과 직업, 지역사회, 여가활동 등에 활용될 수 있는 생활 기술들을 지도해야 합니다.

교육실습생: 네, 감사합니다.

…(중략)…

교육실습생: 민지의 의사소통 능력 증진을 위한 교수 전략을 추천해 주실 수 있을까요?

지도 교사: 일상의 의사소통 상황을 자연스럽게 구조화하여 지속적인 반응적 상호작용을 통해 의사소통을 촉진하는 대화 중심의 교수법을 추천하고 싶습니다. [A]

…(중략)…

교육실습생: 이 수업에 자기결정 교수학습 모델을 적용할 수 있을까요?

지도 교사: 네, 가능합니다. ㉢ 자기결정 행동의 구성 요소 중에서 '학생이 학습 문제를 해결하도록 학생 스스로 말해 가면서 실행하는 것'과 같은 요소를 중심으로 지도하면 좋겠네요. 이 때 자기결정 교수학습 모델을 단계별로 적용하면 됩니다.

교육실습생: 네, 감사합니다.

1) ① 발달장애 학생을 위한 교육과정을 결정하고 운영할 때 고려해야 할 교수 원리로 ㉠에 해당하는 가정(가설)을 쓰고, ② ㉡에 해당하는 교육과정의 유형을 쓰시오.

①:

②:

3) ① ㉢에 해당하는 기술을 쓰고, ② 다음 ⓐ에 들어갈 말을 쓰시오.

자기결정 교수학습 모델		
구분	성취해야 할 학생의 과제	교수적 지원
1단계	나의 목표는 무엇인가?	선택하기 교수, 목표설정 교수
2단계	나의 계획은 무엇인가?	자기일정(계획), 목표달성 전략
3단계	ⓐ	자기평가 전략, 자기점검

①:

②:

79 2021 초등B-5

(가)는 중도중복장애 학생 건우의 현재 담임 김 교사와 전년도 담임 이 교사가 나눈 대화이다. 물음에 답하시오.

(가) 김 교사와 이 교사의 대화

> 김 교사: 건우를 위한 실과 수업은 어떤 방향으로 지도하면 좋을까요?
> 이 교사: 건우에게 어릴 때부터 지역사회 기술을 직접 가르치는 것이 좋습니다. 이번 마트 이용하기 활동부터 계획해 보세요.
> 김 교사: 네, 좋아요. 그런데 요즘 ㉠ <u>코로나 19 때문에 밖에 나가기 어렵고, 그렇다고 학교에 마트가 있는 것도 아니에요.</u>
> 이 교사: 지난번 구입한 머리 착용 디스플레이(Head Mounted Display ; HMD)를 활용하는 것이 좋을 것 같아요
> 김 교사: 그 방법으로는 부족하지 않을까요?
> 이 교사: 맞아요. ㉡ <u>최대한 지역사회 기술 수행 환경과 유사하도록 학습 환경을 구성해야 해요. 그리고 다양한 사례를 가르쳐 배우지 않은 환경에서도 수행할 수 있도록 계획해야 해요.</u>
>
> … (중략) …
>
> 김 교사: 건우가 실습수업에 잘 참여하지 않아서 걱정이에요.
> 이 교사: 초등학교 저학년 때부터 매번 실패를 경험하다 보니 이제는 할 수 있는 것조차 하지 않으려 한답니다.
> 김 교사: 그렇다면 성공 경험을 주는 것이 필요하겠군요.
> 이 교사: 과제를 잘게 쪼갠 후, ㉢ <u>일의 순서와 절차</u>에 따라 수행하도록 지도하는 것이 도움이 될 겁니다.

1) (가)의 ㉠과 같은 상황에서 ① 김 교사가 학교에서 적용할 수 있는 지역사회 중심 교수의 유형을 쓰고, ② 다음의 지역사회 중심 교수 절차에서 ㉡이 의미하는 용어 ⓐ를 쓰시오.

> 교수 장소와 목표 기술 설정 → 교수할 기술 결정 → 교수 계획 작성 → 기술의 (ⓐ) 계획 → 교수 실시

①:

②:

80 2021 중등A-1

다음은 미국 지적장애 및 발달장애 협회[American Association on Intellectual and Developmental Disabilities(AAIDD), 2010]에서 제시한 개별화된 지원 평가, 계획 및 감독을 위한 과정이다. ㉠을 위한 방법을 쓰고, ㉡에 해당하는 개인의 지원 요구 및 의료적, 행동적 지원 요구를 판별하기 위한 표준화 검사도구의 명칭을 쓰시오.

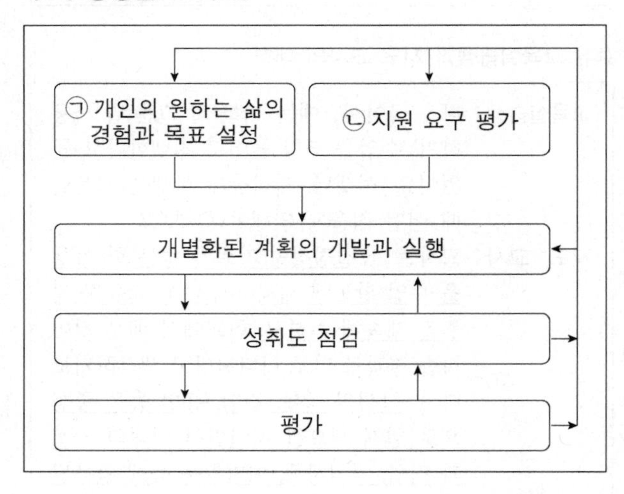

81 2021 중등B-4

(가)는 지적장애 학생 F에 대한 지도 중점 사항이고, (나)는 교육 실습생이 기록한 학생 F의 수행 점검표이다. 〈작성 방법〉에 따라 서술하시오.

(가) 지도 중점 사항

- 독립적인 자립생활을 위해 적응행동 기술 교수
- 수업 중 소리 지르기 행동에 대해 지원

(나) 수행 점검표

상위 기술	하위 기술	수행 점검
컵라면 구입하기	컵라면 가격 알기	×
	종업원에게 인사하기	○
	종업원에게 질문하기	○
	계산하고 구입하기	×
컵라면 조리하기	컵라면 뚜껑 열기	○
	컵 안쪽에 보이는 선까지 물 붓기	○
	면이 익을 때까지 기다리기	○
정리하기	빈 용기 정리하기	○

〈 작성 방법 〉

- (나)에서 학생 F가 어려움을 보이는 적응행동 하위 유형의 명칭을 쓸 것(단, 적응행동 하위 유형의 명칭은 AAIDD의 11차 정의에 제시된 용어로 쓸 것)

82 2022 유아B-4

(나)는 발달지체 유아 영호의 통합학급 놀이 장면에 대해 교사들이 나눈 대화의 일부이다. 물음에 답하시오.

(나)

김 교사: 오늘 아이들이 '내가 만든 똑딱 소리'라는 놀이를 만들고 모두가 재미있게 참여했어요.

박 교사: 맞아요. 특히, 수줍음이 많고 자리 이탈이 심했던 영호가 이전과는 다르게 놀이에 참여하는 모습을 볼 수 있어서 참 흐뭇했어요.

김 교사: 저도 그렇게 느꼈어요. 다른 친구들이 나와서 각자 만든 리듬을 연주할 때마다 유심히 보더라고요. 가끔씩 ㉣ <u>영호는 혼잣말로 "두구두구 두구두구"라고 하며 중얼거리기도 하고, "요렇게, 아니, 아니."라고 하면서 고개를 가로젓다가 까딱거리며 리듬 막대를 살살 움직여보기도</u> 하더군요.

박 교사: 그래요. 그러다가 ㉤ <u>진아가 리듬 연주를 하고 나서 친구들에게 큰 박수를 받았잖아요. 그런 진아를 보더니 영호도 리듬 연주를 하겠다며 손을 번쩍 들었어요.</u>

김 교사: 오늘 놀이에서 영호는 자신감이 커졌을 거예요.

3) 반두라(A. Bandura)의 관찰학습 이론에 근거하여, ㉣에 해당하는 용어를 쓰시오.

83 2022 유아B-6

(나)는 유아특수 교사가 작성한 일지의 일부이다. 물음에 답하시오.

(나)

현장체험학습 사전답사를 가 보니, '미션! 지도에 도장 찍기' 코너가 인기가 있었다. 도장 찍기에 어려움이 있는 현서를 위해 아래와 같이 도장 찍기 기술을 세분화하고 연쇄법을 적용하여 지도하였다.

지도 꺼내기 → 지도 펼치기 → 도장 찍을 곳 확인하기 → 도장에 잉크 묻히기 → 도장 찍기 → 지도 접기 → 지도 넣기	[B]

현장체험학습에 필요한 기술을 연습할 수 있도록 교실 환경을 꽃 축제의 코너와 유사하게 꾸몄다. 그리고 '미션! 지도에 도장 찍기' 활동에 필요한 자료를 구비하여 현서가 연습할 수 있게 하였다. [C]

3) (나)에서 [C]에 해당하는 교수방법을 쓰시오.

84 2022 초등B-3

다음은 특수학교에 근무하는 최 교사의 수학 수업에 대한 성찰 일지이다. 물음에 답하시오.

성찰 일지

성취기준	[4수학04-03] 반복되는 물체 배열을 보고, 다음에 올 것을 추측하여 배열한다.
단원	㉠ 9. 규칙 찾기
학습목표	ABAB 규칙에 따라 물건을 놓을 수 있다.

오늘은 모양을 ABAB 규칙에 따라 배열하고 규칙성을 찾는 수업을 하였다.

㉡ 규칙성이라는 추상적 개념 지도를 위해 구조적으로 동형이면서 다양한 구체물을 활용하는 수업이었다. [A]

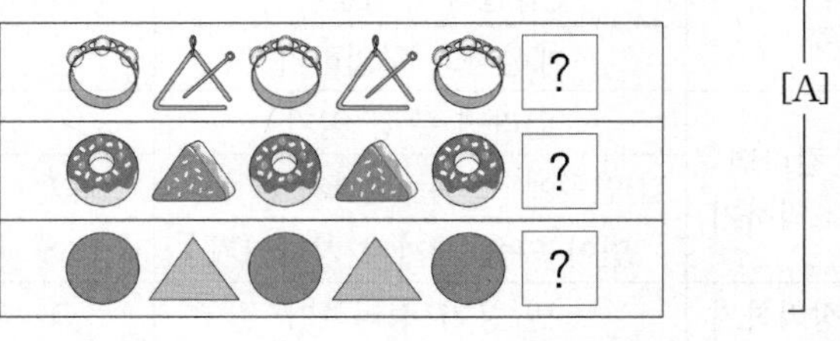

구체물을 이용한 수업이라서 그런지 학생들이 흥미있게 참여하였다.

오늘 연습 문제에서 대부분의 학생들은 물건을 잘 배열하는 것으로 보아 이제 ABAB 규칙을 익숙하게 다룰 수 있는 것으로 판단된다. 그런데 나영이는 ㉢ ABAB 규칙을 습득하였으나 가끔 순서가 틀리고, 모양을 찾는 데 시간이 오래 걸렸다. 나영이도 ABAB 규칙에 익숙해지려면 많은 연습이 필요할 것 같다.

하지만 나영이는 주의 집중력이 부족하여 오래 연습하기가 어렵다. 그래서 ㉣ 나영이가 좋아하는 스티커를 활용하여 나영이에게 고정비율강화 계획을 적용하면 좀 더 적극적으로 수업에 참여할 수 있을 것 같다.

내일은 다양한 규칙에 대해 배우게 되는데 학생들의 흥미를 높이고 학생들이 다양한 자극에 반응할 수 있도록 여러 가지자료를 사용해야겠다. 이렇게 하면 우리 학생들이 ㉤ 수업 시간에 사용한 상황과 자료가 아닌 다른 상황과 자료에서도 규칙대로 배열할 수 있지 않을까 생각해 본다.

2) ㉢의 학습단계에서 나영이를 위해 교수 목표로 삼아야 할 능력(기술)을 쓰시오.

85 2022 초등B-5

다음은 2015 개정 특수교육 교육과정 중 기본 교육과정 실과 5~6학년군 '건강한 식생활' 단원 지도 계획의 일부이다. 물음에 답하시오.

단원	2. 건강한 식생활
단원 목표	• 건강과 성장을 위해 올바른 식생활 습관을 실천할 수 있다. – 건강에 이롭고 안전한 식품을 선택한다. – 골고루 먹는 식습관을 실천한다. [A]
학습 목표	건강에 이로운 음식으로 균형 잡힌 밥상을 차릴 수 있다.
활동 지도 계획	• 도입(주의 집중) – 교사가 모델이 된 동영상 보여주기 ◦ 균형 잡힌 밥상을 차리는 모습 ◦ 건강에 이로운 음식을 먹는 모습 • 활동 1: 건강에 이로운 음식 알기 – 교사가 도입 동영상에 나온 이로운 음식 설명하기 – 도입의 동영상을 보고 학생이 어제 먹은 음식과 교사가 먹은 음식에서 이로운 음식 찾기 – 제시된 그림에서 학생이 이로운 음식 찾아 붙임 딱지 붙이며 범주화하기 – 학생이 새롭게 배운 이로운 음식을 기억할 수 있도록 시연하고 노랫말 만들어 부르기 [B]  • 활동 2: 골고루 먹는 균형 잡힌 밥상 차리기 – 건강에 이로운 음식으로 식단 짜기 – 균형 잡힌 밥상 차리기 ◦ 접시에 반찬을 골고루 담기 ◦ 반찬을 담은 접시를 밥상 위에 놓기 ◦ 숟가락과 젓가락을 밥상 위에 놓기 ◦ 밥과 국을 밥상 위에 놓기 [C] ※ 유의점 – ㉠ <u>학생의 건강상 특이사항</u>을 고려하여 식단 구성에 유의하도록 지도함 – 밥상 차리기 활동 중 학생이 오류를 보이면 피드백을 제공하여 교정함 • 정리: 학생들의 결과물 중에서 가장 균형 잡힌 식단을 선정하여 칭찬하기

2) [B]에 적용된 반두라(A. Bandura)의 관찰학습 하위 과정(단계)의 명칭을 쓰시오.

3) ① ㉠과 관련하여 페닐케톤뇨증(phenylketonuria ; PKU)을 가진 학생이 자신의 식단을 점검할 때 유의해야 할 사항을 쓰고, ② [C]는 '미국 지적 및 발달장애협회(AAIDD)(2010)'에서 제시한 적응행동의 3가지 기술(skills) 중 어떤 기술에 해당하는지 쓰시오.

①:

②:

86 2022 중등A-2

다음은 미국 지적장애 및 발달장애 협회(American Association on Intellectual and Developmental Disabilities, 2010)에서 제시한 '인간 기능성의 개념적 틀'과 그에 대한 설명이다. 괄호 안의 ㉠에 공통으로 들어갈 용어를 쓰고, 밑줄 친 ㉡~㉤ 중 틀린 것 1가지를 찾아 기호와 함께 바르게 고쳐 쓰시오.

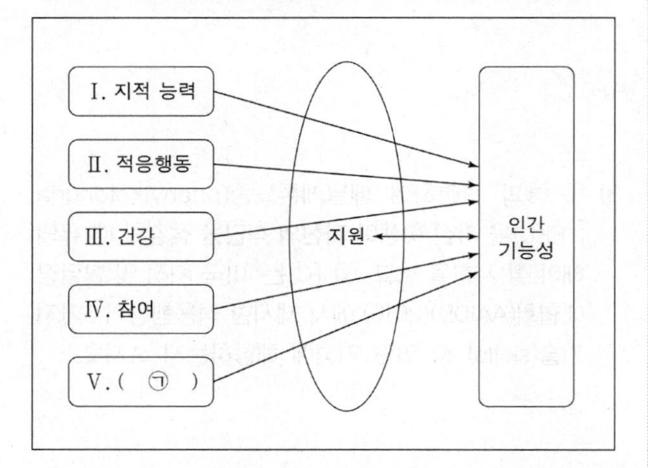

- 지적 능력은 추론하기, 계획하기, 문제 해결하기, 추상적 사고하기, 복잡한 아이디어 이해하기, 빨리 학습하기, 경험을 통한 학습하기를 포함하는 ㉡ 일반적인 정신 능력이다.
- 적응행동의 평가는 매일의 일과에 따라 변화하는 상황에서 한 개인의 ㉢ 최대한의 수행에 기초한다.
- 건강은 ㉣ 신체적, 정신적, 사회적 안녕의 완전한 상태로 정의한다.
- 개인의 참여 수준에 대해서는 ㉤ 직접 관찰을 통해 평가한다.
- (㉠)은/는 사람들의 일상적 삶과 상호 관련된 조건을 의미하는데, 환경적 요소와 개인적 요소를 포함한다.

87 2022 중등A-7

(가)는 지적장애 학생 C의 특성이고, (나)는 학생 C의 학부모와 특수 교사가 나눈 대화의 일부이다. 〈작성 방법〉에 따라 서술하시오.

(가) 특성

- ㉠ 장애의 원인은 21번째 상염색체가 3개인 염색체 이상으로 생의학적 · 출생 전 원인에 해당함
- 성격이 밝고, 사회성이 좋음
- 간헐적 지원 요구가 있음
- ㉡ 장애 특성상 갑상선 질병에 걸리기 쉽기 때문에 정기적인 검진을 받고 있음

(나) 대화

학 부 모: 선생님, 안녕하세요. 저희 아이가 곧 고등학교를 졸업하는데, 그때가 되면 혼자 시내버스를 타고 다닐 수 있으면 좋겠어요.

특수 교사: 예, 마침 사회 시간에 '우리 동네 살펴보기' 학습을 할 예정이어서 시내버스를 이용해 보려고 해요. 지역사회에서 사용할 기술을 지역사회 환경에서 직접 가르치는 방법을 (㉢)(이)라고 합니다. 그런데 시간, 비용, 위험성의 문제로 실제 버스를 타러 가기 전에 우선 교실에서 모의 환경을 만들어 미리 연습하는 지역사회모의교수를 해 보려고 합니다.

학 부 모: 그렇군요. 그런데 교실의 모의 환경에서 연습을 하면 실제 환경과 다른 점이 많아서 나중에 제대로 버스를 탈 수 있을까요?

특수 교사: 그래서 지역사회모의교수를 실시한 후에 실제 환경에서 발생할 수 있는 여러 상황이나 조건 중 대표적인 사례를 선택하고 계열화하여 가르치는 (㉣)(으)로 지도하려고 합니다.

학 부 모: 어떤 방법인지 예를 들어 설명해 주시면 좋겠어요.

특수 교사: 편의점 이용하기를 예로 들자면, 편의점마다 물품이나 계산대의 위치가 다르잖아요. 그래서 먼저 과제분석을 합니다. 그다음에는 기술을 지도할 대표적인 편의점 A와 평가할 다른 편의점 B를 정합니다. 그 후 편의점 A에서 물건 사기 기술을 지도하고, 편의점 B에 가서 이 기술이 일반화되었는지를 평가하는 방식이지요.

〈작성 방법〉

- (가)의 밑줄 친 ㉠을 참조하여 학생 C의 증후군 명칭을 쓸 것
- (가)의 밑줄 친 ㉡을 고려하여 미국 지적장애 및 발달장애 협회(AAIDD, 2010)의 매뉴얼에서 제시한 3차 예방의 목적을 1가지 서술할 것
- (나)의 괄호 안 ㉢, ㉣에 해당하는 교수 전략을 기호와 함께 각각 쓸 것

88 2023 유아A-7

(가)는 통합학급 놀이 상황이다. 물음에 답하시오.

(가)

최 교사: 친구들, 우리 공놀이하기 전에 재미있는 몸 놀이 하고 해요.
강 교사: 노래에 맞춰서 몸을 움직여 보아요. ♬ 옆에 옆에 옆에 옆으로 위로 아래로 위로 아래로~
유아들: (교사의 노래에 맞춰 ㉠ 옆으로 위로 아래로 몸을 움직인다.)
최 교사: 이제 선생님이 산토끼라고 말하면 친구들은 산토끼라고 말하면서 앉거나 일어서 주세요. 산토끼!
유아들: 산. 토. 끼!
강 교사: 서 있는 친구들끼리, 그리고 앉아 있는 친구들끼리 짝꿍이 되어요.
유아들: (친구들과 짝을 짓고 서로 마주 본다.)
[A]

… (중략) …

강 교사: 지금부터 재미있는 공놀이 시작!
흥 수: 볼링놀이 할 사람 모여라. 내가 블록 다섯 개 세울게.
세 윤: 나는 아까 볼링놀이 많이 해서 재미없어.
윤 경: 나는 잘 못하지만 한번 해 볼게. (공을 굴린다.)
세 윤: 이번에는 지은이가 해 봐.
지 은: 난 또 못 넘어뜨릴 거야.
흥 수: 나는 아까 많이 했어. 이거 엄청 쉬워.
윤 경: 나는 아까 하나 넘어뜨렸어.
흥 수: 그럼 예서가 해 볼래?
예 서: 응. 그런데 블록이 다 안 넘어지면 공이 작아서 그런 거야. (공을 굴린다.)
윤 경: 얘들아, 내가 큰 공 가지고 왔어.
[B]
유아들: 와! 엄청 크다. 블록 다 넘어지겠다.

2) (가)의 [B]에서 '학습된 무기력'에 해당하는 문장을 찾아 쓰시오.

89 2023 초등A-5

(가)는 특수학교 6학년 지적장애 학생 경아의 특성이고, (나)는 사회과 '도서관 이용하기' 단원 지도 계획의 일부이다. 물음에 답하시오.

(가) 학생 특성

- 경도 지적장애를 가지고 있음
- 그림책 보기를 좋아함
- 4어절 수준의 문장으로 대화가 가능함
- ㉠ 외적통제소 특성을 지님

(나) 단원 지도 계획

〈개요〉
- 단원명: 도서관 이용하기
- 수업목표: ㉡ 도서관을 이용하는 방법을 알고 실천할 수 있다.

〈활동 1〉
- 도서관 살펴보기
  - '도서관에 가면~' 노랫말 만들어 봄
  - 예 도서관에 가면 책도 있고 ♪~, 도서관에 가면 책상도 있고 ♬~

〈활동 2〉
- 도서관을 이용하는 방법 알아보기
  - ㉢ 교실을 도서관으로 꾸미고 학생들이 서로 돌아가며 사서 교사와 대출하는 학생을 선정하여 시연해 보도록 함. 이때 다른 학생들은 그 상황을 지켜보고 평가하도록 함

〈활동 3〉 학교 도서관 이용해 보기

〈차시 예고〉
- ㉣ '도서관 이용하기'를 배운 후 현장체험학습을 통해 학교 근처 도서관으로 가서 직접 그림책을 대출하기
  - 도서관에서 다른 사람에게 의존하지 않고 책을 대출함 [A]
  - 그림책을 성공적으로 대출하는 경험을 통해 자기 효능감을 느끼게 함 [A]
  - 자기 자리에 앉아 정해진 시간 동안 큰 소리로 이야기하지 않음 [A]

1) (가)의 ㉠의 특성을 쓰시오.

3) ① (나)의 ㉣에 해당하는 교수 방법의 명칭을 쓰고, ② [A]에서 설명하고 있는 것을 위마이어(M. Wehmeyer)가 제시한 개념으로 쓰시오.

①:

②:

90 2023 초등B-2

(가)는 지적장애 학생 민호 부모의 요구이고, (나)는 특수교사가 작성한 요구 분석 및 지원 계획이다. 물음에 답하시오.

(가) 부모의 요구

- 본인의 방을 스스로 청소하고 간단한 식사 준비하기 ┐ [A]
- 스마트폰을 활용하여 혼자 지하철 타기 ┘
- 친구들과 함께하는 활동에서 소외되지 않고 즐겁게 참여하기
- 자기가 원하는 것을 말로 표현하기
- 독립적으로 학교생활 하기

(나) 요구 분석 및 지원 계획

1. ㉠ 기능적 생활 중심 교육과정을 계획할 때, 민호의 발달연령보다 생활연령을 고려할 것
2. ㉡ 일상생활 속에서 민호에게 도움을 줄 수 있는 사물이나 사람(예 같은 반 친구 등)을 파악하여 수업과 생활환경에서 활용할 것
3. 민호가 수업에서 배운 기능적 기술들을 여러 환경에서 일반화할 수 있도록 지도할 것
   - ㉢ 수업에서 배운 기능적 기술을 실생활에 모두 적용할 수 없다는 점을 전제하여, 민호가 배운 내용을 다양한 환경에서 일반화할 수 있는지 확인하고 평가해 볼 필요가 있음
4. 현재는 ㉣ 과제분담학습 I(Jigsaw I)을 적용하고 있으나, 민호와 같은 팀이 되는 것을 학급 친구들이 좋아하지 않음
   - 협동학습의 유형 중 ㉤ 능력별 팀 학습(Student Teams-Achievement Divisions : STAD)을 적용해 볼 필요가 있음
5. 협동학습 수업의 '모둠별 학습' 단계에서 모둠 구성원들이 협동해서 과제를 해결해야 하는데 민호가 잘 참여하지 않는 경우가 많음
   - ㉥ 민호가 집단의 구성원으로 협동학습 과정에서 자신의 역할을 제대로 알고 집단의 문제해결 과정에 적극적으로 참여해야 함을 알려 줄 필요가 있음

1) ① (가)의 [A]에 해당하는 일상생활 활동의 유형을 쓰고, ② (나)의 ㉠의 이유를 1가지 쓰시오.

①:

②:

2) ① (나)의 ㉡에 해당하는 지원의 유형을 쓰고, ② 교육과정을 구성하고 운영하기 위한 기본 전제 중에서 (나)의 ㉢에 해당하는 개념을 쓰시오.

①:

②:

3) (나)의 ㉥에 해당하는 자기옹호 기술을 쓰시오.

91 (2023 중등A-7)

(가)는 학생의 특성이고, (나)는 수업 지도 계획을 위한 특수 교사의 메모이다. (다)는 자기결정교수학습모델(Self-Determined Learning Model of Instruction : SDLMI) 3단계를 학생 A에게 적용한 교사목표의 일부이다. 〈작성 방법〉에 따라 서술하시오.

(가) 학생의 특성

학생 A	• 지적장애와 저시력을 중복으로 지님 • 목표를 세워 본 경험이 부족하고, 교사나 부모의 도움을 받아 과제를 수행하려 함
학생 B	• 지적장애 학생임 • 역량이 충분히 있음에도 불구하고 ㉠ <u>반복된 실패의 경험이 누적되어 학습 동기가 낮음</u> • 자신의 상황에 맞지 않는 진로 목표를 설정함

(나) 수업 지도 계획을 위한 특수 교사의 메모

• 자기결정교수학습모델(SDLMI) 적용
 – 학생질문으로 (㉡)의 과정을 지도함

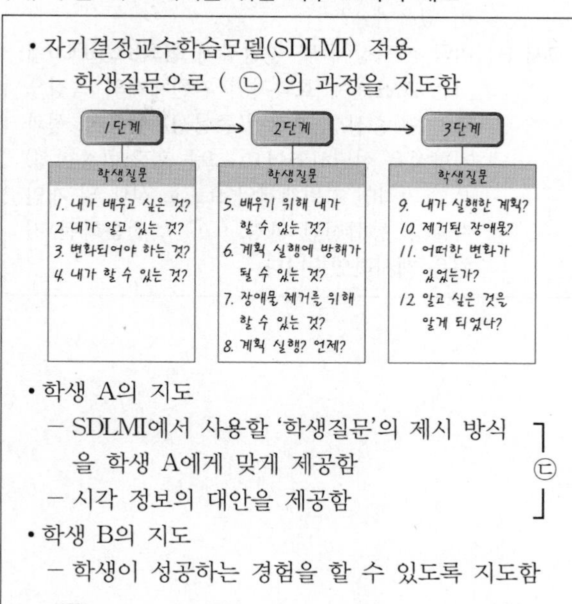

• 학생 A의 지도
 – SDLMI에서 사용할 '학생질문'의 제시 방식을 학생 A에게 맞게 제공함
 – 시각 정보의 대안을 제공함] ㉢
• 학생 B의 지도
 – 학생이 성공하는 경험을 할 수 있도록 지도함

(다) SDLMI 3단계를 학생 A에게 적용한 교사목표의 일부

학생질문 11번: 내가 모르던 것에 대해 어떤 변화가 있었나요?

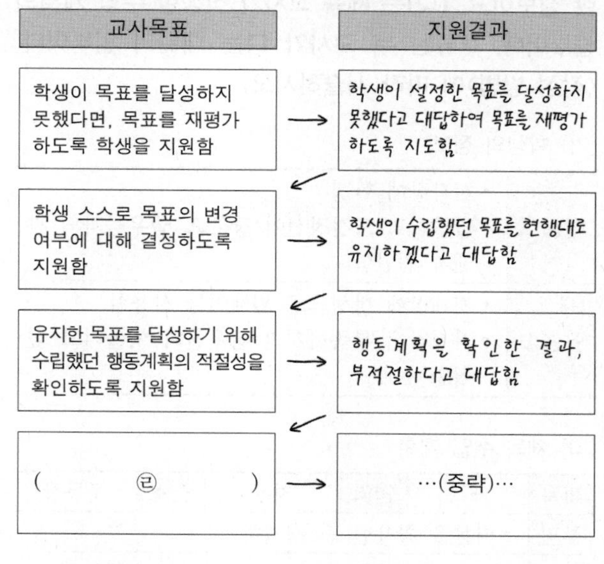

〈작성 방법〉
• (가)의 밑줄 친 ㉠과 관련된 특성을 쓸 것
• (나)의 괄호 안의 ㉡에 해당하는 내용을 쓰고, (다)의 괄호 안의 ㉣에 해당하는 내용을 1가지 서술할 것

92 2023 중등A-9

(가)는 ○○중학교에 배치된 특수교육대상 학생에 대한 정보이고, (나)는 체육 교사가 작성한 수업 계획의 일부이다. (다)는 두 교사가 나눈 대화의 일부이다. 〈작성 방법〉에 따라 서술하시오.

(가) 학생의 정보

학생 A	• 시각장애 학생 • 활발하고 도전정신이 강하고, 급우들과의 관계가 원만함
학생 B	• 지체장애 학생으로 휠체어를 사용함 • 자신감은 부족하지만 급우들과 어울리고 싶어함

(나) 체육 수업 계획

과목	체육	영역	경쟁	장소	운동장
주제	• 티볼을 활용한 팀 경기하기				
절차	사전 학습		본 수업		
내용	• 티볼 경기 영상 시청 • 팀 경기 전략 생각하기		• 팀별 역할 및 전략 토론 • 팀 경기 실시		
준비 사항	• 티볼 경기 영상(시각장애인을 위한 화면해설 포함) • 티볼 경기 규칙과 기술에 대한 학습지		• 변형 경기장 조성 및 팀 구성 • ㉠ 준비물: 티볼 공, 배트, 탬버린		

(다) 특수 교사와 체육 교사의 대화

특수 교사: 선생님은 전통적 수업이나 혼합수업과 달리 가정에서 사전 학습을 하고 학교에 와서 심도 있게 수업에 참여하는 학습자 중심의 교수 방법을 활용하려 하시네요.

체육 교사: 네. 사전 학습을 통해 개념을 충분히 습득함으로써 본 수업에서는 토론이나 활동 수행 시간 등을 충분히 확보할 수 있지요. 그렇지만 학생이 사전 학습을 수행하지 않으면 본 수업에 차질이 생길 수도 있어 준비가 많이 필요합니다.] ㉡

…(중략)…

〈작성 방법〉

• (나)를 참고하여 (다)의 ㉡에 해당하는 교수 방법의 명칭을 쓸 것

93 2023 중등B-1

다음은 전문적학습공동체 모임 후 두 교사가 나눈 대화의 일부이다. 괄호 안의 ㉠과 ㉡에 해당하는 내용을 순서대로 쓰시오.

교사 A: 선생님, 이번에 연수를 들어보니 지난 30년간 지적장애의 정의 및 모델에서 많은 변화가 있었다는 것을 알 수 있었습니다. 무엇보다 1992년 모델에 소개되었던 '지원'의 개념이 지속적으로 이어져 오다가 2021년에는 '지원체계'로 변경되었다는 점이 인상 깊었어요.

교사 B: 네. 지원체계는 개인의 발달과 유익을 촉진하고 개인의 기능성과 (㉠)을/를 향상시키는 상호 연결된 자원 및 전략 네트워크입니다. 보다 체계적으로 지원체계를 구축하고자 한 점을 저도 주의 깊게 살펴보았어요.

교사 A: 그렇다면 효과적인 지원체계의 요소는 무엇이 있을까요?

교사 B: 미국 지적장애 및 발달장애 협회(AAIDD)에서는 2021년에 효과적인 지원체계의 특징으로 개인 중심성, 포괄성(종합성), 협응성, 성과 지향성을 설명하였어요. 그중 포괄성(종합성)은 효과적인 지원체계의 요소로 선택 및 개인 자율성, 통합적인 환경, (㉡), 전문화된 지원을 제시하였습니다.

94

2023 중등B-11

(가)는 지적장애와 관련된 연수 자료의 일부이고, (나)는 교육실습생이 연수를 들으면서 정리한 내용이다. 〈작성 방법〉에 따라 서술하시오.

(가) 지적장애 관련 연수 자료

ㅇ장애의 (㉠) 모델에 대한 이해
- 장애를 개인으로부터 발생하는 결함이 아니라, 개인과 그 개인이 기능하는 맥락 사이의 상호작용으로 이해함
- 지적장애인의 인간 기능성을 높이기 위한 지원을 강조함

ㅇ지원강도척도(Supports Intensity Scale)에 대한 이해

…(중략)…

- 평가 방법 : (㉡)을/를 통해 지원요구를 평가함
- 결과 활용 : 개별화된 지원의 계획 수립 및 운영에 활용
  - 삶의 경험과 목표를 확인하고 지원요구를 평가한 결과는 개인에게 지원할 영역의 (㉢)을/를 결정하는 데 도움이 됨
  - 모든 생활 활동 영역을 한 번에 효과적으로 지도하는 것은 어려움이 있으므로, 학생에게 중요한 지원 영역의 (㉢)을/를 판별함

(나) 교육실습생이 정리한 내용

- ⓐ 획득한 점수와 진점수가 속한 통계적 범위인 신뢰 구간을 바탕으로 지능검사와 적응행동검사 결과를 해석함
- ⓑ 지적장애를 진단할 때 적응행동을 지적 기능성과 동일한 비중으로 고려할 것을 강조함
- ⓒ 적응행동 측정 시 또래가 활동하는 전형적인 지역사회 환경을 참조함
- ⓓ 지적장애 하위 집단은 목적에 따라 선택적으로 분류되고, 분류가 되어야 한다면 지적 기능성의 수준에 따른 분류가 가장 적절함

〈작성 방법〉

- (가)의 괄호 안의 ㉠에 해당하는 내용을 쓸 것
- (가)의 괄호 안의 ㉡에 해당하는 내용을 쓰고, 괄호 안의 ㉢에 공통으로 해당하는 내용을 쓸 것
- (나)의 ⓐ~ⓓ 중 틀린 내용을 1가지 찾아 기호를 쓰고, 그 이유를 서술할 것[단, 미국 지적장애 및 발달장애 협회(AAIDD, 2021) 매뉴얼에 근거할 것]

95 2024 유아A-3

(가)는 지적장애 유아 희수에 관한 유아특수교사 최 교사와 유아교사 강 교사의 대화 내용이고, (나)는 최 교사가 희수를 위해 작성한 일반사례교수 계획의 일부이다. 물음에 답하시오.

(가)

강 교사: 선생님, 희수에게 도서관에서 책을 빌리고 반납하는 기술을 가르쳤었는데, 이를 실제 도서관에서 적용하려면 어떤 점을 유의해야 할까요?

최 교사: 여러 가지가 고려되어야 하지만 우선 전제되어야 할 것이 있어요. 무엇보다 교사는 유아에 대해 미리 판단하거나 추측하지 말아야겠지요. 예를 들어, 희수가 실제 도서관에서 책을 빌리고 반납하는 기술을 자연스럽게 습득할 것이라고 미리 단정하지 않아야 해요. [A]
배운 내용이나 기술들을 실제 생활이나 여러 환경에 적용하는 데 어려움이 있을 수도 있다는 점을 유념해야 해요.

…(중략)…

강 교사: 선생님, 희수가 도서관을 잘 이용할 수 있도록 교실을 도서관으로 꾸민 후 역할극을 통해 책을 빌리고 반납하는 모의활동도 하고, ㉠ 유치원 안에 있는 도서실을 이용해서 책을 빌리고 반납하는 활동도 자주 하려고 해요. 또한 ㉡ 동네 도서관에서 책을 빌리고 반납하는 활동도 계획하고 있어요.

최 교사: 네. 좋을 것 같아요.

…(중략)…

강 교사: 지난번에 말씀하신 바와 같이 일반사례교수를 활용해 보려고 하는데요. 도서관에서 책을 빌리고 반납하는 활동을 위해 사례를 선정할 때 고려할 점은 무엇인가요?

최 교사: 먼저 ㉢ 자연스러운 상황에서 가르칠 수 있는 사례를 선택해야겠지요. 그리고 ㉣ 가능한 많은 사례를 선택하여 다양한 자극과 반응이 포함되도록 하는 것이 좋겠고요. 또한 ㉤ 희수가 해야 할 것과 하지 말아야 할 것을 가르칠 수 있는 사례를 선정하도록 하고, ㉥ 예외적인 상황도 포함하는 것이 필요해요.

…(하략)…

(나)

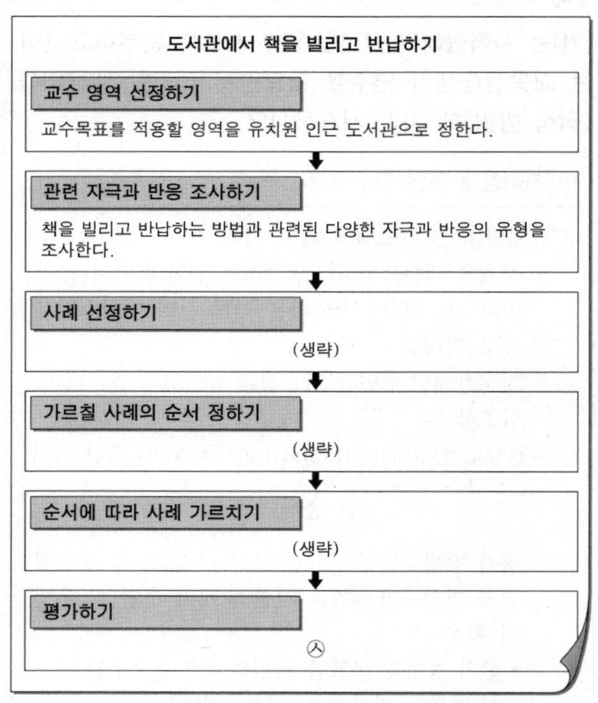

도서관에서 책을 빌리고 반납하기

단계	내용
교수 영역 선정하기	교수목표를 적용할 영역을 유치원 인근 도서관으로 정한다.
관련 자극과 반응 조사하기	책을 빌리고 반납하는 방법과 관련된 다양한 자극과 반응의 유형을 조사한다.
사례 선정하기	(생략)
가르칠 사례의 순서 정하기	(생략)
순서에 따라 사례 가르치기	(생략)
평가하기	㉦

1) (가)의 [A]는 지적장애 유아 교육 시 고려해야 할 기본 전제 중 무엇에 해당하는지 쓰시오.

2) (가)의 ① ㉠에 해당하는 기능적 기술 교수방법의 명칭을 쓰고, ② ㉡과 비교하여 ㉠의 장점을 1가지 쓰시오.

①:

②:

3) ① (가)의 ㉢~㉥ 중 적절하지 않은 것 1가지를 찾아 기호와 함께 그 이유를 쓰고, ② (나)의 ㉦에 들어갈 내용을 쓰시오.

①:

②:

96

2024 유아B-4

(가)는 5세 발달지체 유아 재희의 활동-기술 도표의 일부이고, (나)는 통합학급의 놀이 장면이다. 물음에 답하시오.

(가)

재희의 활동-기술 도표

- 개별화교육계획의 목표행동을 일과/놀이 중에 연습할 기회를 다양하게 제공한다.
- 영역: 의사소통

목표 / 일과/놀이	두 단어로 말하기	친구를 바라보며 말하기
등원 및 인사	✓	✓
자유 놀이	✓	✓
점심 식사	✓	
바깥 놀이	✓	✓
인사 및 하원	✓	✓

(나)

미　　나: (나무 블록으로 쌓기놀이를 하고 있다.)
상　　우: 재희야, 무슨 놀이 해?
재　　희: (상우를 바라보며) 기차놀이!
박 교사: (재희를 보며) 기차놀이 해.　[A]
재　　희: 기차놀이 해.
상　　우: 재희야, 오늘도 나랑 같이 놀까?
재　　희: (반기는 듯 미소 짓는다.)

…(중략)…

1) (가)와 (나)의 [A]를 참고하여 박 교사가 적용한 교수전략을 쓰시오.

97

2024 초등A-4

(가)는 지적장애 학생 수아에 대해 담임 교사와 수석 교사가 나눈 대화의 일부이다. 물음에 답하시오.

(가)

담임 교사: 이번 국어 수업의 목표는 '탈것의 이름 읽기'입니다.

[낱말 카드의 예시] 버스 / 자전거 / 지하철

수아에게 이러한 ㉠ <u>낱말을 여러 번 보여주면서 자동적인 낱말 읽기</u>를 지도하려고 해요. 예를 들어, ㉡ <u>'지하철' 낱말을 보았을 때 'ㅈ', 'ㅣ', 'ㅎ', 'ㅏ', 'ㅊ', 'ㅓ', 'ㄹ'로 분절하기보다 눈에 익어서 보자마자 빠르게 읽는 것</u>이지요.

수석 교사: 이 낱말이 수아에게 어떤 도움이 될까요?

담임 교사: 수아가 성인이 되었을 때 스스로 대중교통을 이용하려면 이 낱말을 배우는 것이 꼭 필요해요. 수아가 지역사회 내에서 가능한 독립적으로 적응하기 위해 필요한 것을 지도해야 한다고 생각해요.　[A]

1) 브라운 등(L. Brown et al.)의 교육과정 구성 및 운영을 위한 전제에서 (가)의 [A]에 해당하는 용어를 쓰시오.

98 2024 초등A-5

다음은 2015 개정 특수교육 기본 교육과정 사회과 3~4 학년군 '학교 가는 길' 단원의 지도를 위해 특수교사 최 교사와 박 교사가 나눈 대화의 일부이다. 물음에 답하시오.

최 교사: 선생님, 지난주 '체육센터에서 도움받을 수 있는 일 찾기'라는 주제로 사회 수업을 하셨던데 어떠셨어요?
박 교사: 학생들이 재미있어하고 적극적으로 참여했어요.
최 교사: 그랬군요. 저도 ㉠ 선생님이 사용하신 교수·학습 모형을 적용하려고 하는데 어떻게 하면 좋을까요?
박 교사: 먼저 교실에서 학생들과 함께 체육센터 홈페이지를 통해 방문할 날짜, 이용 시간 등을 알아보고 계획을 세웠어요. 그 후에 체육센터에 가서 재미있게 활동을 하고 궁금한 점도 자유롭게 이야기를 나누었더니 학생들이 즐거워했어요. [A]
최 교사: 의견을 참고해서 적용해 볼게요. 그리고 '대중교통 이용 시 필요한 것'에서는 어떤 내용들을 지도하면 좋을까요?
박 교사: ㉡ 교통질서 지키기, 규칙 지키기, ㉢ 버스 이용하기, 교통 카드 구입하기 등에 대해 지도하시면 어때요?

…

박 교사: 선생님, 교실을 버스로 만드셨네요.
최 교사: '규칙을 지켜 교통수단을 안전하게 이용하기' 수업에서 버스를 안전하게 이용하는 연습을 교실에서 하려고 해요.
박 교사: ㉣ 사회과의 모의 수업 방법을 활용하시는군요. 그런데 버스에 타고 내리는 문이 없네요. 이렇게 (ⓐ)이/가 부족하면 배우고 난 후 실제 상황에 적용하기 어려워요. 반면에 (ⓐ)이/가 지나치면 학습이 복잡해져서 중요한 것이 무엇인지 파악을 못할 수 있어요.
최 교사: 그렇군요.
박 교사: 교통수단 중 버스를 선택하신 이유가 있을까요?
최 교사: 우리 반 동우가 ㉤ 앞으로도 독립적인 생활을 할 수 있도록 가정, 학교, 지역사회 등에서 필요한 기능적 기술이 무엇인가 조사하였더니 버스 타기 기술이더라고요.
박 교사: 저도 선생님의 교수 학습 자료를 바탕으로 민수에게 안전교육 지도를 해야겠어요.
최 교사: 그런데 민수가 요즈음에도 노란색 차만 보면 타려고 하나요?
박 교사: 네. ㉥ 학교 버스가 노란색이어서 노란색 차만 보면 학교 버스인 줄 알고 무조건 타려고 해요.

1) '미국 지적 및 발달장애협회(AAIDD)(2021)'에서 제시한 적응행동의 3가지 요인 중 ㉡과 ㉢에 해당하는 명칭을 순서대로 쓰시오.

3) ① ㉤에서 설명한 것이 무엇인지 쓰고, ② 지적장애 학생의 인지적 특성 중 ㉥에 해당하는 것을 1가지 쓰시오.

①:

②:

99

2024 초등B-5

(가)는 특수교사와 통합학급 교사가 실과 6학년 수업 계획에 대해 나눈 대화의 일부이다. 물음에 답하시오.

(가)

통합학급 교사: 이번 수업에서는 간단한 음식 만드는 순서를 알고리즘과 함께 지도하고, 학생들이 코딩 연습을 해 보게 하려고요.

특 수 교 사: 좋은 생각입니다. 학생들이 재미있어 하겠어요.

통합학급 교사: 전자레인지로 간단한 음식 만들기 활동을 하려니 ㉠ <u>교차 오염이 걱정되어서, 학생들이 수업 전 자기점검법</u>을 사용하도록 해야겠어요.

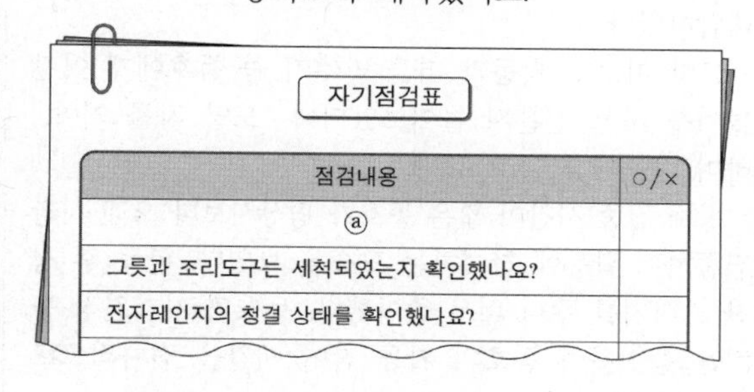

… (중략) …

통합학급 교사: 민우가 움직임에 제한이 많아서 간단한 음식 만들기 활동에 참여할 수 있을지 고민이에요.

특 수 교 사: ㉡ <u>과제분석이 된 각 단계를 '완료되면 음식 꺼내기'부터 하나씩 배울 수 있도록 지도</u>하면 될 거예요.
그리고 민우가 전체 활동에 항상 동일하게 참여해야 하는 것은 아니에요. 민우가 최대한 독립적으로 참여할 수 있도록 각 단계를 조정해 주면, 민우가 적극적으로 참여할 수 있을 거예요. 민우가 전자레인지에 시간 설정하는 방법을 배우는 것은 의미 있을 것 같아요. [A]

통합학급 교사: 그럼 ㉢ <u>다른 학생들이 간단한 음식 만들기를 하는 동안 민우는 시간 설정을 하기 위해 숫자 쓰기를 연습할 수 있도록 해야겠어요.</u>

특 수 교 사: 선생님, 그것은 적절한 활동이 아닌 것 같아요.

2) ① (가)의 [A]에 해당하는 중도중복장애 학생의 교수 원리를 쓰고, ② [A]를 근거로 ㉢의 문제점을 1가지 쓰시오.

①:

②:

100 2024 중등A-11

(가)는 지적장애 학생 A의 특성이고, (나)는 초임 교사와 수석 교사의 대화 중 일부이다. 〈작성 방법〉에 따라 서술하시오.

(가) 학생 A의 특성

- 잘 웃고 인사성이 좋음
- 혼자 있는 것보다 사람에게 먼저 다가가 말하는 것을 좋아함
- 다른 사람의 감정과 태도를 잘 알아차리며, 상호작용을 잘하는 편임

(나) 초임 교사와 수석 교사의 대화

초임 교사: 선생님, 전공과 바리스타 수업 시간에 실습을 하는데, 학생 A에게는 여러 역할 중에서 에스프레소를 추출하는 연습을 시켰어요. 그런데 반복적으로 추출하는 일을 지루해합니다. 학생 A에게 더 적합한 역할이 뭘까요?

수석 교사: ㉠ 학생 A의 강점을 고려하여 전환 계획을 수립하는 것이 중요해요. 학생 A에게 주문을 받고 계산하는 역할을 맡겨 보면 어떨까요?

초임 교사: 네, 좋은 생각입니다. 학생 A는 친화력이 좋아서 잘할 거예요. 그런데 전환평가는 어떻게 하면 좋을까요?

수석 교사: 전환 계획을 세울 때는 다양한 측면에서 평가를 해야 합니다.

초임 교사: 바리스타 수업 시간에 카페 관련 직무를 연습하고 나면, 어느 카페에 취업을 하더라도 잘 해낼 수 있겠네요!

수석 교사: 꼭 그렇게만 볼 수는 없습니다. 일반화가 쉽게 이루어지는 것은 아니니까요. 지적장애 학생의 교육과정을 구성하고 운영할 때에는 (㉡)을/를 전제로 가르쳐야 합니다.

〈작성 방법〉

- (나)의 ㉡에 해당하는 용어를 쓸 것

101 2025 유아B-2

다음은 유아 특수교사 김 교사의 반성적 저널이다. 물음에 답하시오.

올해 입학한 4세 지적장애 유아 동호가 보이는 몇 가지 행동 때문에 고민이 많다. 새로운 환경에 적응하기 위해 보이는 모습일 수도 있으므로 앞으로 잘 관찰해 봐야겠다.

…(중략)…

4. 2024년 4월 ☆일

동호가 주원이와 함께 레고 놀이를 하고 있었다. 주원이가 동호에게 "공룡 가지고 놀까? 아니면 집 만들러 갈까?"라고 물어보니, 동호는 "집."이라고 대답하였다. [B]

모양 자르기 활동과 퍼즐 맞추기 중 동호에게 어떤 놀이를 하고 싶은지 물어보았더니 "모양 자를 거야." 하며 바구니를 들고 갔다.

평소 집중 시간이 짧은 동호가 평상시보다 오랜 시간 집중하여 활동에 참여하는 모습을 보였다. 활동 후 칭찬 스티커를 주니 너무 좋아했다. 동호의 자기결정 능력을 증진하여 동호의 활동 참여 시간을 점차적으로 늘려야겠다.

5. 2024년 4월 ◇일

우유 도우미를 누가 할 것인지를 물었는데 동호 옆에 있던 친구가 주원이를 손으로 가리키자 동호도 "주원이요."라고 말했다. 학습된 무기력을 가지고 있는 동호는 자신이 도우미를 할 수 있음에도 불구하고 자신의 능력을 믿지 못해 교사나 친구에게 의존을 하는 모습을 보인다. [C]

동호가 자신이 해결할 수 있는 과제도 스스로 할 수 없다고 생각하여 주원이에게 의존하려는 특성을 어떻게 변화시켜야 할지 고민이 된다.

3) ① [B]는 자기결정 행동의 구성 요소 중 무엇에 해당하는지 쓰고, ② [C]에 나타난 동호의 심리적 특성을 쓰시오.

①:

②:

102 2025 유아B-5

(가)는 특수교육대상 유아의 특성이고, (다)는 유아 특수교사 김 교사와 유아교사 최 교사의 대화와 통합학급 놀이 장면이다. 물음에 답하시오.

(가)

특수교육대상 유아의 특성	
수지	• 발달지체 • 두 단어 수준의 말을 할 수 있으나 스스로는 말을 하려 하지 않음 • 활동 참여 대부분에 교사의 지원이 필요함
주아	• 지체장애 • 왼쪽 편마비로 양손을 동시에 사용하는 활동에 어려움이 있음 • 미술활동에 적극적으로 참여하는 태도를 보임

(다)

최 교사: 선생님, 아이들이 지난번에 보고 온 한옥을 교실에서도 만들어 보고 싶다고 하네요.
김 교사: 그러면 커다란 종이집에 나무, 돌, 흙의 질감이 표현된 그림을 붙여서 꾸미는 활동을 해 볼까요?
최 교사: 네, 좋아요. 그런데 하나의 종이집에 모든 아이들이 모이면 놀이하기에 어려움이 있을 것 같아요. 아이들을 두 모둠으로 나누고 두 개의 한옥을 꾸며 보아요. 주아는 제 모둠, 수지는 김 선생님 모둠에 포함하면 어떨까요?
김 교사: 네, 다른 아이들 수준도 고려해서 모둠을 나누고 활동에 대해 더 계획해 보아요. [A]
그리고 활동할 때 주아가 편마비로 인해 모든 단계에서 독립적으로 수행할 수는 없더라도 (㉡)의 원리를 적용해서 참여할 수 있도록 지원해 주세요.

… (하략) …

〈기린 모둠 놀이 장면〉

도 훈: (풀칠한 돌 그림을 종이집에 붙이며) 주아야, 너도 여기 붙여 줘.
주 아: 응. 알았어. (한 손으로 풀칠을 하려고 시도하지만 풀을 놓쳐서 떨어뜨린다.)
최 교사: (주아에게 나무, 돌, 흙 그림을 건네주며) 주아는 풀칠하는 것이 어려우니까 친구들한테 그림을 나누어 주자.
주 아: 선생님, 저도 종이집에 그림을 붙이고 싶어요.
최 교사: 그런데 친구들한테 그림이 많이 필요하니까 주아가 그림을 나누어 주면 좋겠어.
주 아: (작은 목소리로) 네.
(주아는 놀이가 마무리될 때까지 한옥 꾸미기에 참여하지 못하고 다른 유아에게 필요한 그림만 나누어 주었다.) [B]

2) (다)의 ① 괄호 안의 ㉡에 들어갈 원리의 명칭을 쓰고, 이에 근거하여 ② [B]에 나타난 원리의 오류 유형을 쓰시오.

①:

②:

103 2025 초등A-2

다음은 특수교사가 통합교육 지원을 위한 협의회에서 통합학급 교사들과 나눈 대화의 일부이다. 물음에 답하시오.

김 교사: 선생님, 제가 3학년 학습장애 학생 정호를 위해 학급에서 또래교수 전략을 적용해 보려고 합니다. 그런데 또래교수에도 절차가 있지요?

특수교사: 그렇습니다. 또래교수를 시작하기 전에 준비해야 할 것들이 있습니다. 지도 목표와 대상 교과를 선정하고, 교수・학습 과정안을 작성하셔야 합니다. 그리고 무엇보다도 (㉠)단계가 중요합니다.
이 단계에서는 대상 학생의 교우 관계 혹은 학생의 강점과 약점을 잘 파악하는 것이 필요합니다. [A]

김 교사: 정호는 당연히 학습자로 선정되는 거 아닌가요?

특수교사: 아닙니다. ㉡ 또래교수에서 역할 바꾸기도 가능합니다. 정호의 강점을 잘 파악하셔서 정호가 도움이 필요한 영역에서는 또래학습자가 되고, 정호가 잘하는 영역에서는 또래교수자가 될 수도 있습니다.

김 교사: 아, 그렇게 계획을 짜 보도록 해야겠습니다.

박 교사: 저는 6학년 지적장애 학생 민희의 담임교사입니다. 저번에 선생님께서 (㉢) 기술이 중요하다고 하셨는데, 어떻게 지도해야 할지를 잘 모르겠어요.

특수교사: 그렇군요. 비장애 학생들은 다른 교과 내용을 잘 습득하기 위해 읽기를 학습하지만, 지적장애 학생들은 실생활에서 독립적인 기능을 배우기 위해 읽기를 배웁니다. 예를 들면, 민희는 안전과 관련된 표지판이나 학급의 시간표와 열차 시간표를 읽기 위해 학습합니다. [B]

박 교사: 잘 이해가 되었습니다.

… (하략) …

2) [B]를 고려하여 ㉢에 들어갈 말을 쓰시오.

104 2025 초등B-3

(가)는 예비 교사가 작성한 학생 관찰 일지의 일부이다. 물음에 답하시오.

(가)

6학년 1반 이름: ○선우

- 장애: 지적장애(프래더-윌리 증후군)
- 관찰 결과 1
  - 수학 시간에 자로 길이 재는 활동을 스스로 해냄
    ➔ 나는 선우가 못할 것 같아서 숫자를 짚어 주려고 했는데 스스로 길이를 찾아 숫자를 가리킴
  - 하교 시간에 통학 버스에서 안전벨트를 스스로 맴
    ➔ 나는 선우가 못할 것 같아서 항상 안전벨트를 매어 주었음
- 오늘의 교훈
  - 학생 수행 수준을 정확하게 파악하기 어려울 때는 학생이 해낼 수 있다고 생각하는 것이 해낼 수 없다고 생각하는 것보다 덜 위험하다. 즉, 교사는 결정적 증거가 없는 한 교육의 가능성을 찾아내어 최선의 시도를 해야 한다! [B]

1) (가)의 [A]에 해당하는 개념을 지적장애 학생의 교육과정 구성 및 운영을 위한 기본 전제 중에서 쓰시오.

105 2025 중등A-10

(가)는 고등학교에 재학 중인 지적장애 학생 K의 교육 및 지원 요구이고, (나)는 학생 K의 교육 지원을 위한 특수 교사의 교육 계획 노트이다. 〈작성 방법〉에 따라 서술하시오.

(가) 학생 K의 교육 및 지원 요구

- 성인기 자립 생활을 위한 적응행동 기술을 배울 필요가 있음
- 직장 생활 적응을 위해 다양한 자연적 지원이 필요함
- 직장 생활을 위해 지시 따르기 기술을 배울 필요가 있음

(나) 학생 K의 교육 지원을 위한 특수 교사의 교육 계획 노트

1. 학생 K의 향후 직장 생활에 필요한 적응행동 목록 확인
   - 상급자의 지시 따르기, 대중교통을 이용한 출퇴근하기, 직장 규칙 지키기, ㉠ <u>단순화된 작업 지시서 읽기, 업무 순서에 대해 자기 지시하기</u>

… (중략) …

3. 학생 K에게 필요한 지시 따르기 기술을 지도하기 위해 반두라(A. Bandura)의 관찰 학습 방법 적용
   - 관찰 학습의 과정인 주의집중 – (㉢) – 재생 – 동기화에 영향을 주는 요인 파악
   - ㉣ <u>지시 따르기 기술을 배우기 위한 관찰 학습 중 탈금지(탈제지)</u>가 나타나지 않도록 주의

〈 작성 방법 〉

- (나)의 밑줄 친 ㉠에 제시된 적응행동의 하위 영역 명칭을 쓸 것[단, 적응행동 하위 영역의 명칭은 AAIDD의 12차 정의(2021)에 제시된 용어로 쓸 것]
- (나)의 괄호 안의 ㉢에 해당하는 관찰 학습 과정의 명칭을 쓰고, 밑줄 친 ㉣의 예를 서술할 것

106 2025 중등A-12

다음은 ○○ 중학교 중도·중복장애 학생 K에 대해 특수 교사와 교육 실습생이 나눈 대화이다. 〈작성 방법〉에 따라 서술하시오.

교육 실습생: 선생님, 학생 K를 위한 의사소통 지도는 어떻게 하고 계세요?

특 수 교 사: 우선, 학생 K에게 필요한 구체적인 의사소통 기술을 파악하고, 학습 목표를 세워요. 그리고 학생 K의 목표 기술 학습을 위한 교수 기회를 구상하고, 그때 사용할 교수 전략도 미리 계획해요. 그런 후 학생 K가 등교하여 하교할 때까지 자연스러운 일과 내에서 배워서 사용할 수 있는 의사소통 기술을 분산하여 연습할 수 있도록 가르치고 있어요. 이런 방법은 의미 있는 맥락에서 목표 기술을 즉각적으로 사용할 수 있게 하고, 일반화도 촉진시킬 수 있다는 장점이 있어요. [B]

… (하략) …

〈 작성 방법 〉

- [B]에 해당하는 교수 전략의 명칭을 쓸 것

107 2025 중등B-9

다음은 ○○ 중학교 지적장애 학생 K에 대해 일반 교사와 특수 교사가 나눈 대화이다. 〈작성 방법〉에 따라 서술하시오.

일반 교사: 선생님, 학생 K가 성인이 되었을 때 은행, 우체국, 영화관 등 지역 사회의 다양한 시설을 혼자서 이용할 수 있으려면 어떻게 지도해야 할까요?

특수 교사: 선생님, ㉠ 교실 안을 은행, 우체국, 영화관처럼 꾸며 놓고, 지역 사회의 해당 시설을 이용할 때 필요한 기술들을 체계적으로 연습해 보는 활동을 해 보세요. 이후에 실제로 지역 사회로 나가는 활동까지 연계되면 좋을 것 같아요.

… (중략) …

특수 교사: 학생 K가 내년에 고등학교에 입학하니까 지역에서의 이동에 필요한 지하철 이용하기 기술도 배울 필요가 있겠어요.

일반 교사: 그런데 현재 학생 K는 혼자서 지하철을 이용할 일이 없기 때문에 지하철 이용 방법을 배울 필요가 없을 것 같아요. 지금은 마을버스만 이용하고 있어서요.

특수 교사: ㉡ 아닙니다. 학생 K도 지하철 이용 방법을 배워야 합니다.

… (중략) …

일반 교사: 학생 K가 학급 활동 중 불편한 상황에서도 자신의 의견을 표현하지 못하고, 부당한 요구를 거절하지 못해 피해를 보는 상황이 자주 있어요.

특수 교사: 학생 K가 자기 옹호 기술이 부족해서 그래요. 특히, 자기 옹호 기술 중에서도 ㉢ 상황에 따라 단호한 태도를 취하는 법, 다른 사람의 말을 잘 듣고 협의하는 법, 상대방을 설득하거나 때로는 양보하는 기술을 익힐 필요가 있어요. 혹시 수업 중 다른 어려움은 없나요?

일반 교사: 학생 K가 과제를 수행하는 데 있어서도 다소 어려움이 있어요. 선호하지 않는 과제를 요구하면 힘들어 하고 하기 싫어하는데, 어떻게 지도하면 좋을까요?

〈작성 방법〉

- 밑줄 친 ㉠에 해당하는 교수 방법의 명칭을 쓸 것
- 밑줄 친 ㉡처럼 말한 이유를 브라운 등(L. Brown et al.)이 제시한 지적장애 학생의 교육과정 구성 및 운영을 위한 기본 원리(전제)에 근거하여 서술할 것
- 자기 옹호 기술 중 밑줄 친 ㉢에 해당하는 하위 기술을 쓸 것

MEMO

김남진
KORSET 특수교육
기출분석 2

KORea Special Education Teacher

PART 05

학습장애아교육

Part
05 학습장애아교육 Mind Map

Chapter 1 학습장애의 이해

1 학습장애의 개념
- 장애인 등에 대한 특수교육법의 정의
  - 학습기능
  - 학업성취 영역
- 미국 장애인교육법의 정의
- 학습장애 정의의 공통 요소
  - 평균 이하의 학업성취도
  - 개인 내 차이
  - 중추신경계의 이상
  - 기본인지처리의 이상
  - 다른 장애의 배제
- 학습장애 학생의 특성

2 학습장애의 분류
- 발현 시점에 따른 분류
  - 발달적 학습장애
  - 학업적 학습장애
- 문제 영역에 따른 분류
  - 언어성 학습장애
  - 비언어성 학습장애

Chapter 2 학습장애의 원인과 진단 · 평가

1 학습장애의 원인
- 신경학적 요인
- 유전적 요인
- 의학적 요인
- 환경적 요인

2 학습장애 진단 및 평가 — 장애인 등에 대한 특수교육법
- 지능검사
- 기초학습기능검사
- 학습준비도검사
- 시지각발달검사
- 지각운동발달검사
- 시각운동통합발달검사

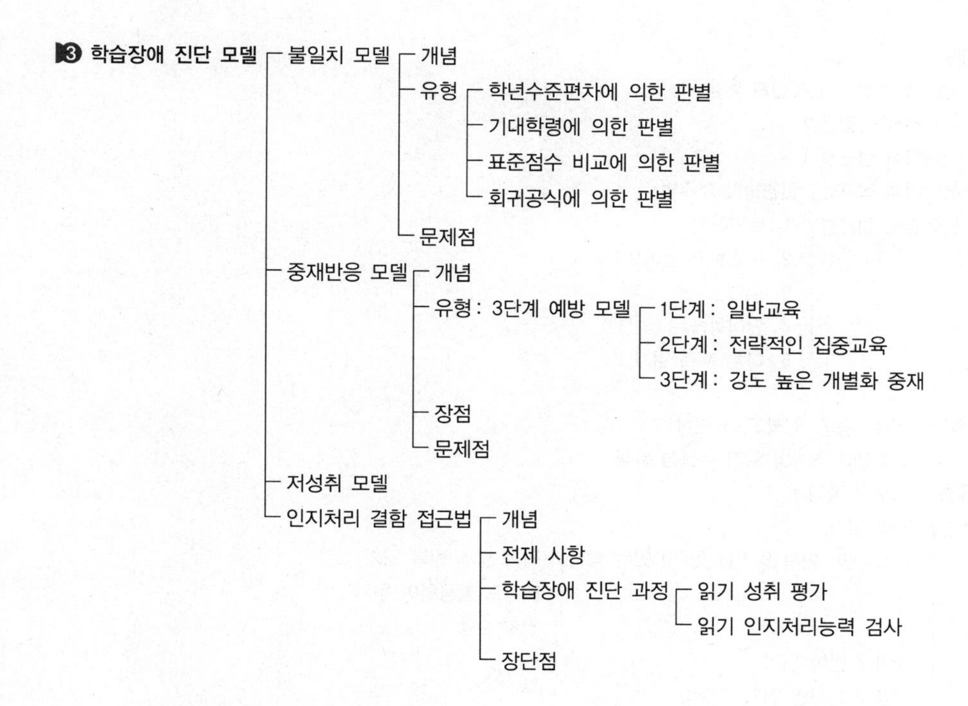

Chapter 3 읽기장애 및 읽기지도

① 읽기 및 읽기장애의 이해
- 읽기의 개념
- 읽기 교수 영역
  - 읽기 선수 기술
  - 단어인지
  - 읽기 유창성
  - 어휘
  - 읽기이해
- 읽기장애
  - 읽기장애의 하위 유형
    - 단어인지 읽기장애
    - 읽기 유창성 읽기장애
    - 읽기이해 읽기장애
  - 읽기 문제의 원인
  - 읽기 문제의 진단과 평가

② 읽기 선수 기술
- 활자지식
  - 개념
  - 하위 기술
- 자모지식
  - 개념
  - 하위 기술
- 음운인식
  - 개념
  - 하위 기술
    - 음운인식 단위
    - 음운인식 과제 유형
- 듣기이해

3 단어인지
- 단어인지의 이해
  - 개념
  - 학습장애 학생의 단어인지 특성
- 발음 중심 접근법
  - 음운분석적 접근법
  - 언어학적 접근법
- 의미 중심 접근법
  - 통언어적 접근법: 일견단어 교수법
  - 언어경험 접근법
    - 1. 토의하기
    - 2. 구술하고 받아쓰기
    - 3. 읽기
    - 4. 단어학습
    - 5. 다른 자료 읽기

4 읽기 유창성
- 읽기 유창성의 이해
  - 개념: 속도, 정확도, 표현력
  - 학습장애 학생의 읽기 유창성 특성
- 효과적인 읽기 유창성 교수의 특징
- 읽기 유창성 교수법
  - 반복 읽기
  - 소리 내어 반복 읽기를 할 수 있는 방법
    - 짝과 함께 반복 읽기
    - 테이프 활용하여 읽기
    - 역할 수행
  - 끊어서 반복 읽기
  - 신경학적 각인 읽기 교수법
- 읽기 유창성 오류 분석 기준(음독 오류의 유형)
  - 대치
  - 생략
  - 첨가(삽입)
  - 반복
  - 자기교정(자기수정)

5 어휘
- 어휘의 개념
- 어휘지식의 수준
  - 결합지식
  - 이해지식
  - 생성지식
- 어휘 교수법
  - 직접 교수법과 간접 교수법
  - 어휘지식 수준에 따른 교수법(전략)
    - 결합지식 교수법: 사전적 정의, 핵심어 전략, 컴퓨터 보조 수업
    - 이해지식 교수법: 의미 지도, 개념도, 개념 다이어그램, 의미 특성 분석 등
    - 생성지식 교수법
      - 빈번한, 풍부한, 확장하는 어휘 교수
      - 다양한 장르의 책을 다독
        - 문맥 분석 전략
        - 단어 형태 분석 전략
  - 어휘력 증진을 위한 교수 전략
    - 문맥을 이용한 교수 전략
    - 범주를 이용한 교수 전략

6 읽기이해
- 읽기이해의 개념
  - 읽기이해 과정
  - 학습장애 학생의 읽기이해 특성
- 읽기이해 증진을 위한 교수전략
  - 읽기 단계별 전략
    - 읽기 전 전략: 브레인스토밍, 예측하기
    - 읽기 중 전략
      - 글 구조에 대한 교수
      - 중심내용 파악하기
    - 읽기 후 전략
      - 질문하기 전략
        - 사실적 이해 질문
        - 추론적 이해 질문
        - 비판·평가적 이해 질문
      - 요약하기 전략
  - 다전략 교수
    - 상보적 교수: 예측하기, 질문 만들기, 명료화하기, 요약하기
    - K-W-L 전략
  - 기타 읽기이해 교수법: 관련 지식 자극하기, 심상 만들기 교수 전략, SQ3R 방법, RIDER 기법

Chapter 4 쓰기장애 및 쓰기지도

❶ 쓰기에 대한 이해

- 쓰기의 영역
  - 글씨 쓰기
  - 철자 쓰기
  - 작문
- 쓰기에 필요한 요소
- 쓰기장애의 하위 유형
  - 철자 쓰기장애
  - 작문 쓰기장애

❷ 글씨 쓰기

- 글씨 쓰기의 개념
- 글씨 쓰기 평가
  - 글씨 쓰기 평가 요소
  - 학습장애 학생의 글씨 쓰기 관련 특성
- 글씨 쓰기 교수 시 유의사항
- 글씨 쓰기 교수법
  - 시각 단서 + 기억 인출 교수법
  - 베껴 쓰기

❸ 철자 쓰기

- 철자 쓰기의 개념
- 철자 오류의 유형 및 교수법
  - 음운처리 오류 및 교수법
  - 표기처리 오류 및 교수법
    - 받침을 다른 낱말로 대치하는 오류
    - 전체 단어를 소리 나는 대로 표기하는 오류
    - 단어의 일부를 소리 나는 대로 표기하는 오류
    - 실제 발음상 구분이 되지 않는 글자에서의 오류
  - 형태처리 오류 및 교수법
    - 어간과 어미의 경계를 구분하지 못하는 오류
    - 시제 선어말 어미를 제대로 인식하지 못하는 오류
    - 어미를 변환하는 오류
    - 동음이의어로 혼동하는 오류
- 기타 철자 교수법
  - 자기 교정법
  - 시간 지연법
  - 목표 단어 반복 쓰기

❹ 작문

- 작문의 개념
- 작문의 평가
- 작문 교수법
  - 쓰기 과정적 접근
    - 1. 계획하기
    - 2. 초고 작성하기
    - 3. 내용 수정하기
    - 4. 편집하기
    - 5. 제시하기
  - 자기조절 전략 교수
    - 1. 논의하라
    - 2. 시범을 보여라
    - 3. 외우도록 하라 : POW+WWW What 2 How 2
    - 4. 지원하라
    - 5. 독립적으로 사용하게 하라
  - 글의 구조에 대한 교수

Chapter 5 수학 학습장애 및 수학지도

1 수학 학습장애에 대한 이해
- 수학 학습장애의 개념
- 수학 학습장애의 하위 유형
  - 연산 수학장애
  - 문제 해결 수학장애

2 수학 학습장애 학생의 특성
- 수학 학습장애 학생의 인지적 특성
  - 기억 능력
  - 언어 능력
  - 시공간 능력
  - 주의집중 능력
  - 처리 속도
- 수학 학습장애 학생의 수학 영역별 특성

3 일반적인 수학 지도 방법
- 명시적 교수
- 직접교수법
  - 개념
  - 특징
  - 실행 절차
    - 1. 학습목표 제시
    - 2. 교사 시범
    - 3. 안내된 학습
    - 4. 독립적 연습
- 정밀교수
  - 개념
  - 장점
- 수학 학습장애 학생을 위한 효과적인 수학 지도 방법의 논의 시 고려사항

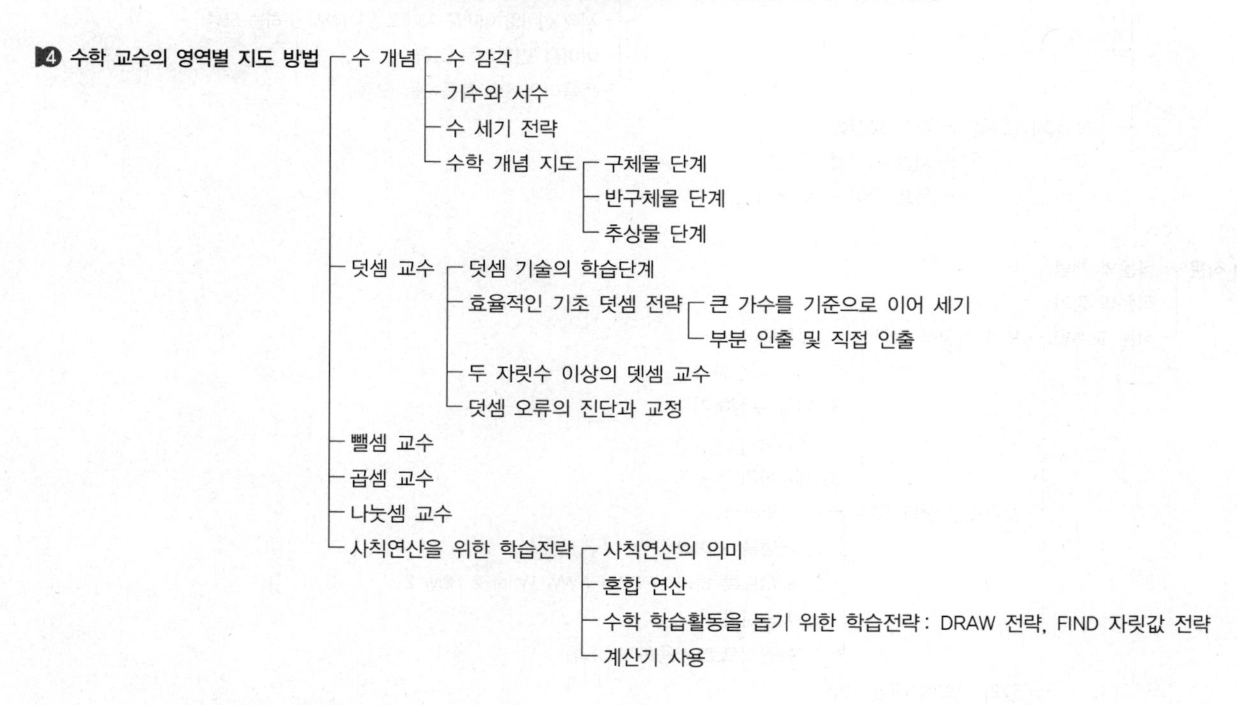

5 문장제 문제
- 문장제 문제 해결을 위해 필요한 기술
- 문장제 문제 해결 전략
  - 표상 교수
  - 핵심어 전략
  - 전략 교수: 인지 전략 교수, 자기조절 초인지 전략 교수
  - 컴퓨터 보조 교수

Chapter 6 내용 교과 지원 전략

01 학습 안내지
- 학습 안내지
- 워크시트
- 안내노트

02 그래픽 조직자
- 그래픽 조직자의 개념
- 그래픽 조직자의 특징(장점)
- 그래픽 조직자 활용 시 유의사항
- 그래픽 조직자의 유형: 개념 조직도, 개념 비교표, 선행 조직자, 수업 조직자, 마무리 조직자

03 기억 전략
- 문자 전략
  - 두문자법
  - 어구 만들기
- 핵심어 전략
- 페그워드법
- 기타: 시연 전략, 조직화 전략, 부호화, 정교화 전략, 심상법, PQ4R법

04 시험전략
- 일반적 시험전략: 학업적 준비, 물리적 준비, 태도 개선, 불안 감소, 동기 개선
- 특정 시험전략

05 전략중재모형
- 전략중재모형의 개념
- 전략중재모형 실행 절차

Chapter 7 학습장애 학생의 사회적 기술 및 지도

01 학습장애 학생의 사회적 기술의 결함 원인

02 사회적 기술 평가 방법
- 사회적 타당도에 따른 측정 방법 유형
  - 유형 1
  - 유형 2
  - 유형 3
- 사회적 기술 측정 방법
  - 자기보고법
  - 또래 지명법
  - 행동평정척도
  - 직접관찰법
  - 행동 간 기능적 연쇄성 분석법
  - 사회적 거리 추정법

03 사회적 기술의 지도
- 사회적 기술 지도 프로그램의 투입 전 고려사항
- 학습장애 학생의 사회적 기술지도
  - 사회적 기술 프로그램(스킬 스트리밍 프로그램)
  - 상황 맥락 중재
    - FAST 전략
    - SLAM 전략

기출문제 다잡기

정답 및 해설 p.59

01
2009 유아1-6

다음은 학습장애 아동을 위한 교수방법에 관한 두 교사의 대화이다. 교사들의 입장에 부합하는 교수방법에 대한 바른 설명을 〈보기〉에서 모두 고른 것은?

> 이 교사: 아동에게 개념을 지도할 때에는 내용을 논리적으로 계열화해야 해요. 과제 위계에 따라 설명하면서 구체적인 시범을 보이는 것이 효과적이지요. 그리고 학습 초기에 아동의 사전지식을 꼭 확인할 필요가 있지요.
>
> 김 교사: 네, 그렇지요. 교사는 아동의 반응을 지속적으로 점검하고, 즉각적인 피드백을 주어야 해요. 교사가 주도하는 수업에서 아동들은 다양한 연습을 통해 습득한 기능을 자동화시킬 수 있는 것이지요.

〈보기〉

ㄱ. 학습의 통제가 교사에서 아동으로 점차 전이된다.
ㄴ. 교사는 언어적 상호작용을 통해 학습 내용을 지도한다.
ㄷ. 교사는 학생의 인지적 능력보다 상위 수준의 질문을 한다.
ㄹ. 아동들은 교사 행동을 관찰함으로써 사고나 기능을 배울 수 있다.
ㅁ. 질문에 대한 아동의 정반응이 증가하면 교사는 언어적 암시를 증가시킨다.

① ㄱ, ㄴ
② ㄱ, ㄴ, ㄹ
③ ㄱ, ㄹ, ㅁ
④ ㄴ, ㄷ, ㄹ
⑤ ㄴ, ㄷ, ㄹ, ㅁ

02
2009 중등1-11

정신지체 학생 A가 덧셈한 방법은 명시적 교수법(explicit instruction)의 어느 수준인가?

> A는 '받아 올림이 없는 한 자리 수 더하기 한 자리 수' 덧셈을 할 때 아래와 같이 숫자 위에 그 수만큼의 동그라미를 그리고 그 수를 세어 계산하였다.
>
> OOOO OO
> 4 + 2 = 6

① 구체물 수준
② 추상적 수준
③ 활동적 수준
④ 상징적 수준
⑤ 반구체물 수준

03
2009 중등1-23

학습장애 학생 A는 기본 연산을 할 수는 있으나 유창성이 부족하다. 이 학생의 연산 능력을 향상시키기 위하여 지도해야 할 수학적 유창성의 구성요소로 옳은 것을 〈보기〉에서 모두 고른 것은?

〈보기〉
ㄱ. 속도
ㄴ. 추론
ㄷ. 정확성
ㄹ. 일반화 능력
ㅁ. 문제해결 능력

① ㄱ, ㄷ
② ㄱ, ㅁ
③ ㄱ, ㄴ, ㄹ
④ ㄴ, ㄹ, ㅁ
⑤ ㄷ, ㄹ, ㅁ

04
2009 중등1-34

통합학급에서 학습장애 학생의 사회적 기술 및 능력을 평가하는 방법의 특징에 대한 적절한 설명을 〈보기〉에서 모두 고른 것은?

〈보기〉
ㄱ. 자유반응형 질문지를 사용한 자기보고법은 시행이 쉽고 통계적 분석이 가능하며 신뢰도와 사회적 타당도가 높다.
ㄴ. 평정척도형 질문지는 장애학생이 보이는 사회적 기술 특성의 정도와 수준을 평가할 수 있으며 다른 학생의 기술 수준과도 비교 평가할 수 있다.
ㄷ. 관찰기법은 사회적 장면에서 장애학생의 사회적 행동을 유추하여 판단할 수 있으며 사회적 기술 문제의 진단과 해결책을 안내할 수 있다.
ㄹ. 사회적 거리 추정법은 학급 학생들의 장애학생에 대한 수용과 배척의 정도를 분석할 수 있어서 학급에서의 사회적 역동성을 효과적으로 파악할 수 있다.
ㅁ. 지명도 측정법은 학급 내에서 장애학생의 교우 관계를 신뢰롭게 파악할 수 있고, 사회적 기술훈련 적용 후 사회성 변화의 효과를 빠른 시간 내에 검증할 수 있다.

① ㄱ, ㄴ
② ㄱ, ㅁ
③ ㄴ, ㄷ, ㄹ
④ ㄴ, ㄷ, ㅁ
⑤ ㄱ, ㄷ, ㄹ, ㅁ

05

2009 중등1-38

일반교사인 정 교사는 학습부진을 보이는 A가 혹시 학습장애일까 염려되어 특수교사인 김 교사에게 학습장애인지 판단해 달라고 요청하였다. 이에 김 교사는 학습장애 의뢰 여부를 결정하기 위해 '중재 반응 모델(RTI ; responsiveness to intervention model)'을 활용하기로 하였다. '중재 반응 모델'과 관련된 내용으로 적절한 것을 〈보기〉에서 모두 고른 것은?

〈보기〉

ㄱ. A가 보이는 인지결함 문제를 측정하여 그 기술을 향상시키는 방법을 활용한다.
ㄴ. 중재에 대한 변화를 판단하기 위해 진전도를 모니터하는 평가 방법을 활용한다.
ㄷ. 연구에 기반을 두었으며 과학적으로 검증된 학습 전략이나 중재를 도출하여 사용한다.
ㄹ. 문제해결접근방법을 사용하여 조기에 판별이 가능하기 때문에 판별을 위해 학생이 '실패를 기다리는' 일을 감소시킬 수 있다.
ㅁ. 학습잠재력을 측정할 수 있는 지능검사를 통해 지능지수를 파악하고 같은 학년 수준의 학업 능력에서 얼마나 벗어나 있는지 확인한다.

① ㄱ, ㄴ
② ㄱ, ㄷ, ㄹ
③ ㄱ, ㄹ, ㅁ
④ ㄴ, ㄷ, ㄹ
⑤ ㄱ, ㄷ, ㄹ, ㅁ

06

2009 중등1-40

다음에 사용된 교수 방법으로 옳은 것은?

김 교사는 학생들에게 자기 주도적으로 학습하는 능력을 길러주기 위하여 '충성스런 진돗개' 단원을 다음과 같이 지도하였다. 먼저 학생들에게 교재에 있는 그림과 목차를 보면서 자신이 생각하는 것을 말해보도록 하고, 학습 과제에 대한 질의 · 응답 과정을 거쳤다. 그 다음 학생들에게 한 단락을 읽고, 요약 및 토론하여 잘못된 내용을 어떻게 수정하고, 평가하는지 명시적으로 보여주었다. 이후 학생들을 세 모둠으로 나누고, 각 모둠에 학습장애학생을 한 명씩 포함시켰다. 그리고 학생들 스스로 질문, 요약, 명료화, 수정 · 평가하는 과정을 거쳐 토론을 주도하도록 안내하고, 점진적으로 모든 책임을 학생들이 맡아서 진행할 수 있도록 지도하였다.

① 정착 교수법(anchored instruction)
② 호혜적 교수법(reciprocal teaching)
③ 과정중심 교수법(process-based instruction)
④ 전략중재 교수법(strategies intervention model)
⑤ 통합전략 교수법(integrative strategy instruction)

07

2010 초등1-10

다음은 지혜의 학습장애 여부를 진단하는 방법에 대해 두 교사가 나눈 대화 내용이다. 최 교사가 제시하는 진단모형에 대해 가장 적절하게 설명한 것은?

- 김 교사: 지혜는 다른 교과목에는 문제가 없는데, 읽기에 어려움을 보여요. 또래들보다 2년 정도 낮은 수행수준을 보이는데 학습장애가 아닐까요?
- 최 교사: 최근에는 학습장애를 진단할 때 대안적인 진단모형을 사용해요. 효과가 검증된 읽기 교수방법으로 지도했는데도 불구하고, 지혜가 그림과 같은 양상을 나타내면 학습장애로 판단한답니다.

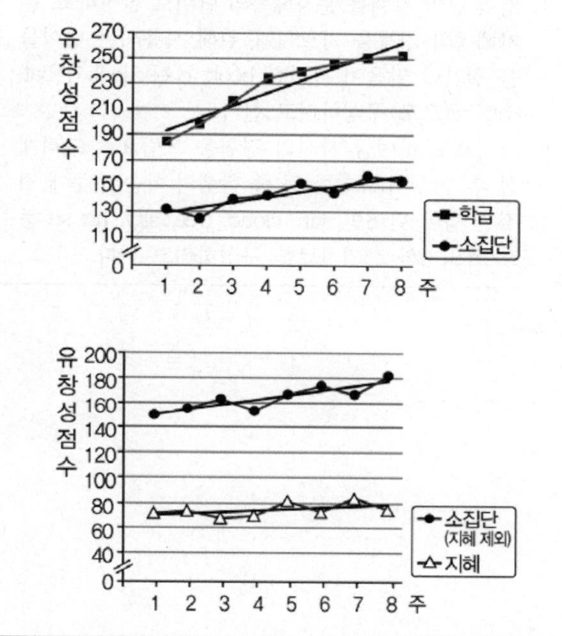

① 지혜에게 기대하는 학업성취 수준과 실제 학업성취 수준 사이에 차이가 발생하면 학습장애로 진단한다.
② 지혜가 또래 집단에 비해 수행 수준이 낮고 진전도가 느린 현상을 모두 보이면 학습장애로 진단한다.
③ 지혜의 지능지수에 기초하여 설정된 기대 수준 범위에 실제 성취 수준이 포함되어 있지 않으면 학습장애로 진단한다.
④ 지혜의 인지적 처리과정 특성을 분석하여 학업성취의 문제가 지혜의 심리처리과정에 의한 것으로 확인되면 학습장애로 진단한다.
⑤ 지혜의 잠재능력 점수와 성취 수준 점수를 표준점수로 바꾼 후, 그 차이가 1~2 표준편차 이상으로 나타나면 학습장애로 진단한다.

08

2010 초등1-18

다음은 박 교사가 2008년 개정 특수학교 기본교육과정 국어과 읽기 영역을 세 학생에게 지도하기 위한 교수 활동이다. 각 학생과 교수 활동을 통해 달성하고자 하는 목표를 바르게 연결한 것은?

학생	교수 활동
민수	• 날씨에 관한 문장을 읽고, 해당하는 그림을 찾게 한다. • 꽃의 모양 변화를 시간의 흐름에 따라 쓴 세 개의 문장을 읽게 하고, 그림 순서를 찾게 한다.
은지	• 몇 개의 학용품을 제시하고, '지'로 시작하는 것을 찾게 한다. • '자'와 '추'를 만들 수 있는 네 개의 낱자 카드를 제시하고, '자'를 만들어 보게 한다.
주혜	• 신발장에서 자신의 이름표를 읽고 신발을 찾게 한다. • 교실 상황에서 지켜야 할 규칙에 들어있는 '조용히'를 지적하고 읽게 한다.

	민수	은지	주혜
①	음운인식	단어재인	단어재인
②	음운인식	음운인식	읽기이해
③	읽기이해	단어재인	음운인식
④	읽기이해	음운인식	단어재인
⑤	단어재인	음운인식	음운인식

09
2010 초등1-28

2008년 개정 특수학교 기본교육과정에 근거하여, 박 교사는 읽기이해에 어려움을 겪고 있는 영수에게 다음과 같이 완성된 그래픽 조직도(graphic organizer)를 사용하여 '여러 가지 동물의 먹이'를 지도하고자 한다. 이 방법에 대한 설명으로 적절한 것을 〈보기〉에서 고른 것은?

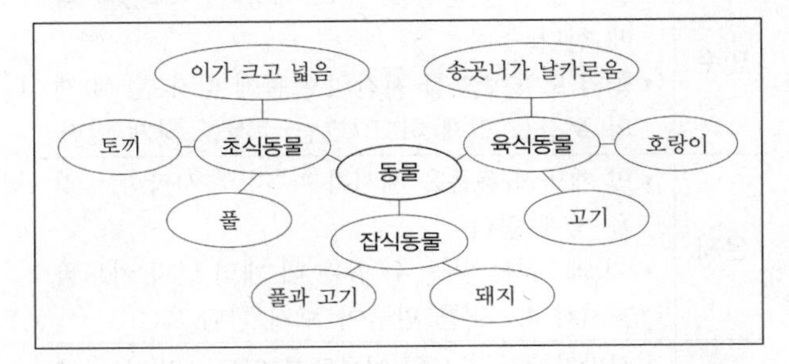

〈보기〉

ㄱ. 논리적 구조에 따라 개념과 개념 간의 관련성을 보여준다.
ㄴ. 내용의 복잡한 관계를 시각적으로 표현하여 정보를 쉽게 이해하게 한다.
ㄷ. 행동주의 이론에 근거한 교수전략으로서 교수자료와 교수절차를 순서화한다.
ㄹ. 과잉학습을 통하여 학습이 이루어질 수 있도록 빠른 속도로 수업을 진행하게 한다.
ㅁ. 과제분석을 통하여 교수내용을 기능적으로 분석하고 즉각적인 교정적 피드백을 제공한다.

① ㄱ, ㄴ ② ㄱ, ㄷ
③ ㄴ, ㄹ ④ ㄷ, ㄹ
⑤ ㄹ, ㅁ

10
2010 초등1-36

〈보기〉는 학습장애 학생에게 2008년 개정 특수학교 국민공통기본교육과정 영어과에 근거하여 영어 단어를 가르치기 위한 교사의 계획이다. 의미중심 접근법을 적용하려는 활동을 〈보기〉에서 모두 고른 것은?

〈보기〉

ㄱ. 학생에게 알파벳 문자 a, n, t와 음소의 대응관계를 가르친 후 ant를 어떻게 발음하는지 가르치려고 한다.
ㄴ. 학생의 흥미를 유발할 수 있도록 이솝이야기에 나오는 cow, egg, fox, pig, red 등의 단어들을 사용하여 영어 단어의 읽기와 쓰기를 통합하려고 한다.
ㄷ. 영어 단어 자체를 문자해독의 단위로 설정하고, 문자해독의 기능을 가르치기 위해 사용되는 단어들을 철자나 발음이 유사한 book, cook, look과 bat, cat, hat으로 구성하려고 한다.
ㄹ. 학생으로 하여금 자신의 경험을 그림으로 그리게 한 후, 학생이 표현한 것 중 학생의 학습 수준에 적절한 영어 단어인 sun, cloud, tree, sky, house 등으로 읽기와 쓰기자료를 구성하려고 한다.

① ㄴ ② ㄱ, ㄷ
③ ㄴ, ㄹ ④ ㄱ, ㄷ, ㄹ
⑤ ㄴ ㄷ, ㄹ

11 2010 중등1-8

학습장애 학생에게 과학과 '지각의 물질' 단원을 지도하기 위한 학습전략과 그 설명으로 옳은 것을 〈보기〉에서 모두 고른 것은?

〈보기〉

ㄱ. 심상화(visualization) : 조암광물(석영, 장석, 흑운모 등)의 생김새를 종이에 그리도록 하여 조암 광물의 종류를 기억하도록 도와준다.
ㄴ. 단원 구성도(unit organizer) : 단원의 주요 개념과 활동 등을 시각적으로 제시하여 학생들이 단원에 대한 중요한 정보를 기억하도록 도와준다.
ㄷ. 핵심어 전략(keyword method) : '활로 방어한 장군이다'라는 문장을 만들어 광물(활석, 방해석, 장석)의 상대적인 굳기 순서를 기억하도록 도와준다.
ㄹ. 안내 노트(guided notes) : 교사는 '지각의 구성 물질'에 대한 주요 개념과 사실 등을 여백으로 남긴 유인물을 제작하여 학생들이 복습할 때 사용하도록 한다.
ㅁ. 개념 다이어그램(concept diagram) : 조암광물에서 '항상 나타나는 특징', '가끔 나타나는 특징', '전혀 나타나지 않는 특징', '예와 예가 아닌 것' 등을 시각적으로 조직화하여 조암광물의 주요 특징에 집중하도록 도와준다.

① ㄱ, ㄷ
② ㄴ, ㅁ
③ ㄱ, ㄷ, ㄹ
④ ㄴ, ㄷ, ㅁ
⑤ ㄴ, ㄹ, ㅁ

12 2010 중등1-16

다음은 학습장애 학생 A의 쓰기 특성을 요약한 내용이다. A의 특성에 적절한 쓰기 지도방법을 〈보기〉에서 모두 고른 것은?

글쓰기 시간에 무엇에 대하여 쓸 것인지를 생각하는 데 오랜 시간이 걸리며, 글씨를 쓰는 속도가 느려 주어진 시간 내에 글을 쓰는 데 어려움이 있다. 또한 소리나는 대로 표기되는 낱말을 쓸 때에는 어려움이 없지만, 음운변동이 일어나는 낱말을 쓸 때에는 철자의 오류가 많다. 특히 대부분의 문장이 단순하고 글의 내용도 제한적이다.

〈보기〉

ㄱ. 글쓰기 연습을 할 수 있는 시간과 다양한 기회를 제공한다.
ㄴ. 낱자－음소의 대응 관계에 초점을 두어 철자 교수를 실시한다.
ㄷ. 초안을 쓸 때 철자 지도를 강조하여 철자 오류를 줄이도록 한다.
ㄹ. 초안 작성 단계에서, 학생의 관심 등을 고려하여 다양한 주제를 제공한다.
ㅁ. 수정·편집 단계에서, 초안의 내용을 보충하고 맞춤법 등의 오류를 교정하도록 지도한다.

① ㄱ, ㅁ
② ㄴ, ㄷ
③ ㄱ, ㄴ, ㅁ
④ ㄱ, ㄹ, ㅁ
⑤ ㄴ, ㄷ, ㄹ

13 2010 중등1-17

읽기이해에 어려움이 있는 학습장애 학생에게 다음과 같은 글을 지도할 때 적절한 교수전략으로 가장 거리가 먼 것은?

> 음성 언어와 문자 언어
>
> 음성언어와 문자 언어의 특성을 이해하기 위해서는 일단 음성과 문자의 속성에 주목해야 한다. 음성은 소리이기 때문에 청각에 의존한다. 또한, 소리이기 때문에 말하고 듣는 그 순간 그 장소에만 존재하고 곧바로 사라진다. 반면에 문자는 기록이기 때문에 시각(視覺)에 의존하고, 오랜 기간 동안 보존이 가능(可能)하며, 그 기록을 가지고 다른 곳으로 이동할 수도 있다.
> 음성 언어는 소리의 속성 때문에 말하는 이와 듣는 이가 대면한 상태에서 사용된다.
>
> …(중략)…
>
> 이에 비해 문자 언어는 상대방이 없는 상태에서 충분한 시간을 가지고 사용하게 된다.
>
> …(하략)…
>
> – 국민 공통 기본 교육과정 중학교 국어 1-1 –

① 읽을 내용과 관련하여 학생들이 이미 알고 있는 배경지식을 활성화시킨다.
② 읽기 전 활동으로 제목 등을 훑어보게 하여 읽을 내용을 짐작하도록 한다.
③ 글의 구조(text structure)에 대한 지도를 하여 글의 중요한 내용을 파악하도록 한다.
④ 중심 내용과 이를 뒷받침하는 세부 내용을 확인하여 문단의 중요한 내용을 파악하도록 한다.
⑤ 사실과 의견을 구분할 수 있는 그래픽 조직자(graphic organizer)를 사용하여 글의 내용을 시각적으로 조직할 수 있도록 한다.

14 2010 중등1-18

「장애인 등에 대한 특수교육법 시행령」의 '학습장애를 지닌 특수교육대상자 선정 기준'에 따른 학습장애 학생의 특성과 가장 거리가 먼 것은?

① 자릿값에 따라 숫자를 배열하는 데 어려움이 있다.
② 음소를 듣고 구별하거나 조작하는 데 어려움이 있다.
③ 상황에 적절한 사회적 기술을 사용하는 데 어려움이 있다.
④ 주의가 쉽게 산만해지고 주의를 지속하는 데 어려움이 있다.
⑤ 수학 알고리즘의 단계를 잊어버리거나 새로운 정보를 기억하는 데 어려움이 있다.

15

2011 유아1-11

다음은 특수학급을 담당하고 있는 김 교사와 최 교사가 학습장애 학생 교육에 대하여 나눈 대화이다. 이 대화에서 최 교사가 말하고 있는 관점에서 주장하는 학생 지도 내용으로 적절한 설명을 〈보기〉에서 고른 것은?

> 최 교사: 김 선생님, 저는 특수학급에서 학습장애 학생을 지도할 때에는 이론적 관점이 중요하다고 생각해요.
> 김 교사: 그러면 선생님께서는 어떠한 관점을 가지고 계시나요?
> 최 교사: 저는 학습이 경험의 결과로 나타나는 관찰 가능한 행동의 변화라고 생각해요. 그리고 자극과 반응의 관계를 중요하게 생각한답니다. 그러므로 학습 활동의 선행조건이나 결과를 조작함으로써 학습장애 학생의 학업성취를 향상시킬 수 있다고 봐요.
> 김 교사: 그렇다면 학습장애 학생의 학습 문제는 왜 발생한다고 생각하세요?
> 최 교사: 그 이유는 교사에 의해서 제공되는 교수 자극이 부적절하기 때문이라고 생각해요. 그러니까 학생이 배워야 하는 과제를 어떻게 제공하느냐가 관건이겠지요.

〈보기〉

ㄱ. 반복된 연습과 강화를 제공하여 학업성취를 향상시킨다.
ㄴ. 학습과제를 세분화하고, 학생의 학습 활동에 대한 피드백을 제공한다.
ㄷ. 실생활과 관련된 과제와 경험을 활용하여 정보를 능동적으로 구성할 수 있도록 지도한다.
ㄹ. 후속자극의 변화가 어떻게 학생의 학습행동에 영향을 미치는지 체계적인 분석을 수행한다.
ㅁ. 학습전략을 개발·응용할 수 있는 방법 혹은 학습내용을 잘 기억할 수 있는 방법을 지도한다.

① ㄱ, ㄴ, ㄹ ② ㄱ, ㄷ, ㅁ
③ ㄴ, ㄷ, ㄹ ④ ㄴ, ㄹ, ㅁ
⑤ ㄷ, ㄹ, ㅁ

16

2011 초등1-17

기쁨특수학교(초등) 김 교사는 2008년 개정 특수학교 기본교육 과정에 근거하여 다음과 같이 '설날'을 주제로 한 지도 계획을 작성하였다. 이 지도 계획에 대한 설명으로 적절하지 않은 것은?

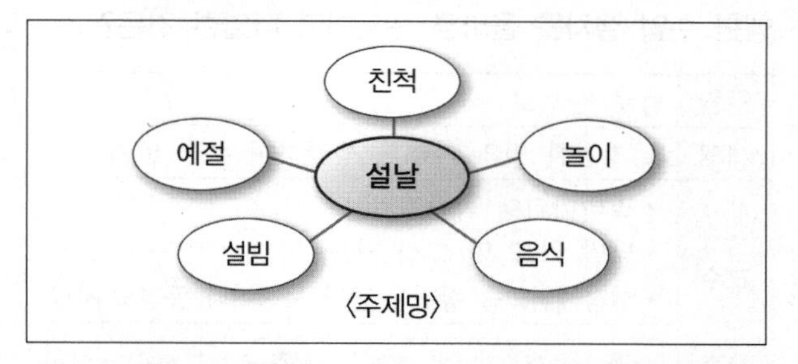

〈주제망〉

차시 계획				
차시	제재	목표	활동	준비물
1	설날 이야기	설날에 경험했던 일들을 이야기할 수 있다.	• 설날에 경험한 일 소개하기 – 설날 놀이, 음식, 친척 등	• 설날에 찍었던 사진이나 동영상 • 설날 일기장
2	설날 놀이	설날에 가족과 함께 놀이하는 장면을 다양하게 표현할 수 있다.	• 설날 놀이 장면을 그림으로 표현하기 • 설날에 부를 수 있는 노래 불러보기	• 그리기 도구 • CD, MP3
3				

① 학생들의 생활 경험을 중심으로 한 주제 중심 접근 방법이다.
② '설날' 주제망에 포함된 주제들은 한 차시나 그 이상의 차시를 연속시간으로 운영할 수 있다.
③ 현행 특수학교 기본교육과정에 따르면 교과는 필요에 따라 통합 교육과정으로 편성·운영할 수 있다.
④ 위와 같이 주제망을 구성하여 지도하는 접근은 추상적 사고가 요구되기 때문에, 자폐성장애 학생에게 효과적이다.
⑤ 정신지체 학생들은 학습한 내용을 일반화하는 능력이 부족하기 때문에, 위와 같이 일상생활 내용을 소재로 지도한다.

17 2011 초등1-20

박 교사는 학습장애 학생 성호에게 2008년 개정 특수학교 기본 교육과정 교과서 국어 2 '들로 산으로' 단원을 지도하기 위해 놀이공원 현장체험학습 경험을 이용하여 언어경험 접근법으로 수업을 하려고 한다. 박 교사가 진행한 수업 절차를 올바른 순서대로 나열한 것은?

단원	들로 산으로
제재	3. 경험한 일의 차례를 생각하며 문장 읽기
교수·학습 자료	• 멀티미디어 학습자료 • 낱말 카드 및 그림 카드 • 현장체험학습 장면이 담긴 사진이나 동영상 자료

ㄱ. 성호가 놀이공원에서 한 일을 이야기한 내용 그대로 받아 적는다.
ㄴ. 성호가 생소하거나 어려운 낱말, 혹은 배우고 싶은 낱말을 선택하게 하여 낱말카드로 만들어 지도한다.
ㄷ. 성호가 자신이 이야기한 내용의 글을 능숙하게 읽게 되면, 다른 학생의 이야기를 읽도록 지도한다.
ㄹ. 성호가 놀이공원에서 한 일을 자유롭게 말하게 하며, 필요한 경우 현장체험학습 사진이나 동영상 자료를 보여준다.
ㅁ. 성호가 자신이 이야기한 내용의 글이 친숙해질 때까지 여러 번 읽도록 지도한다.

① ㄱ－ㄹ－ㅁ－ㄴ－ㄷ
② ㄱ－ㄹ－ㅁ－ㄷ－ㄴ
③ ㄷ－ㅁ－ㄴ－ㄱ－ㄹ
④ ㄹ－ㄱ－ㅁ－ㄴ－ㄷ
⑤ ㄹ－ㄱ－ㅁ－ㄷ－ㄴ

18 2011 초등1-24

다음은 2008년 개정 특수학교 기본교육과정에 근거한 사회과 지도 계획이다. 지도 계획에 따라 평가하고자 할 때, Gresham(1998)의 제안을 근거로 사회적 타당도가 가장 높은 방법은?

단원	생활 속의 예절		
단원 목표	생활 속에서 주위 사람에 대한 바른 예절을 알고 지킨다.		
학습 과제 및 활동	<예의 바른 행동하기> • 여러 사람이 어울려 살면서 생활 속에서 지켜야 할 예절에 대해 알아본다. • 대화를 할 때와 전화를 걸거나 받을 때의 예절에 대해 알아본다.		
	인사할 때	물건을 주고받을 때	대화할 때
평가	• 생활 속에서 지켜야 할 예절을 알고 지키는가? • 대화와 전화예절을 알고 지키는가?		

① 사회적 상호작용 및 대인관계 기술을 측정하는 표준화된 사회성 기술 검사를 실시하여 평가한다.
② 수업시간에 배운 대로 어른들을 대하는 태도나 대화예절을 지키고 있는지 자기보고서를 작성하게 하여 평가한다.
③ '인사하기', '물건 주고받기', '대화하기' 등의 역할놀이를 하게 하여 예의바른 행동을 할 수 있는지 관찰하여 평가한다.
④ 수업시간이나 쉬는 시간, 놀이 활동 시간에 어른을 대하는 태도나 친구들과의 대화예절이 적절한지 관찰하여 평가한다.
⑤ 학교 및 가정생활에서 어른들을 대하는 태도나 대화예절이 적절한지 교장 선생님, 부모님, 또래 친구에게 의견을 물어 평가한다.

19

2011 초등1-25

다음은 학습장애 학생들이 수학시험에서 보인 오류이다. 오류 형태의 분석과 그에 따른 지도 방법이 적절한 것을 모두 고른 것은?

	오류	오류 분석	지도 방법
ㄱ	77 + 19 = 816 88 + 39 = 1117	자릿수를 고려하지 않고 답을 기입함	• 수 모형(낱개 모형, 십 모형, 백 모형)을 이용하여 낱개가 10개가 되면 십 모형 1개로, 십 모형이 10개가 되면 백 모형 1개로 교환하게 하여 자릿수 개념을 확인시킨다. • 그림과 같은 틀을 주어 일의 자리부터 더하여 첫째 줄의 네모 칸에 기입하고, 십의 자리를 더하여 다음 줄의 네모 칸에 기입한 후 합을 구하게 한다. 이때 네모 칸 속에는 숫자를 하나씩만 쓰도록 한다. (88 + 39, □□ / □□□ / □□□)
ㄴ	26 + 3 = 11 56 + 2 = 13	단순한 연산 오류임	• 그림과 같이 구체물을 이용해서 두 집합으로 가르고, 두 집합을 다시 하나의 집합으로 모으는 활동을 하게 한다. (그림: 9) • 수직선을 이용하여 주어진 수만큼 앞으로 가거나 뒤로 가는 활동을 하게 한다. • 또 다른 그림을 보고 수식을 만들어 계산하는 연습을 시킨다.
ㄷ	32 − 19 = 27 45 − 17 = 32	받아내림을 하지 않고 큰 수에서 작은 수를 뺌	• 수 모형(낱개 모형, 십 모형)을 이용해서 윗자리의 숫자인 피감수를 제시하게 하고, 아랫자리의 숫자인 감수만큼 제거하도록 한다. 이때 일의 자리부터 감수를 제거하도록 하고, 피감수의 낱개 모형 수가 부족하면 십 모형 1개를 낱개 모형 10개로 교환하여 제거하도록 한다. • 십의 자리에서 받아내리는 절차를 수식으로 나타내어 계산하는 연습을 하게 한다.
ㄹ	(그림) $\frac{1}{3}$ (그림) $\frac{2}{4}$	분수를 바르게 이해하지 못함	• 색칠하지 않은 부분이 색칠한 부분의 몇 배인지 물어본 후에, 크기가 같은 색종이를 $\frac{1}{3}$과 $\frac{2}{4}$만큼 잘라서 서로 포개어 보도록 한다.

① ㄱ, ㄷ ② ㄴ, ㄷ ③ ㄱ, ㄴ, ㄹ
④ ㄱ, ㄷ, ㄹ ⑤ ㄴ, ㄷ, ㄹ

20

2011 중등1-9

비언어성 학습장애(nonverbal learning disabilities) 학생의 특성과 교수 방안으로 적절하지 않은 것은?

① 불안, 우울 등의 감정 문제가 나타날 수 있으므로 정기적으로 관찰하고 상담한다.
② 적절한 대인관계를 형성하는 데 어려움이 있으므로 사회적 기술을 명시적으로 가르친다.
③ 전체와 부분의 공간적 개념을 이해하는 데 어려움이 있으므로 학습하기 전에 선행 조직자를 제공한다.
④ 제한된 어휘와 불완전한 문장으로 말하므로 제스처나 표정 같은 시각적인 표현을 함께 사용하도록 지도한다.
⑤ 논리적이고 복합적인 정보의 처리에 어려움이 있으므로 학습 자료를 논리적인 순서로 세분화하여 제시한다.

21 2011 중등1-29

다음은 학습장애 학생 A가 '컴퓨터 게임 중독'을 주제로 작성한 글이다. 학생 A의 쓰기 특성에 적합한 교수 방법으로 가장 적절한 것은?

> 컴퓨터 게임은 나쁘다. 컴퓨터 게임은 정말 나쁘다. 우리 집에는 컴퓨터 게임이 참 많다. 컴퓨터 게임은 참 재미있다. 나는 어제 PC방에 갔다. 나는 PC방에서 친구를 만났다. 나는 늦게 집에 와서 혼났다. 컴퓨터 게임을 많이 하면 나쁘다.

① 정밀교수(precision teaching)
② 도식 조직자(graphic organizer)
③ 패그워드 기법(pegword method)
④ 심상화 기법(visualization method)
⑤ 빈칸 채우기 과정(cloze procedure)

22 2011 중등1-30

다음은 학습장애 학생을 위한 읽기 교수·학습 방법에 대한 설명이다. (가)~(다)에 해당하는 교수·학습 방법을 바르게 제시한 것은?

> (가) 음독 문제로 단어를 잘못 읽는 학습장애 학생에게 도움이 된다. 이 방법은 음소와 문자 간의 대응 관계를 단순화하여 구성한 교수·학습 활동으로, 학생에게 많은 연습의 기회를 제공하여 숙달하게 한다.
> (나) 읽기 유창성 문제를 가진 학습장애 학생에게 도움이 된다. 교사와 학생은 함께 읽기 자료를 가능한 한 빠르고 정확하게 읽어 나간다. 초기에는 교사가 더 큰 목소리로 더 빠르게 읽어 나가지만 점차 학생이 주도적으로 읽는다.
> (다) 독해 문제를 가진 학습장애 학생이 설명문으로 된 글을 읽을 때 도움이 된다. 이 방법은 먼저 본문을 훑어보고 질문을 한 뒤, 질문의 답을 찾기 위해 본문을 읽고, 찾은 답을 되새기고, 다시 검토하는 방법을 사용한다.

	(가)	(나)	(다)
①	Fernald 읽기 교수법	절차적 촉진	SQ3R 기법
②	절차적 촉진	신경학적 각인 교수법	RIDER 기법
③	Hegge-Kirk-Kirk 접근법	신경학적 각인 교수법	SQ3R 기법
④	Fernald 읽기 교수법	정교화 전략	SQ3R 기법
⑤	Hegge-Kirk-Kirk 접근법	절차적 촉진	RIDER 기법

23

2012 초등1-12

특수학급 박 교사는 일반학급 최 교사와 협력하여 연산 영역에 어려움을 겪던 학생 3명의 문제를 해결하고자 중재를 하였다. 아래는 두 교사가 교육과정중심평가를 통해 중재에 대한 반응을 수집한 데이터이다. 중재반응 모형에 근거할 때, 아래 데이터에 대한 해석으로 가장 적절한 것은?

데이터 수집 시기	세 학생의 목표점수	학급평균 점수	반응(성취) 점수		
			서현지	김민수	강은지
1주	2	8	1	1	1
3주	4	9	3	3	4
5주	6	10	4	6	6
6주	7	10	3	8	7
7주	8	11	5	9	8
8주	9	12	5	11	9
10주	10	14	6	12	10

① 현지의 어려움은 단기기억력의 결함에 기인하므로 기억술을 가르친다.
② 세 명 모두 성취 점수가 향상하고 있으므로 현재의 증거기반 교수방법을 유지한다.
③ 위 데이터를 종합적으로 판단해 보면, 현지를 수학 연산 학습장애로 판별할 수 있다.
④ 은지의 반응 점수를 목표 및 학급평균 점수와 비교하면 '이중 불일치'를 확인할 수 있다.
⑤ 민수의 개인목표를 재설정하고 현재보다 조금 더 높은 수준의 문제해결 활동을 간헐적으로 제공한다.

24

2012 초등1-19

정신지체 특수학교 박 교사는 기본교육과정 국어과 '경험한 내용을 글로 쓰기'를 주제로 그래픽 조직자(graphic organizer)를 활용하여 다음과 같이 지도하였다. 이에 대한 설명으로 적절하지 않은 것은?

학습 목표	자신이 경험한 내용을 글로 쓸 수 있다.
학습 내용	가을 운동회 날 경험한 내용을 이야기하고, 글로 써 보기
지도 방법	• 교사와 학습자는 함께 아래의 조직자를 만들어간다.

주요 개념	학교의 가을 행사 – 운동회
환경 : 어디?/언제?	샛별학교/ 2011년 10월 21일(금)
주요 인물 : 이름?/특성?/역할?	세호/달리기를 잘함/ 우리 반 이어달리기 선수
주요 사건 (해결 방법)	달리다가 넘어짐 (울지 않고 일어나서 곧장 달려 우승)
주요 어휘	우승, 주자 등

① 위의 지도 방법은 주요 어휘 등 학습 내용을 기억하게 하는 데 도움이 된다.
② 지도 과정에서 구어와 위의 조직자를 모두 사용함으로써 학생의 능동적인 참여를 유도한다.
③ 가을 운동회에 관한 글과 사진을 함께 보여주고, 여러 가지 어휘나 개념, 정보를 구조화하여 제시할 수 있다.
④ 본 지도 방법은 선행자극, 학생반응, 귀결사건의 구성을 중요한 원리로 한 교수전략을 적용하고자 한 것이다.
⑤ 가을 운동회와 관련된 중요한 정보(예 장소–샛별학교 운동장)를 선택하도록 하고, 관계가 없는 정보(예 활동–등교하기)를 생략하도록 유도한다.

25

2012 중등1-11

다음은 특수학교 김 교사가 중학교 1학년 1반 학생들에게 '잎 모양 본뜨기'를 지도하기 위해 '직접교수'를 적용한 수업의 일부이다. '직접교수'의 단계별 교수 · 학습 활동의 예로 적절한 것만을 있는 대로 고른 것은?

단계	교수 · 학습 활동의 예
학습 목표 제시	(가) 교사가 객관적 용어로 진술된 학습 목표를 제시하고, 학생들이 학습 목표를 따라 읽는다. • 학습 목표: 잎 모양 본뜨는 방법을 안다.
교사 시범	(나) 교사가 학생들에게 '잎 모양 본뜨기'에 대해 시범을 보이며, "잎 모양을 본뜰 때는 다음과 같이 합니다. 먼저, 본을 뜰 나뭇잎 위에 화선지를 올려놓습니다."라고 말한다. 그런 다음 교사가 잎 모양 본뜨기의 나머지 순서를 차례대로 시범을 보인다.
안내된 연습	(다) 교사가 학생들에게 잎 모양 본뜨는 연습을 하도록 지시한다. 다른 학생들이 연습하는 동안 교사가 과제에 어려움을 보이는 학생 A에게 가서 "처음에는 무엇을 해야 하지요?"라고 질문한다. 학생 A가 답을 하지 못하자, 교사가 "잘 생각해서 해 보아요."라고 말하고 안내된 연습을 종료한다.
독립적 연습	(라) 교사가 학생들에게 "자, 그럼 이제부터 여러분들이 각자 잎 모양 본뜨기 연습을 해 보도록 해요."라고 말한다. 학생들이 연습하는 동안 교사가 교실을 돌아다니며 학생들이 잎 모양 본뜨기를 제대로 수행하는지를 점검한다.

① (가), (나) ② (가), (다)
③ (나), (라) ④ (가), (다), (라)
⑤ (나), (다), (라)

26

2012 중등1-17

다음은 학습장애 학생 A가 수학 문장제 문제를 푼 것이다. 학생 A를 위한 지도 방법으로 적절한 것만을 〈보기〉에서 있는 대로 고른 것은?

〈문제〉

영희네 학교에는 모두 824명의 학생들이 있다. 그리고 38명의 선생님이 계신다. 학생들 중 445명은 여학생이고, 나머지는 남학생이다. 영희네 학교에는 몇 명의 남학생이 있는가?
학생 A의 답: 824 − 38 = 814

〈보기〉
ㄱ. 연산 처리 과정에서 오류를 나타내므로 받아내림 절차를 지도한다.
ㄴ. 연산 오류를 줄이기 위해 '큰 수로부터 이어 세기' 전략을 지도한다.
ㄷ. 문제해결에 필요한 정보와 불필요한 정보를 구별할 수 있도록 지도한다.
ㄹ. 문제에 주어진 정보를 이용하여 문제가 '비교 유형'임을 파악하도록 지도한다.
ㅁ. 문제에 주어진 정보를 분석하여 문제를 해결하는 데 필요한 그림이나 도식으로 나타내도록 지도한다.

① ㄱ, ㄷ, ㅁ ② ㄴ, ㄷ, ㄹ
③ ㄱ, ㄴ, ㄷ, ㅁ ④ ㄱ, ㄴ, ㄹ, ㅁ
⑤ ㄱ, ㄷ, ㄹ, ㅁ

27

2012 중등1-18

다음은 두 명의 특수교사가 학습장애 학생 A의 읽기 유창성 특성과 지도 방법에 대해 나눈 대화이다. ㉠~㉤ 중에서 옳은 내용만을 있는 대로 고른 것은?

> 김 교사: 학생 A는 글을 읽을 때 ㉠ '줄기가'를 '줄기를'이라고 읽는 것과 같은 삽입 오류를 가장 많이 보여요. 그리고 ㉡ '그날 밤에는 바람이 세게 불었습니다'를 읽을 때 '바람이'를 '밤이'라고 읽는 것과 같은 대치 오류도 많이 나타나요.
>
> 최 교사: 그럼 ㉢ 읽기 유창성 지도를 할 때 학생 A가 잘못 읽은 어절에 대해 교정적 피드백을 해 주는 것이 중요해요.
>
> 김 교사: 또 학생 A는 글을 읽을 때 한 단어나 어절씩 또박또박 끊어 읽어서, 읽는 속도가 많이 느려요.
>
> 최 교사: ㉣ 읽기 유창성을 향상시키기 위해서는 동일한 읽기 자료를 반복하여 소리 내어 읽도록 하는 것이 좋아요.
>
> 김 교사: 읽기 유창성 지도를 할 때는 어떤 읽기 자료를 선택하는 것이 좋은가요?
>
> 최 교사: 가능하면 ㉤ 학생 A가 읽기 어려워하는 단어나 어절이 많이 포함된 짧은 읽기 자료를 선택해서 지도해야 새롭고 어려운 단어나 어절을 더 정확하고 빠르게 읽을 수 있게 돼요.

① ㉠, ㉤ ② ㉡, ㉤
③ ㉢, ㉣ ④ ㉠, ㉢, ㉣
⑤ ㉡, ㉢, ㉣

28

2012 중등1-19

다음은 특수교사가 학습장애 학생 A의 쓰기 능력을 평가하기 위해 수집한 자료이다. 〈자료 1〉은 주어진 문장을 3분 내에 가능한 빠르고 반듯하게 여러 번 써보도록 하여 얻은 것이다. 〈자료 2〉는 '가을'이라는 주제에 대해 15분 동안 글을 쓰도록 하여 얻은 것이다. 학생 A의 쓰기 능력을 향상시키기 위해 고려해야 하는 것만을 〈보기〉에서 있는 대로 고른 것은?

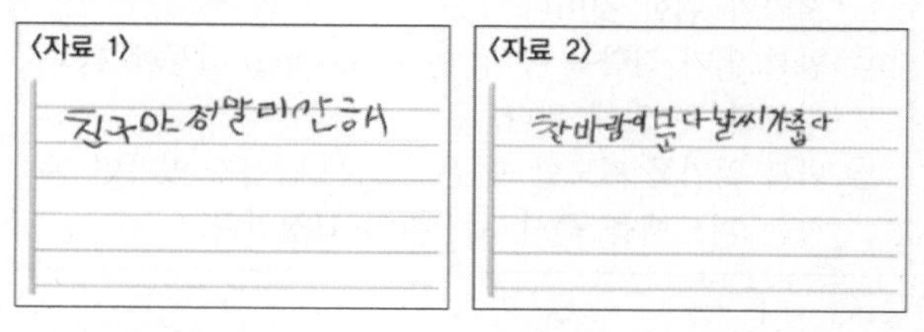

〈보기〉

ㄱ. 학생의 쓰기 유창성을 향상시키기 위해 문장을 천천히 정확하게 베껴 쓰도록 지도한다.
ㄴ. 학생이 글씨를 쓸 때, 글씨 쓰는 자세, 연필 잡는 법, 책상 위의 종이 위치를 점검한다.
ㄷ. 학생이 스스로 혹은 또래와 함께 체크리스트를 활용하여 문법적 오류를 점검하도록 한다.
ㄹ. 문장 지도를 할 때, 두 문장을 연결 어미로 결합하여 하나의 문장으로 만들 수 있도록 지도한다.
ㅁ. 작문 지도를 할 때, 도식조직자를 활용하여 주제에 대해 아이디어를 생성하고 조직하도록 지도한다.

① ㄱ, ㄴ, ㄹ ② ㄱ, ㄷ, ㅁ
③ ㄴ, ㄷ, ㄹ ④ ㄱ, ㄴ, ㄷ, ㅁ
⑤ ㄴ, ㄷ, ㄹ, ㅁ

29

2013 초등A-4

다음의 (가)는 반복 읽기(repeated reading) 전략에 대한 설명이다. 물음에 답하시오.

(가) 반복 읽기 전략

㉠ 반복 읽기 전략을 통해 글 읽기 속도를 증진시킬 수 있다.
㉡ 반복 읽기 전략의 주목적은 단어재인 능력을 향상시키기 위한 것이다.
㉢ 반복 읽기 전략을 통해 해독(decoding) 활동에 더욱 집중할 수 있게 된다.
㉣ 반복 읽기를 지도할 때 잘못 읽은 단어가 있다면 교사는 피드백을 즉시 제공하여 교정한다.

1) (가)의 ㉠~㉣ 중 틀린 것 2개를 찾아 기호를 쓰고, 그 이유를 각각 쓰시오.

- 기호와 이유 :

- 기호와 이유 :

30 　2013 중등1-31

다음은 학생들의 '인지처리과정' 변인들에 대한 검사 결과의 일부를 T점수로 환산한 것이다. 이 결과에 대한 두 교사의 대화 ㉠~㉣ 중 옳은 것만을 있는 대로 고른 것은?

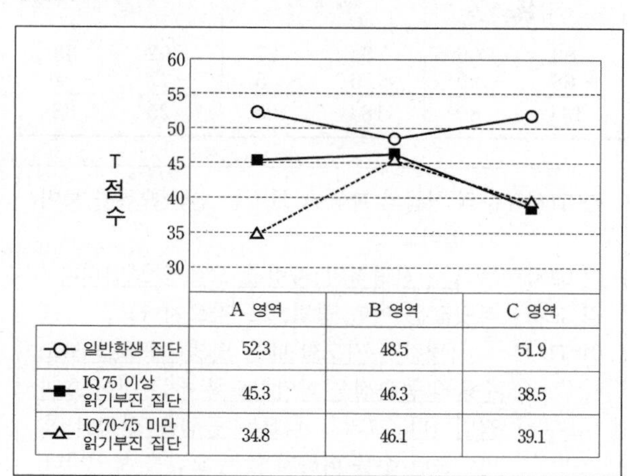

	A 영역	B 영역	C 영역
-○- 일반학생 집단	52.3	48.5	51.9
-■- IQ75 이상 읽기부진 집단	45.3	46.3	38.5
-△- IQ70~75 미만 읽기부진 집단	34.8	46.1	39.1

김 교사: 우리 학급에는 읽기학습장애로 의심되는 학생들이 있어서 인지처리과정 변인들에 대한 검사를 실시하여 보았어요.

이 교사: 결과를 보니 ㉠ 일반학생들의 T점수는 A, B, C 영역 모두에서 평균 이상이고, ㉡ IQ 70 이상 75 미만 읽기 부진 학생들의 A 영역 결과는 하위 2퍼센타일에 해당합니다.

김 교사: 그리고 ㉢ C 영역은 읽기학습에 영향을 미치는 인지처리과정 변인 중의 하나로 보입니다.

이 교사: 만약 읽기학습과 관련된 인지처리과정 변인들이 명확히 밝혀진다면 ㉣ 중등과정에서 읽기학습장애 선별을 위해 읽기중재에 대한 반응결과를 계속 기다릴 필요는 없겠네요.

① ㉠, ㉡　　② ㉠, ㉢
③ ㉡, ㉢　　④ ㉢, ㉣
⑤ ㉡, ㉢, ㉣

31 　2013 중등1-34

다음은 읽기학습장애 학생 A에 대한 평가 결과이다. A에게 적합한 읽기이해 지도방법으로 옳은 것을 〈보기〉에서 고른 것은?

- 비교 대조 형식의 글에 대한 이해가 부족함
- 글과 관련된 사전지식 활성화에 어려움이 있음
- 글을 읽고 주제에 대해서 파악하는 데 어려움이 있음

〈보기〉

ㄱ. 본문을 읽기 전에 제목을 읽고 글의 내용을 예측하도록 지도한다.
ㄴ. 단서를 활용하여 글에서 중심내용을 찾고 이를 자신의 말로 표현하도록 지도한다.
ㄷ. 일견단어 접근법과 같은 해독중심 프로그램을 활용하여 단어의 의미형성을 유도한다.
ㄹ. 주어진 글과 관련된 개념들을 중심으로 '개념지도(concept map)'를 작성하도록 지도한다.
ㅁ. 비교 대조 형식의 글을 지도할 때 아래와 같은 그래픽 조직자들을 활용하여 지도한다.

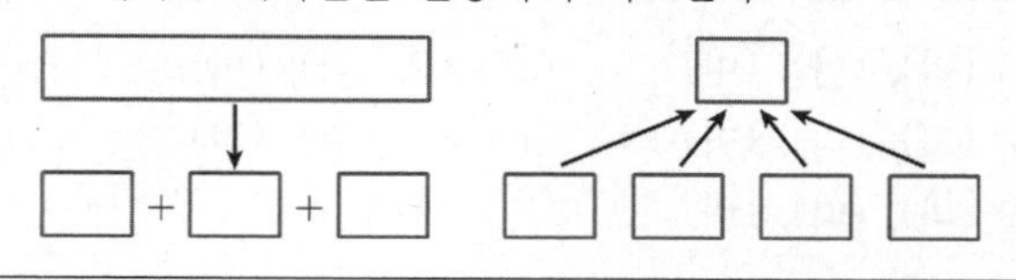

① ㄱ, ㄴ, ㄹ　　② ㄱ, ㄷ, ㄹ
③ ㄱ, ㄷ, ㅁ　　④ ㄴ, ㄷ, ㅁ
⑤ ㄴ, ㄹ, ㅁ

32 2013 중등1-35

쓰기학습장애 학생에게 쓰기과정적 접근을 통해 작문을 지도할 때 (가)~(마) 중 글쓰기의 단계별 교수 · 학습 활동이 옳은 것을 고른 것은?

글쓰기 단계	교수 · 학습 활동
(가) 글쓰기 전 단계	글쓰기 주제와 유형(예 보고서, 시, 대본)을 선택하게 한다.
(나) 초고 작성 단계	내용 생성의 효율성과 어문규정에 대한 이해도를 높이기 위해 문법과 철자에 초점을 맞추어 글을 작성하게 한다.
(다) 수정 단계	글의 내용을 향상시킬 수 있도록 또래 집단으로부터 내용의 첨삭에 대한 피드백을 받게 한다.
(라) 편집 단계	학생이 주도적으로 내용을 표현할 수 있도록 교사의 피드백을 제한하고 사전을 주로 이용하게 한다.
(마) 쓰기 결과물 게시 단계	완성된 쓰기 결과물을 다양한 방법으로 다른 학생들과 공유하게 한다.

① (가), (나), (마) ② (가), (다), (마)
③ (가), (라), (마) ④ (나), (다), (라)
⑤ (나), (다), (마)

33 2013 중등1-36

다음은 수학학습장애 학생 A, B, C의 연산 결과에 대해 두 교사가 나눈 대화이다. ㉠~㉤ 중 옳은 것만을 있는 대로 고른 것은?

학생 A		학생 B		학생 C	
83 + 68 141	66 + 29 85	34 × 6 184	27 × 5 105	62 − 47 25	35 − 7 38

김 교사: 우리 학급의 학생 A, B, C는 연산 오류를 보이고 있어요.
이 교사: ㉠ <u>A는 전형적인 자릿값 오류를 보입니다.</u>
김 교사: 자릿값은 어떤 방법으로 가르치나요?
이 교사: ㉡ <u>자릿값을 지도할 때는 덧셈구구표를 보고 수들의 공통점을 파악하도록 하는 것이 효과적입니다.</u> 그리고 ㉢ <u>B는 곱셈을 실행한 후 받아올린 수를 더하지 않는 오류를 보입니다.</u> ㉣ <u>이를 지도하기 위해서는 시각적 표상 교수를 활용하여 '수 계열 인식하기'와 같은 수 감각 증진에 노력해야 합니다.</u>
김 교사: C는 받아내림을 한 후 십의 자리에서 뺄셈을 틀리게 하고 있어요. 따라서 ㉤ <u>받아내림을 지도할 때 일의 자리에 있는 값은 '10'이 늘어나고, 십의 자리에 있는 값은 '1'이 줄어드는 것에 대한 시각적 단서를 제공할 필요가 있어요.</u>

① ㉡, ㉢ ② ㉢, ㉤
③ ㉠, ㉡, ㉣ ④ ㉠, ㉢, ㉣
⑤ ㉡, ㉢, ㉤

34 2013추시 초등B-1

다음은 2학년 학생을 가르치는 통합학급 교사와 특수교사 간 수학 교과 협의회 대화 내용의 일부이다. 물음에 답하시오.

통합학급 교사: 진호가 많이 달라졌어요. 얼마 전에는 두 자리 수의 범위에서 덧셈 문제를 많이 틀려서 힘들어 하더니 요즘은 곧잘 하네요. 연습을 많이 시킨 보람이 있는 것 같아요. 그런데 어제는 낱말의 뜻을 모르는 것도 아니고 풀이 시간도 충분했는데, 한 자리 수끼리의 덧셈으로 이루어진 문장제 문제를 풀 때 틀린 답을 말하는 거예요.

특 수 교 사: 어떤 문제였는데요?

통합학급 교사: ㉠<u>"연못에 오리 4마리와 거위 3마리가 있습니다. 오리 2마리가 연못으로 들어왔습니다. 오리가 모두 몇 마리인지 알아보세요."였는데, 답을 9마리라고 하더라고요.</u>

특 수 교 사: 그래요. 진호가 연산에 비해 문장제를 어려워해요. 수식으로 제시되면 계산을 잘하는데, 사례가 들어간 문장제 문제로 바뀌면 오답이 많아요.

통합학급 교사: 그래서 문제를 이해시키기 위해서 ㉡<u>CSA 순서를 생각해서 오리와 거위 모형을 가지고 함께 풀이를 했더니 수식을 만들어 내더라고요.</u>

특 수 교 사: 좋은 방법이네요. 그것 외에도 ㉢<u>문장제 문제 유형</u>을 알고 도식을 활용하여 풀이하는 방법도 있어요. 앞으로 진호에게는 기초적인 연산도 중요하지만 ㉣<u>수학적 문제 해결력</u>에도 초점을 맞추어 가르쳐야 할 것 같아요.

1) ㉠에서 진호가 보인 오류를 분석하여 그 내용을 쓰시오.

2) CSA 순서에 따라 지도할 때, ㉡ 다음에 이루어지는 교수 활동의 특징을 쓰시오.

3) 다음은 ㉢의 한 유형이다. 그 유형을 쓰시오.

노란 장미가 6송이 있습니다. 빨간 장미는 노란 장미보다 3송이 더 많습니다. 빨간 장미는 몇 송이가 있는지 알아봅시다.

• 유형 :

35

2013추시 중등B-6

(가)는 A 중학교 2학년에 재학 중인 학습장애 학생들의 대화 중 일부이고, (나)는 박 교사가 진주와 상담한 후 A 대학교 이 교수로부터 자문 받은 내용의 일부이다. 물음에 답하시오.

(가) 학생들의 대화

민지 : 수영아! 나 시험 엉망이었어. ㉠ 나는 공부에 재능이 없나 봐.
수영 : 나도 시험 잘 못 봤어. ㉡ 시험 공부를 열심히 안 했기 때문에 그런 것 같아.
진주 : 이번 시험은 너무 어렵지 않았니? ㉢ 선생님이 문제를 너무 어렵게 냈기 때문에 시험을 잘 못 본 것 같아. 다음에는 쉬운 문제가 나왔으면 좋겠어.

… (중략) …

민지 : 진주야, 중학교에 올라오니 공부하는 것이 더 힘든 것 같아. 초등학교 때보다 과목도 많고, 암기해야 할 것도 많아서 무척 힘들어.
진주 : 나는 순서대로 암기해야 하는 것을 기억하기 어렵더라. 나중에 박 선생님을 찾아가서 어떻게 공부해야 하는지 여쭤봐야겠어.

(나) 박 교사와 이 교수의 대화

박 교사 : 교수님, 우리 반에 학습장애 학생이 있는데, 이 학생은 특정한 어휘나 정보를 잘 기억하지 못합니다. 이런 학생에게 도움이 될 만한 좋은 방법이 있을까요?
이 교수 : 네, 학습장애 학생 중에는 기억 전략을 잘 활용하지 못하여 특정 어휘나 정보를 기억하기가 어려운 학생이 있습니다. 이런 학생들에게 효과적으로 활용할 수 있는 기억 전략 중 ㉣ 핵심어법(keyword method)과 ㉤ 페그워드법(pegword method)이 있지요.

2) ㉣과 ㉤의 기억법을 설명하고, 두 기억법 간의 차이점을 1가지만 쓰시오.

㉣ :

㉤ :

• 차이점 :

36 2014 초등A-4

(가)는 읽기장애 학생 민호와 영주의 읽기 특성이고, (나)는 특수학급 김 교사가 민호와 영주에게 실시한 읽기 지도 내용이다. 물음에 답하시오.

(가) 민호와 영주의 읽기 특성

민호	• '노래방'이라는 간판을 보고 자신에게 친숙한 단어인 '놀이방'이라고 읽음 • '학교'라는 단어는 읽지만 '학'과 '교'라는 글자를 따로 읽지는 못함
영주	• 적절한 속도로 글을 읽을 수 있음 • 자신의 학년보다 현저하게 낮은 읽기 수준을 보임

(나) 읽기 지도 내용

대상	지도 유형	읽기 지도 과제와 교사 발문의 예
민호	음운인식 지도	• (㉠): '사과', '구름', '바다'에서 '구'로 시작하는 단어는 무엇인가요? • 음절탈락: '가방'에서 '가'를 빼면 무엇이 남을까요? • 음소합성: (㉡)
영주	(㉢)	• 질문하기: 방금 읽은 글에 등장한 주인공의 이름은 무엇인가요? • 관련지식 자극하기: 오늘은 '동물원에서 생긴 일'을 읽을 거예요. 먼저 동물원에서 경험한 내용을 이야기 해 볼까요? • (㉣): 방금 읽은 글의 장면을 눈을 감고 머릿속으로 그려보세요.

1) (나)의 ㉠에 알맞은 음운인식 지도 과제를 쓰고, ㉡에 적합한 교사 발문의 예를 쓰시오.

㉠:

㉡:

2) (나)의 ㉢에 알맞은 지도 유형을 쓰시오.

3) (나)의 ㉣에 알맞은 지도 과제를 쓰시오.

4) 민호와 같은 읽기장애 학생에게 음운인식 지도를 해야 하는 필요성에 대하여 쓰시오.

37

2014 중등A-5

다음은 특수교육대상학생 A가 통합된 중학교 1학년 사회 수업 시간에 일반교사가 특수교사의 자문을 받아 계획한 수업을 실시하고 있는 장면이다. 이 장면에서 사용되고 있는 그래픽 조직자(graphic organizer)의 명칭을 쓰시오.

교수 · 학습 활동 장면	
교사	학생
◎ 경도와 위도의 개념 알아보기	
• 경도와 위도가 '지구 표면의 주소'라는 특성을 지니고 있는지 묻고, 그래픽 조직자에 '+' 또는 '−'를 표시하도록 한다.	• 경도에 '+', 위도에 '+'를 표시한다.
• 경도와 위도가 '세로로 그어진 줄'이라는 특성을 지니고 있는지 묻고, 그래픽 조직자에 '+' 또는 '−'를 표시하도록 한다.	• 경도에 '+', 위도에 '−'를 표시한다.
• 경도와 위도가 '가로로 그어진 줄'이라는 특성을 지니고 있는지 묻고, 그래픽 조직자에 '+' 또는 '−'를 표시하도록 한다.	• 경도에 '−', 위도에 '+'를 표시한다.

38

2014 중등A-7

다음의 (가)는 특수교육대상학생 A의 덧셈 특성이고, (나)는 학생 A가 덧셈 풀이 과정에서 사용한 덧셈 전략을 특수교사가 관찰한 내용이다. 학생 A가 보다 효율적으로 덧셈을 할 수 있도록 특수교사가 가르칠 수 있는 덧셈 전략을 〈조건〉에 맞게 쓰시오.

(가) 학생 A의 덧셈 특성

- 세 자리 수의 덧셈 문제를 풀 수는 있으나, 문제를 푸는 데 시간이 오래 걸림
- 주어진 시간 내에 문제를 풀려고 할 때, 오답 비율이 높아짐

(나) 학생 A의 덧셈 풀이 과정 관찰 내용

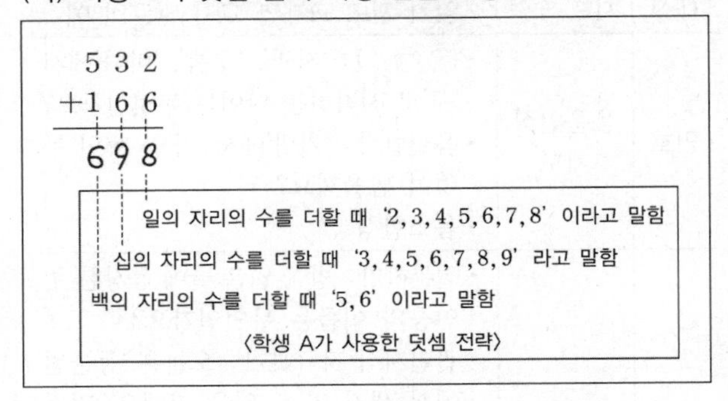

〈조건〉
부분인출이나 자동인출 전략은 제외하고 답할 것

39 2014 중등A-14

다음의 (가)는 학습장애학생 A의 낱말 읽기 평가 결과이고, (나)는 학생 A가 글을 소리 내어 읽을 때 보인 오류를 표시한 것이며, (다)는 학생 A가 참여하고 있는 수업 장면의 일부이다. (가)~(다)를 통해 볼 때, 학생 A가 어려움을 보이는 읽기 하위 영역 2가지를 쓰시오.

(가) 학생 A의 낱말 읽기 평가 결과

문항	학생 반응
1. 묻어 [무더]	무더
2. 환자 [환자]	환자
3. 투숙하다 [투수카다]	투수카다

점수: 19점(만점 20점)

* [ ]안은 정발음을 의미함.

(나) 학생 A가 보인 오류

감기는 주로 ~~접촉에~~(SC 접총에) 의해 감염되는데, 여기에는 크게 두 가지 ~~방식이~~(방법이) 있다. ~~그중~~(그중에) 하나는 환자의 콧물이나 기침에 섞인 바이러스가 환자의 ~~손을~~(SC 손에) 통해 ~~문고리같이~~(문고리같은) 여러 사람이 ~~접촉하는~~(SC 접총하는) 물건에 묻어 있다가 다른 사람이 이를 손으로 만진 ~~뒤~~(뒤에) 눈이나 입, 코로 ~~옮기게 되면서~~(옮기면서) 감염되는 방식이다. 이런 방식으로 감염이 이루어질 수 있는 것은 바이러스가 인체 ~~밖에서도~~(SC 밖으로) 오랫동안 ~~생존할~~(생활할) 수 있기 때문이다.

…(하략)…

* SC: 자기 교정(Self-Correction)을 의미함.
* 중학교 1학년 국어 교과서에 실린 지문의 일부임.

(다) 수업 장면

교 사: 이 문단의 중심 내용은 무엇인가요?
학생 A: …….
교 사: 선생님과 함께 중심 내용을 파악해 봐요. 우선, 이 문단은 무엇에 대한 내용인가요?
학생 A: 감기요.
교 사: 그래요. 이 문단은 감기에 대한 내용이에요. 그러면, 감기에 대해 무엇을 얘기하고 있나요?
학생 A: …….

…(하략)…

40 2014 중등A-서6

다음의 (가)는 30분 동안 실시한 작문 평가에서 학습장애학생 A가 'TV와 신문의 공통점과 차이점'에 대해 쓴 글의 전체이며, (나)는 학생 A를 위해 계획한 쓰기 과정적 접근법에 대한 내용이다. (나)의 밑줄 친 ㉠에 들어갈 내용 2가지를 (가)에 나타난 특성과 관련지어 쓰고, ㉡을 할 때 필요한 철자 교수법을 (가)에 나타난 철자 오류 특성과 관련지어 쓰시오.

(가) 학생 A가 쓴 글

우리 집에는 TV가 없다. 나는 TV가 좋다. 신문은 종이로 만든나. 나는 신문이 멸로 안 좋고, TV가 더 좋다. 왜햐하면 TV에서는 여능이 나온다. 스포즈 신문은 좋다. 왜햐하면 귀즈가 있다.

• 학생 A가 표현하고자 한 글: 우리 집에는 TV가 없다. 나는 TV가 좋다. 신문은 종이로 만든다. 나는 신문이 별로 안 좋고, TV가 더 좋다. 왜냐하면 TV에서는 예능이 나온다. 스포츠 신문은 좋다. 왜냐하면 퀴즈가 있다.

(나) 학생 A를 위한 쓰기과정적 접근법

단계	교수 계획
계획하기	㉠ ____________
초안 작성하기	철자나 문법보다는 내용을 쓰는 데 초점을 맞추어 지도한다.
내용 수정하기	쓴 글의 내용을 읽고, 내용 보충이 필요한 부분, 내용 변경이 필요한 부분, 내용 삭제가 필요한 부분, 내용 이동이 필요한 부분 등을 수정하도록 지도한다.
편집하기	㉡ 철자에 초점을 맞추어 지도한다.
게시하기	쓴 글을 학급 친구들 앞에서 발표하게 한다.

41
2015 중등A-5

김 교사는 경도 장애 학생 A가 통합된 학급의 사회 교과 시간에 〈보기〉와 같은 수업을 하였다. 〈보기〉에서 김 교사가 사용한 교수 방법과 (　　) 안에 들어갈 용어를 쓰시오.

〈보기〉

김 교사는 학생들과 함께 질문하고 토론하면서 교사 주도로 수업을 하다가, 점진적으로 학생들이 학습에 대한 주도권을 갖도록 하였다. 김 교사는 수업 시간에 학생들과 함께 다음과 같은 방법으로 교수·학습 활동을 하였다.

- 예측하기
  - 학생들은 글의 제목을 보고 글의 내용을 예측한다.
- 질문 만들기
  - 학생들은 자신이 읽은 글에서 중요한 내용을 파악하기 위해 질문을 만든다.
  - 학생들은 교사의 입장에서 학생들에게 물어보고 싶은 내용을 질문으로 만든다.
- (　　　　　)
  - 학생들은 본문에 있는 어려운 단어의 뜻을 알아보기 위해 글을 다시 읽는다.
  - 학생들은 이해하지 못한 문맥의 뜻을 파악하기 위해 본문의 내용을 점검한다.
- 요약하기
  - 학생들은 주요 내용을 서로 질문하고 대답한다.
  - 학생들은 자신들이 답한 내용을 모아서 요약한다.

42
2015 중등A-8

학습장애 학생 A의 교실 내 사회적 관계망을 알아보기 위해 김 교사는 (가)와 같은 방법을 실시하고, 특수교사의 자문을 받아 사회성 기술을 (나)와 같이 가르쳤다. (가)에서 사용한 방법의 명칭을 쓰고, (나)에서 사용한 전략을 쓰시오.

(가)

김 교사는 학습장애 학생 A가 친구들로부터 어떻게 인식되고 있는지를 알아보기 위하여 반 학생들에게 같은 반에서 옆에 앉고 싶은 친구와 좋아하는 친구 세 명을 각각 적게 하고, 옆에 앉기 싫은 친구와 싫어하는 친구 세 명도 각각 적게 하였다.

(나)

(가)의 결과와 학생들과의 면담을 통해 학생 A의 충동적 행동을 중재할 필요성을 확인하였다. 김 교사는 사회성 기술을 가르치는 인지 전략 중 상황맥락 중재를 활용하기로 하였다. 문제가 생기면 충동적으로 반응하지 말고 일단 행동을 멈추고 생각하고, 문제해결을 위해 무엇을 할 수 있는지 다양한 대안을 모색하며, 어떤 것이 최적의 해결 방안일지 선택을 한 후, 수행해 보도록 하는 4단계 방법으로 지도하였다.

43 2015 중등A-10

다음은 새로 부임한 최 교사가 박 교사에게 학습장애 학생 A와 B에 대하여 자문을 구하는 대화 내용이다. (가)와 (나)에서 박 교사가 학생 A와 B를 위해 제시한 방법이 무엇인지 순서대로 쓰시오.

(가)

최 교사: 선생님, A가 문장의 주어와 서술어를 찾는 것에 많은 오류를 보입니다. 이러한 오류를 줄여주기 위해 A의 수행을 어떻게 점검하면 좋을까요?
박 교사: 교육과정 중심사정(CBA) 중 한 가지 방법을 소개해 드릴게요. 이 방법은 현재 A에게 필요한 구체적인 학습 목표에 근거하여 교수결정을 하게 되니 선생님께서도 쉽게 사용하실 것 같아요. 일단 선생님이 20개 문장을 학습지로 만들어서 A에게 제공하고, 주어와 서술어에 정확하게 밑줄 치게 해 보세요. 3분 후 학습지를 채점해서 정답과 오답의 수를 표로 작성하여 A에게 보여 주세요. 이러한 방식으로 매일 측정된 결과의 변화를 A에게 보여 주세요. 그러면 A도 그래프와 표로 자신의 진전을 확인할 수 있어서 학습 목표를 달성하는 데 도움이 될 것 같아요.

(나)

최 교사: 선생님, B는 철자를 쓰는 데 어려움이 있어요. '깊이'를 '기피'라던가 '쌓다'를 '싸타'처럼 소리 나는 대로 쓰는 경향이 있어요. 이런 경우에는 어떻게 지도해야 하나요?
박 교사: B의 학습 특성은 어떠한가요?
최 교사: B는 스스로 참여하는 학습 과제에 흥미를 느낍니다.
박 교사: 그렇다면 B의 학습 특성상 학생이 주도적으로 학습할 수 있는 방법이 좋을 것 같아요. 초인지 전략 중 자기 점검과 자기교수법을 변형시킨, 철자법을 스스로 확인하는 방법을 쓰면 좋겠어요. B가 '깊이'를 '기피'로 잘못 썼다면 정답을 보여 주고 자신이 쓴 답과 정답을 비교하고, 이를 확인하고, 수정한 후, 올바른 단어를 베껴 쓰게 하세요. 이러한 과정을 여러 번 반복하면 정확한 철자 쓰기에 도움을 줄 수 있을 것 같아요.

44

2015 중등B-3

다음은 학습장애 학생 A의 학습 특성과 통합학급에서 공통 교육과정 중학교 1학년 과학 교과, '물질의 세 가지 상태' 단원을 지도하기 위한 계획안의 일부이다. (가)의 활동 1, 2, 3을 지도하기 위한 전략 ㉠, ㉡, ㉢ 중 부적절하게 사용한 것을 찾고, 그 이유를 설명하시오. (나)의 활동 1을 지도하기 위해 학생 A에게는 K-W-L 기법을 적용하려고 한다. 밑줄 친 ㉣의 단계별 지도 내용을 교사가 제시한 읽기 자료에 근거하여 순서대로 쓰시오.

〈학습장애 학생 A의 학습 특성〉

글을 읽을 수는 있으나, 그 내용을 요약·정리하는 데 어려움이 있다.

(가)

제재	1. 고체, 액체, 기체의 성질	
지도 목표	• 물질을 상태에 따라 분류할 수 있다. • 물질의 세 가지 상태에 대한 특징을 이해할 수 있다.	
지도 내용 및 교수 전략	〈활동 1〉 물질을 고체, 액체, 기체로 구분하기	㉠ 매트릭스를 이용하여 다양한 물질을 고체, 액체, 기체로 범주화하여 분류함
	〈활동 2〉 고체, 액체, 기체의 공통점과 차이점 찾기	㉡ 벤 다이어그램을 활용하여 고체, 액체, 기체의 공통점과 차이점을 찾음
	〈활동 3〉 고체, 액체, 기체 사이의 상태 변화를 이해하기	㉢ 의미특성분석표를 사용하여 고체, 액체, 기체 사이의 순환적 변화를 이해함

(나)

제재	2. 모습을 바꾸는 물질	
지도 목표	융해, 용해, 기화, 액화의 뜻을 설명할 수 있다.	
지도 내용 및 교수 전략	〈활동 1〉 물질의 상태 변화(융해, 용해)에 관한 글을 읽고 이해하기	㉣ <u>K-W-L 기법</u>을 사용하여 융해와 용해에 대해 이해함
	〈읽기 자료〉 융해는 고체 물질이 액체로 변하는 상태 변화이다. 용해는 고체나 액체 또는 기체가 액체에 녹아 들어가는 현상이다. 용해는 용매(녹이는 물질)와 용질(녹는 물질) 사이의 인력으로 인하여 일어난다. … (하략) …	

45 2016 초등A-5

(가)는 초등학교 3학년 학습장애 학생 준서의 특성이고, (나)와 (다)는 '2009 개정 수학과 교육과정' 3~4학년군 '시간과 길이' 단원 중 시간의 덧셈과 뺄셈을 계산하는 차시에서 사용된 학습지와 형성평가지의 일부이다. 물음에 답하시오.

(가) 준서의 특성

- 글을 읽고 이해할 수 있음
- 시·공간 지각에 어려움이 없음
- 수업 중 주의집중에 문제가 없음
- 일의 자리와 십의 자리에 대한 자릿값 개념이 있음

(나) 학습지

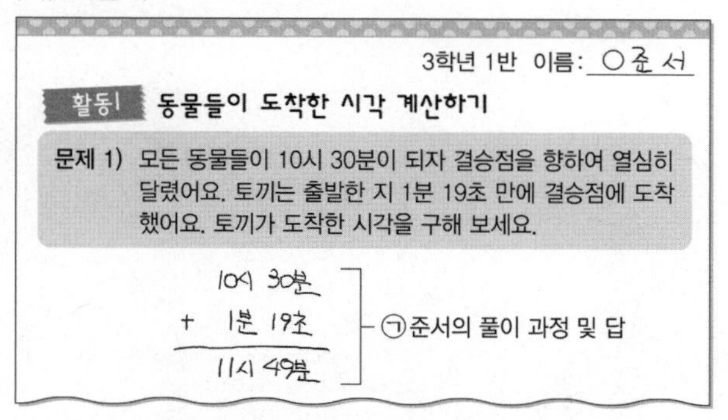
3학년 1반 이름: ○준서

활동1 동물들이 도착한 시각 계산하기

문제 1) 모든 동물들이 10시 30분이 되자 결승점을 향하여 열심히 달렸어요. 토끼는 출발한 지 1분 19초 만에 결승점에 도착했어요. 토끼가 도착한 시각을 구해 보세요.

10시 30분
+ 1분 19초
11시 49분

㉠준서의 풀이 과정 및 답

(다) 형성평가지

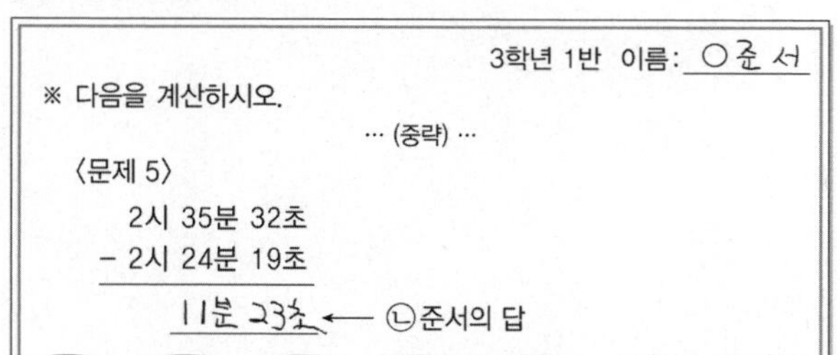
3학년 1반 이름: ○준서

※ 다음을 계산하시오.

… (중략) …

〈문제 5〉

2시 35분 32초
− 2시 24분 19초
11분 23초 ← ㉡준서의 답

2) 준서는 (나)의 ㉠과 (다)의 ㉡과 같은 오류를 지속적으로 보인다. 각각에 나타난 오류가 무엇인지 (가)에 제시된 준서의 특성을 고려하여 쓰시오.

㉠:

㉡:

3) (다)의 ㉡과 같은 오류를 바로잡기 위해 사용할 수 있는 시각적 촉진 방법을 (가)에 제시된 준서의 특성을 고려하여 1가지 쓰시오.

46

2016 중등A-11

(가)는 중간고사 직후 학습장애 중학생 A에 대해 통합학급교사와 특수교사가 나눈 대화이고, (나)는 특수교사가 통합학급교사의 요구에 따라 직접교수법을 적용하여 작성한 교수 활동 계획의 일부이다. (가)에서 학생 A의 문제를 해결하기 위한 학습전략의 명칭을 쓰고, 이 학습전략을 학생 A에게 가르칠 때 적용할 수 있는 기술 1가지를 제시하시오. 그리고 (나)의 밑줄 친 ㉠~㉤ 중에서 잘못된 내용의 기호 2가지를 쓰고, 그 이유를 각각 설명하시오.

(가) 통합학급교사와 특수교사의 대화

통합학급교사: 어제 시험 감독을 하는데 A를 보고 답답해서 혼났어요. A가 수업 시간에 혼자서도 답을 척척 맞힌 것들이 시험 문제로 많이 나왔는데, 막상 시험 시간에는 손도 못 대고 있더라고요. 한 시간 내내 끙끙거리며 잘 모르는 문제만 풀고 있는 것 같았어요.
특 수 교 사: 맞아요. 사실 A가 모르는 것도 아닌데 시험 점수가 너무 낮아서 부모님도 걱정이 많으세요.
통합학급교사: 앞으로 시험 볼 일이 많은데 매번 이럴까 걱정이에요. 도와줄 방법이 없을까요?

(나) 교수 활동 계획

교수 활동	지도상의 유의점
• 이전 시간에 배운 내용을 점검한다. • 수업 목표를 진술한다.	• 수업의 개요를 함께 제공한다.
• 선다형 문항을 풀이하는 전략을 설명한다. －문제에서 단서 단어(예 틀린)를 확인한다. －확실한 오답을 먼저 찾는다. …(하략)… • 전략을 촉진하면서 전략을 사용하여 문제 푸는 방법을 시범 보인다.	• 소리 내어 생각 말하기(think-aloud) 기법을 활용하여 어떻게 전략을 사용하는지 시범 보인다. • ㉠ <u>전략 사용의 이유와 핵심 요소를 제시하고 전략 사용 방법을 직접 보임으로써 설명을 끝낸다.</u>
• 학생이 배운 대로 전략을 연습해 볼 수 있도록 과제를 제시하고, 교사는 전략 사용을 촉진한다.	• ㉡ <u>학생 모두가 전략을 수행해 볼 수 있는 기회를 충분히 제공한다.</u> • ㉢ <u>연습 과제에서 학생이 전략을 잘못 사용했을 때 즉시 같은 문제를 다시 제공한다.</u> • ㉣ <u>실제보다 쉬운 연습 과제부터 전략을 연습하도록 하여 자신감을 심어 준다.</u>
• 전략을 다시 확인하고 주어진 시간 동안 독립적으로 전략 사용을 연습하게 한다.	• ㉤ <u>교실을 돌아다니며 어려움을 보이는 학생에게 도움을 제공한다.</u>

47 2017 초등B-2

(가)는 지체장애 특수학교에서 제작한 '학생 유형별 교육 지원 사례 자료집'에 수록된 Q & A의 일부이다. 물음에 답하시오.

(가)

Q 불수의 운동형 뇌성마비 학생 A는 노트필기가 어려워 쓰기 대체방법으로 컴퓨터를 이용하고 있는데, 불수의적 움직임으로 인해 어려움이 많습니다. 이러한 어려움을 해결해 줄 수 있는 보조공학 기기나 프로그램을 알고 싶습니다.

A 학생 A처럼 직접선택 방식으로 글자를 입력하는 경우에는, 키가드와 버튼형 마우스 같은 컴퓨터 보조기기나 ㉠ 단어예측 프로그램이 도움이 됩니다.

Q 학생 A가 읽기이해에 어려움이 있어 상보적 교수를 적용하여 읽기지도를 하려고 하는데, 상보적 교수 중 명료화하기 전략이 무엇인지 궁금합니다.

A ㉡ 상보적 교수의 명료화하기 전략은 사전 찾기를 포함하여 학생이 글을 읽다가 어려운 단어가 있을 때 단어의 의미를 파악할 수 있도록 도와주거나, 글의 내용을 이해하도록 도와줍니다.

2) 다음의 [읽기 자료]에 밑줄 친 단어 중에서 1개를 선택하여 (가)의 ㉡을 적용한 예 1가지를 쓰시오.

[읽기 자료]
안전띠는 우리의 안전을 위해 몸을 좌석에 붙들어 매는 띠입니다. 학교 버스를 타고 소풍을 갈 때 버스에서 안전띠를 착용해야 합니다. 내릴 때까지 안전띠를 풀지 말아야 합니다.
※ 학생이 어려워하는 단어 : 안전띠, 착용

48 2017 초등B-3

(가)는 학습장애 학생 준수의 특성이고, (나)는 2009 개정 사회과 교육과정(교육과학기술부 고시 제2012-14호) 3~4학년 '나는 미래에 어떤 일을 하면 좋을지 생각해 봅시다.'를 지도하기 위해 특수교사와 일반교사가 협의하여 작성한 교수 · 학습 과정안이다. 물음에 답하시오.

(가)

- 준수
  - 단어와 정의를 연결할 수 있음
  - 어휘의 의미를 깊이 이해하는 데 어려움이 있음
  - 수업 내용을 요약하는 데 어려움이 있음
  - 글자를 쓰는 데 많은 노력이 필요함

(나)

단원	경제생활과 바람직한 선택	차시	11~12/20
제재	나는 미래에 어떤 일을 하면 좋을지 생각해 봅시다.		
학습 목표	미래에 자신이 하고 싶은 일을 결정하고 행동계획을 세울 수 있다.		
㉠ 단계	학생 활동	자료(㉶) 및 유의점(㈜)	
A	• 각 직업의 장 · 단점 분석하기 • 갖고 싶은 직업을 평가하여 점수를 매기고 순서 결정하기	㉶ 평가기준표	
B	• 직업 선택 시 고려할 조건을 찾아서 평가 기준 만들기 • 사실적 기준과 가치 기준을 골고루 포함하기	㈜ 중요하다고 생각하는 기준에 가중치를 부여하게 한다. ㈜ ㉡ 과제분담 협동학습(Jigsaw II)을 실시한다.	
C	• 주변에서 볼 수 있는 직업에 대해 자유롭게 이야기하기 • 장래 직업을 고민하는 학생의 영상 시청하기	㉶ ㉢ 안내노트, 그래픽 조직자, 동영상 자료 ㈜ ㉣ 의미지도 전략을 활용하여 미래 직업에 대해 알아본다.	
D	• 갖고 싶은 직업과 이유 발표하기 • 대안에 대한 브레인스토밍 후 후보 결정하기	㉶ 직업분류표	
E	• 갖고 싶은 직업 결정하기 • 행동계획 수립하기	㈜ 의사결정의 목적은 행동을 실천하는 데 있음을 알게 한다.	

3) (나)의 ㉢을 사용할 때 기대할 수 있는 효과 2가지를 (가)에 근거하여 쓰시오.

①:

②:

4) 다음은 (나)의 ㉣을 활용하여 작성한 것이다. 이 전략이 준수의 어휘지식의 질적 향상에 적합한 이유 1가지를 (가)에 근거하여 쓰시오.

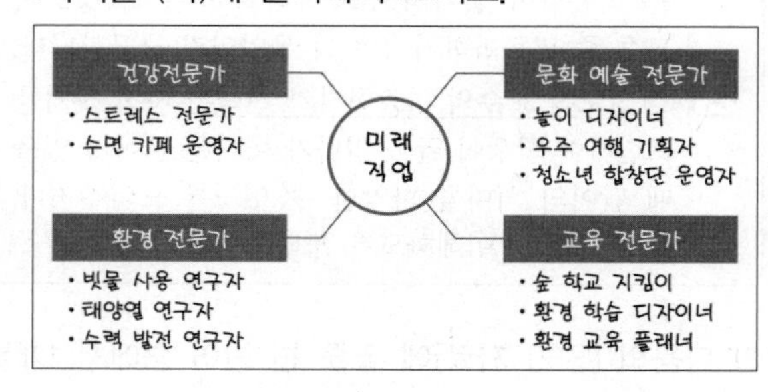

49 2017 중등A-12

(가)는 고등학생 N의 특성이고, (나)는 특수교사가 N을 위해 작성한 지도 계획이다. ㉡에서 사용할 '일견단어(sight words) 교수법'이 무엇인지 설명하고, 이 교수법이 '메뉴판에서 음식명 읽고 선택하기' 활동에 적합한 이유를 1가지 제시하시오. 그리고 ㉢에 들어갈 용어를 쓰시오.

(가) 학생 N의 특성

- 패스트푸드점에 가서 음식을 사 먹고 싶어함
- 시각적 단서는 구분할 수 있으나 글자는 읽지 못함

(나) 지도 계획

- 국어와 사회 수업 시간을 활용하여 N에게 '패스트푸드점 이용하기' 기술을 가르치고자 함

  > 교과의 내용을 대신하여 (㉠) 및 진로와 직업 교육, 현장실습 등으로 편성·운영할 수 있음

- 주변의 패스트푸드점 여러 곳을 선정하고, 일반사례 분석을 통해 다음과 같이 공통적으로 필요한 기술을 지도 내용으로 결정하여 지역사회 모의교수를 실시할 것임

  > 메뉴판에서 음식명 읽고 선택하기 → 음식 주문하기 → 음식값 계산하기 → 잔돈 받기 → 영수증 확인하기 → 음식 먹기

  ㉡ '메뉴판에서 음식명 읽고 선택하기'를 위해서 메뉴명과 사진을 붙인 메뉴판을 만들어 일견단어 교수법을 활용할 예정임

- 이후 지역사회 중심교수를 실시하고 중재의 효과와 만족도에 대하여 N의 또래와 부모에게 간단한 평정척도 형식의 질문지에 답하게 하여 (㉢)을/를 평가할 것임

50 2017 중등B-5

(가)는 학생 A가 수학 문장제 문제를 푼 것이고, (나)는 A가 문제를 해결하도록 도와주는 전략교수 'Solve It' 프로그램의 인지전략 단계와 자기조절 전략 중 자기교시의 예를 나타낸 것이다. (가)에 제시된 A의 문제 풀이 과정에서 나타난 오류 2가지를 쓰시오. (나)의 ㉠에 해당하는 단계의 명칭을 쓰고, ㉡에 해당하는 자기교시의 예를 1가지 제시하시오.

(가) A의 수학 문장제 문제 풀이

> 〈문제〉 진수가 다니는 학교에는 남학생 424명, 여학생 365명, 교사가 42명 있다. 영희가 다니는 학교에는 교사가 66명이고, 학생 수는 진수네 학교 여학생 수의 3배이다. 영희네 학교의 교사 수와 학생 수를 합하면 모두 몇 명인가?
>
> 〈학생 A의 문제 풀이〉
>
> 66 + 424 × 3
> = 490 × 3
> = 1,470　　　답: 1,470명

(나) 'Solve It' 프로그램의 단계와 자기조절 전략 중 자기교시의 예

인지전략 단계	자기조절 전략 중 자기교시의 예
1단계: 문제를 이해하기 위한 읽기	"문제를 읽어 보자. 이해하지 못하면 다시 읽어야지."
2단계: 문제를 자신의 단어로 고쳐 말하기	"중요한 정보에 밑줄을 그어 보자. 문제를 나의 말로 다시 말해 보자."
3단계: 문제를 그림이나 표로 시각화하기	"그림이나 표로 만들어 보자."
4단계: (㉠)	(㉡)
5단계: 답을 예측해 보기	"어림수를 찾아 머릿속으로 문제를 풀고 그 값을 써 보자."
6단계: 계산하기	"정확한 순서에 따라 계산해야지."
7단계: 모든 과정이 정확한지 점검하기	"계산한 것을 점검하자."

(※ 자기조절 전략 중 자기질문, 자기점검은 생략하였음)

51

2017 중등B-7

(가)는 읽기 학습장애 학생을 위한 사회과 '민주주의를 실현하는 기관' 단원 수업 계획의 일부이다. ㉠, ㉡에 들어갈 그래픽 조직자(graphic organizers)의 유형을 순서대로 쓰시오.

(가) 11차시 수업 계획

차시		11차시 / 단원 정리	
주제		국회, 정부, 법원이 하는 일 정리하기	
교수·학습 활동	활동 1	민주주의를 실현하는 기관 분류하기	• 계층형 그래픽 조직자를 사용하여 민주주의를 실현하는 기관들을 이해함
	활동 2	국회, 정부, 법원이 하는 일 비교하기	• (㉠) 그래픽 조직자를 사용하여 국회, 정부, 법원의 공통점과 차이점을 알아봄
	활동 3	국회의원 선출 과정 순서 알기	• (㉡) 그래픽 조직자를 사용하여 국회의원 선출 과정을 기술함

52

2018 유아A-4

(가)는 유치원 통합학급 김 교사의 이야기 나누기 활동 장면의 일부이다. 물음에 답하시오.

(가)

김 교사: 자, 오늘은 이 책을 가지고 말놀이를 할 거예요.
유 아 A: ㉠(책 표지의 글자를 손으로 가리키며) 제목이 무엇이에요?
김 교사: (손가락으로 제목을 짚으며) '동물 이야기'라고 쓰여 있어요.
유 아 B: 재미있을 것 같아요.
김 교사: 여기에 호랑이가 있어요. 선생님을 따라 해 볼까요? ('호. 랑. 이' 하면서 손뼉을 세 번 친다. 짝! 짝! 짝!)
유 아 들: (교사를 따라 '호. 랑. 이' 하면서 손뼉을 세 번 친다. 짝! 짝! 짝!)
김 교사: 곰도 있네요. 그럼, ㉡곰에서 /ㅁ/를 빼고 말하면 어떻게 될까요?
유 아 C: '고'요.
김 교사: 잘했어요. 여기 강아지가 공을 가지고 놀고 있어요. ㉢'공'에서 /ㄱ/ 대신 /ㅋ/를 넣으면 어떻게 될까요?
유 아 D: ㉣'콩'이요, '콩'.

…(하략)…

2) 밑줄 친 ㉡과 ㉢에 해당하는 음운인식 과제 유형을 각각 쓰시오.

㉡:

㉢:

53 2018 초등B-4

(가)는 2015 개정 수학과 교육과정의 3~4학년군 '측정' 영역에 대해 교사가 학습장애 학생 민기를 지도하며 판서한 내용이고, (나)는 민기의 평가 결과 내용의 일부이다. 물음에 답하시오.

(가)

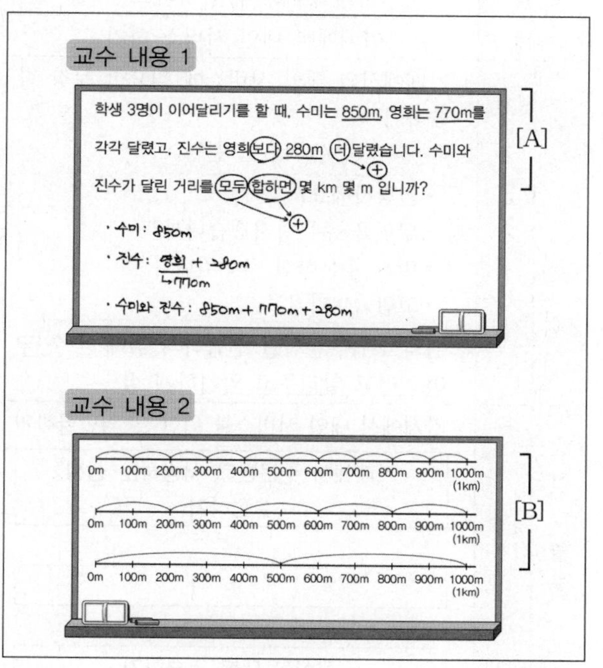

(나)

형성 평가 문제

학생 3명이 이어달리기를 할 때, 수미는 320m, 영희는 410m를 각각 달렸고, 진수는 영희보다 230m 더 달렸습니다. 수미와 진수가 달린 거리를 모두 합하면 몇 km 몇 m입니까?

㉠ 지필 평가 결과	㉡ 면담 평가 결과	
식: 32o + 41o + 23o 답 : 116om	이 문제는 수미와 진수가 달린 거리를 합하는 거예요. 진수가 달린 거리는 알 수 없으니 먼저 구해야 해요.	[C]
	진수가 영희보다 230m 더 달렸으니까 식은 410m + 230m 예요. 진수는 740m 달렸어요.	[C]
	이제 진수와 수미가 달린 거리를 모두 합하여야 하니까 740m + 320m이고 답은 1160m예요.	[C]
	질문에서 몇 km 몇 m냐고 물었으니까 1160m를 나누어 써야 하는데 어려워요.	

2) (가)의 ① [A]에 적용한 전략을 쓰고, ② 1km 단위 지도를 위해 [B]에서 사용한 덧셈 방법을 쓰시오.

①:

②:

3) (나)의 [C]와 같은 연산 오류가 지속적으로 나타날 때, 그 오류 유형을 쓰시오.

54

2018 중등A-7

(가)는 학습장애 학생 C가 쓴 글이고, (나)는 학생 C를 위한 쓰기 지도 과정 중 '가리고 베껴 쓰기' 단계의 일부이다. (가)에 나타난 쓰기 오류의 명칭을 쓰고, ㉠에서 특수교사가 적용한 기법의 명칭을 쓰시오.

(가) 학생 C가 쓴 글

> 우리 집 마당에 감나무가 있습니다. 나무에 가미 주렁 주렁 매달려 있습니다. 할머니가 가믈 두 개 따서 나와 친구에게 주었습니다. 친구와 두리서 마싰게 가믈 머겄 습니다.

(나) 학생 C를 위한 쓰기 지도 과정

- ○ 오류를 수정하기 위하여 틀린 단어를 하나씩 쓰는 연습을 다음과 같이 실시함
  - 단어를 보여주고 가림판으로 단어를 가림
  - 단어를 가린 후 5초 동안 기다리면서 학생 C가 단어를 기억해서 쓰도록 함
  - 학생이 단어를 기억해서 올바르게 쓰면 칭찬을 해주고, 다음 단어를 학습하도록 함
  - 만약 틀린 경우에는 틀린 부분에 대한 교정적 피드백을 제공한 후, 다시 단어를 보여주고 가림판으로 단어를 가림. 5초 동안 기다리면서 학생 C가 단어를 기억해서 쓰도록 함

  ㉠ (위 네 항목)

55

2018 중등A-13

(나)는 진로와 직업 수업 계획의 일부이다. 〈작성 방법〉에 따라 서술하시오.

(나) 진로와 직업 수업 계획

영역		진로 준비
단원		지역사회 대인 서비스
제재		카페에서 대인 서비스 하기
주요 학습 활동	1차시	○ 카페에서의 대인 서비스에 필요한 문장 학습하기 <학습할 문장> • 안녕하세요? • 무엇을 주문하시겠습니까? • 여기 주문하신 ○○입니다. • 고맙습니다. 위의 4가지 문장을 연습하기 위해 ㉢ '안무여고'라고 알려주고 암기하게 함
	2~3차시	○ 카페에서 대인 서비스를 위한 ㉣ 역할극하기 카페에서 주문받고 서빙하는 상황 설정하기 ⇩ (㉤) ⇩ 작성한 대본 연습하기 ⇩ 카페에서 주문받고 서빙하는 장면 실연하기 ⇩ 카페에서 대인 서비스 역할극에 대해 평가하기

〈 작성 방법 〉

- 밑줄 친 ㉢에 해당하는 기억 전략의 명칭을 쓸 것

56

2018 중등B-6

(가)는 학습장애 학생 J의 읽기 특성이고, (나)는 김 교사와 정 교사의 대화이며, (다)는 정 교사의 지도방안이다. 〈작성 방법〉에 따라 서술하시오.

(가) 학생 J의 읽기 특성

- 글을 읽을 때 알고 있는 단어가 나와도 주저하면서 느리게 읽는 모습을 보임
- 글을 빠르게 읽을 때 음운변동이 일어나는 단어들을 자주 틀리게 읽거나 대치 오류를 보임
- 특정 단어나 문장을 강조하며 글을 읽는 데 어려움이 있음 ┐ ㉠
- 어법이나 의미를 고려하며 글을 읽는 데 어려움이 있음 ┘
- 글을 읽을 때 주위에서 소리가 나면 소리가 나는 방향으로 고개를 자주 돌리고 주의가 산만해짐

(나) 김 교사와 정 교사의 대화

정 교사: 선생님, 학생 J가 '읽기 유창성'에 문제가 있다고 하는데, 이 문제가 발생하는 이유는 무엇인가요?
김 교사: 여러 가지 이유가 있는데, 대표적으로 ㉡ 단어를 빠르게 소리 내어 읽고 그 의미를 파악하는 능력에 어려움이 있기 때문입니다.
정 교사: 읽기 유창성이 중요한 이유는 무엇인가요?
김 교사: ㉢ 읽기 유창성에 문제가 있는 경우에는 읽기 이해에 부정적인 영향을 주기 때문입니다.
정 교사: 그렇군요. 그럼 저는 학생 J를 어떻게 지도하는 것이 좋을까요? 제가 몇 가지 찾아보았는데, 적절한지 봐 주세요.

(다) 정 교사의 지도방안

㉣ 의미가 통하는 구나 절 단위로 끊어 읽기를 지도한다.
㉤ 읽기 연습을 할 때마다 새로운 읽기 자료를 사용한다.
㉥ 학생이 소리 내어 읽기를 할 때 오류가 있으면 즉각적으로 수정한다.
㉦ 읽기 연습을 위하여 음성파일을 이용할 경우에는 배경 효과음이 있는 것을 사용한다.

〈작성 방법〉

- 읽기 유창성의 구성 요소 중 ㉠에 해당하는 것을 쓸 것
- 밑줄 친 ㉡에 해당하는 용어를 쓸 것
- 밑줄 친 ㉢의 이유를 1가지 서술할 것
- 학생 J의 특성에 근거하여 ㉣~㉦ 중 적절하지 않은 것 2가지의 기호를 적고, 그 이유를 각각 1가지 서술할 것

57

2019 초등B-3

(가)는 2015 개정 국어과 교육과정의 1~2학년 읽기 영역 교수·학습 과정안의 일부이고, (나)는 읽기에 어려움이 있는 학생 성호의 담임교사인 김 교사와 특수교사인 박 교사의 대화이다. (다)는 김 교사가 9주 동안 실시한 교육과정중심측정(CBM)의 결과이다. 물음에 답하시오.

(가) 교수·학습 과정안

단원	생각을 나타내요	
학습 목표	문장을 소리 내어 읽을 수 있다.	
단계	교수·학습 활동	자료(자) 및 유의점(유)
도입	• 동기 유발하기 – 핵심단어가 포함된 문장을 듣고 연상되는 단어 말하기	자 핵심단어와 관련된 실물 사진
전개	• 이야기를 읽고 내용 파악하기 • 문장을 소리 내어 읽기 – 여러 가지 방법으로 문장을 소리 내어 읽기	유 음운변동이 없는 단어나 문장을 주로 평가하며, 음운변동을 다루더라도 연음현상이나 (㉠) 위주로 다룬다. • 연음현상의 예: 국어 • (㉠)의 예: 학교
정리	• 학습 정리 및 평가하기	

(나) 대화 내용

김 교사: 다음 주 국어 시간에는 '문장을 소리 내어 읽기' 수업을 할 예정입니다. 읽기 영역 중 유창성에 초점을 맞추려고 합니다.
박 교사: 네, 읽기 유창성은 성호뿐만 아니라 저학년의 다른 학생들에게도 매우 중요하죠.
김 교사: 문장을 소리 내어 읽어 보는 단계에서 여러 가지 활동을 해 보려고 하는데, 성호와 함께할 수 있는 읽기 전략을 추천해 주실 수 있나요?
박 교사: 네, 저는 반복 읽기 전략이 효과적이라고 생각합니다.
김 교사: 그렇다면 ㉡ <u>학급에서 반복 읽기 전략을 효과적으로 사용하고자 할 때 고려해야 할 사항</u>을 알려 주셨으면 합니다.
… (중략) …
김 교사: 전략을 사용한 후에 읽기 능력은 어떻게 평가해야 하나요?
박 교사: 중재반응모형에서 사용되는 교육과정중심측정으로 평가하면 될 것 같습니다.
김 교사: 읽기 능력을 교육과정중심측정으로 평가해야 하는 이유는 무엇인가요?
박 교사: 교육과정중심측정은 ㉢ <u>동형 검사지</u>를 사용하기 때문입니다.
김 교사: 아, 그렇군요. 선생님께서 말씀하신 교육과정중심측정을 사용하여 반복 읽기 전략의 효과를 9주 동안 평가해 보겠습니다.
… (9주 후) …
김 교사: 평가 결과가 나왔는데, 한번 봐 주시겠어요? 성호가 하위 10%에 속해 있네요.

(다) 교육과정중심측정 결과(중재반응모형 1단계)

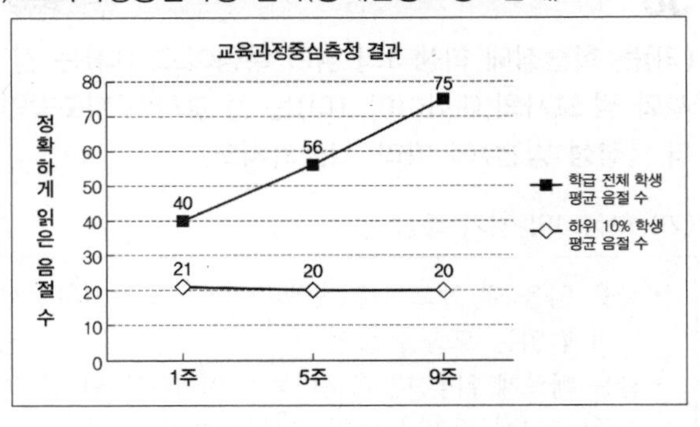

2) 다음은 (나)의 ㉡에 관한 내용이다. 적절하지 않은 것 2가지를 찾아 ①과 ②에 각각 기호를 쓰고 바르게 고쳐 쓰시오.

> ⓐ 유창하게 글을 읽는 시범을 제공한다.
> ⓑ 주로 학생 혼자서 반복하여 읽게 한다.
> ⓒ 음독보다는 묵독 읽기 연습을 충분히 제공한다.
> ⓓ 학생들에게는 교수 수준에 적합한 지문을 사용한다.
> ⓔ 체계적인 오류 교정 절차를 제공해야 효과적이다.

①:

②:

3) (나)의 ㉢을 중재반응모형에서 사용해야 하는 이유 1가지를 쓰시오.

4) 다음은 중재반응모형 1단계의 기본 가정에 근거하여 (다)의 그래프를 해석한 결과이다. ⓐ와 ⓑ에 들어갈 말을 각각 쓰시오.

> • 김 교사의 학급에서는 반복 읽기 전략을 지속적으로 사용할 수 있다. 그 이유는 (ⓐ).
> • 9주 동안 하위 10% 학생의 평균 음절 수는 증가하지 않았다. 그 이유는 (ⓑ).

ⓐ:

ⓑ:

58 2019 중등A-7

다음은 권 교사가 고등학교 1학년 수학 학습장애 학생 G와 학생 H의 문제풀이 과정과 결과를 보고 분석한 내용이다. 괄호 안의 ㉠, ㉡에 해당하는 용어를 순서대로 쓰시오.

(가) 학생 G

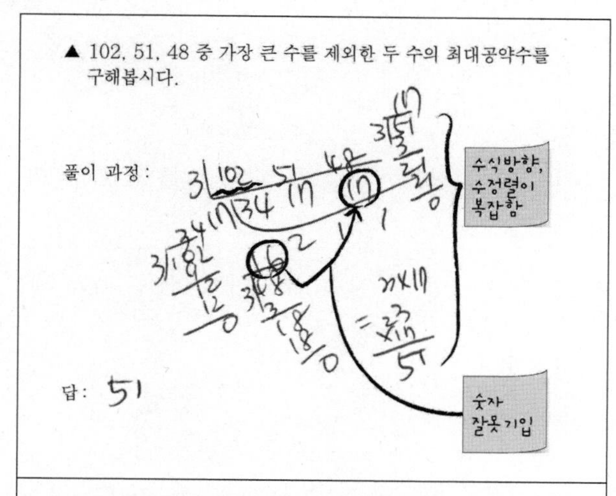

- 중요한 정보를 선택하지 못하는 '선택적 주의집중력' 부족을 보임
- 수식 방향과 수 정렬이 복잡하고, 수를 혼돈하여 기입하며 문제를 푸는 위치를 자주 잃어버리는 등 (㉠) 에 어려움을 보임

(나) 학생 H

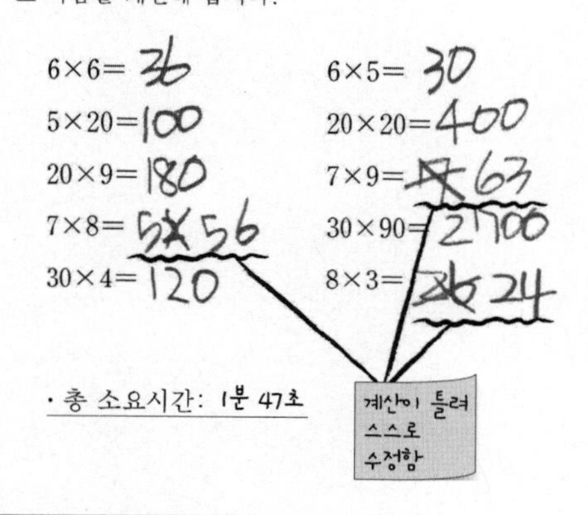

- 문제를 집중하여 풀었으나, 시간이 오래 걸림
- 곱셈구구를 할 수 있음에도 불구하고 (㉡)이/가 부족하여, 기본 셈의 유창성에 영향을 줄 수 있으므로 반복·누적된 연습기회를 제공할 필요가 있음
- 작업기억을 효율적으로 사용하지 못하는 이유일 수도 있으므로 추가 검사가 필요해 보임

59 2019 중등A-12

다음은 손 교사가 경도 장애 학생 N의 사회성 기술을 지도하기 위해 작성한 계획의 일부이다. 〈작성 방법〉에 따라 서술하시오.

학생 N의 사회성 기술 지도 계획

- 중재 및 평가
  - 상황 맥락 중재 적용: 'FAST 전략'을 적용하여 단계별로 지도함

〈상황 맥락 1〉
체육 시간에 강당에 모여 매트 위에서 구르기 활동을 하기 위해 줄을 서야 하는데, 상황 속 등장인물이 순서대로 줄을 서지 않고 화를 내고 있음

단계	지도할 활동 내용
1	무엇이 문제인지 생각해 보기
2	화내는 것 외에 할 수 있는 여러 가지 대안들 말하기
3	(㉡)
4	직접 수행해 보기

…(중략)…

- 상황 맥락 중재의 효과 평가
  - 표준화 검사: 한국판 적응행동검사(K-SIB-R) 실시
  - (㉢)

〈 작성 방법 〉
- 괄호 안의 ㉡에 해당하는 단계의 구체적인 활동 내용을 서술할 것
- 괄호 안의 ㉢에 들어갈 사회적 타당도를 높일 수 있는 평가 방법 2가지를 서술할 것(단, 2가지의 평가 방법은 각각 다른 정보 제공자와 평가 형태를 포함하여 서술할 것)

60 (2019 중등B-1)

다음은 윤 교사가 ○○고등학교 특수학급에서 읽기이해에 어려움을 보이는 읽기 학습장애 학생 Y와 E에게 제공할 수업활동지 작성 계획 및 예시이다. 〈작성 방법〉에 따라 서술하시오.

(가) 학생 Y

수업활동지 작성 계획	지문 예시
어려운 단어를 제시하고 ㉠ 국어사전을 활용하여 사전적 정의를 직접 찾아보는 활동으로 구성함	최근 일어난 대형 참사는 결국 **인재**라 할 수 있다. • 사전에서 뜻을 찾아 적어 봅시다. – 인재 :

(나) 학생 E

수업활동지 작성 계획	지문 및 질문의 예시
학생 E가 글을 읽은 후, 질문하기 전략을 사용하여 읽기 이해 수준을 확인할 수 있는 질문을 만들어보고, 질문에 답할 수 있도록 구성함 – 학생 스스로 (㉡)질문 만들기 – 교사가 제시한 ㉢ 추론적 이해 질문에 답하기 – 교사가 제시한 평가적 이해 질문에 대해 함께 이야기하기	존시는 나뭇잎이 다 떨어지면 자기도 죽을 것이라 생각했다. 며칠이 지나도 하나 남은 나뭇잎은 그대로 있었다. ㉣ 사실 이 나뭇잎은 베먼 할아버지가 존시를 위해 그린 그림이었다. – '마지막 잎새'의 내용 일부 – 〈㉡의 예시〉 존시는 무엇이 다 떨어지면 자기도 죽을 것이라 생각했나요? 〈㉢의 예시〉 ____________ …(하략)…

〈작성 방법〉

- 학생 Y의 어휘 지도를 위해 밑줄 친 ㉠을 할 때, 유념해서 지도할 내용을 이유 1가지와 함께 서술할 것
- <㉡의 예시>를 보고, 괄호 안의 ㉡에 해당하는 질문 유형을 쓸 것
- 밑줄 친 ㉣을 바탕으로, <㉢의 예시>에 해당하는 추론적 이해 질문의 예 1가지를 서술할 것

61

2020 초등B-3

(가)는 특수학급의 교육실습생이 작성한 성찰일지의 일부이다. 물음에 답하시오.

(가) 성찰일지

일자: 2019년 ○월 ○일

오늘 지도 선생님께서 일반학급 학생인 지수가 특수교육대상자로 선정되면 특수학급에서 공부하게 될 수도 있다고 하셨다. 담임 선생님과 지도 선생님은 지수의 지속적인 학습 어려움 때문에 특수교육대상자 선정을 위한 진단・평가 의뢰를 고민 중이시다. 함께 실습 중인 교육실습생들과 학습장애를 지닌 특수교육대상자 진단・평가와 선정・배치에 대해 이야기해 본 결과, 다시 한번 정확히 확인해야 할 사항이 몇 가지 발견되었다.

첫째, ㉠ 진단・평가 과정에서 부모 등 보호자의 의견 진술 기회가 보장되어야 한다는 점

둘째, ㉡ 지적능력이 정상이면 학습장애를 지닌 특수교육대상자로 선정될 수 없다는 점

셋째, ㉢ 학업성취 평가에서 낮은 점수를 받은 경우, 다른 장애 때문에 나타난 결과임이 밝혀져도 학습장애를 지닌 특수교육대상자로 선정될 수 있다는 점

넷째, ㉣ 특수교육대상자 또는 그 보호자는 특수교육지원센터의 특수교육대상자 선정 및 배치 결과에 대해 이의가 있을 경우, 그 결과에 대해 이의신청을 할 수 있다는 점

…(중략)…

[A] 다음 주에는 수학과 '짝수와 홀수' 차시의 공개수업이 있다. 지도 선생님께서 주신 피드백을 반영하여 지수의 특성을 고려한 수업 계획을 세워봐야겠다. 지수의 담임 선생님께서 관찰하신 바에 따르면, 학급의 모든 학생을 대상으로 하는 첫 번째 단계에서 지수는 ㉤ 그림이나 표시, 숫자를 활용하는 사고가 어려워 반응이 도달 기준점에 미치지 못했다고 한다. 다음 단계에서는 지수의 특성을 고려한 소집단 활동을 통해 전략적인 방법을 적용하면서 진전도를 지속적으로 살펴봐야 할 것 같다.

1) (가)의 ㉠~㉣ 중 적절하지 않은 내용을 2가지 찾아 각각의 기호와 그 이유를 쓰시오.

2) (가)의 ① [A]에 해당하는 진단 모델을 쓰고, ② 학습장애 적격성 판별 측면에서 이 모델의 장점을 1가지 쓰시오.

①:

②:

62 　2020 중등A-10

다음은 읽기 학습장애 학생 J가 있는 통합학급에서 교사가 활용할 교수 · 학습 활동의 예시이다. 〈작성 방법〉에 따라 서술하시오.

구분		내용
내용 요소		글의 주요 내용 파악하기
주제		설명하는 글을 읽고 구조화하여 글의 내용 이해하기
학습 모형		학생집단 성취모형(Student Teams Achievement Division ; STAD)
모둠 구성		• 이전 시간에 성취한 점수 확인하기 • (㉠)
모둠 읽기 활동	읽기 전	• 브레인스토밍 : 읽을 글에 대해 알고 있는 내용을 생성하고, 조직화한 후, 정교화하기 • ㉡ <u>글의 제목, 소제목, 그림 등을 훑어보고 글의 내용 짐작하기</u>
	읽기 중	• 모둠원의 개별 수준에 맞는 글 읽기 • 단서 단어 및 중요한 단어 학습하기 〈수준별 읽기 자료 예시〉 미래 직업 변화하는 미래에 기대되는 직업은 환경의 중요성이 커짐에 따라 생기는 직업, 로봇을 이용한 작업이 많아짐에 따라 생기는 직업 등으로 나눌 수 있다. 그중 환경의 중요성이 커짐에 따라 생기는 직업에는 기후변화 전문가, 에코제품 디자이너 등이 있다. 그리고 로봇을 이용한 작업이 많아짐에 따라 생기는 직업에는 로봇 디자이너, 로봇 공연 기획자 등이 있다. … (하략) … • 글의 구조를 고려하여 주요 단어를 기록하기 미래직업 → 환경 (기후변화 ⋮, 에코제품 ⋮), 로봇 (디자이너 ⋮, 공연기획자 ⋮) … ㉢
	읽기 후	• 글 이해에 대한 개별 평가 후 채점하기 • ㉣ <u>모둠 성취 평가하기</u>
유의할 점		• 교사는 모둠원들이 서로 도우며 주어진 읽기 자료를 이해하도록 지도한다.

〈 작성 방법 〉

- 밑줄 친 ㉡에 해당하는 전략 1가지와 ㉢과 같이 글을 구조화 하는 전략 1가지를 순서대로 쓸 것

63 　2020 중등B-2

다음은 학습장애 학생 B의 쓰기에 대하여 특수교사와 일반교사가 나눈 대화의 일부이다. 밑줄 친 ㉠에 해당하는 용어와 ㉡에 해당하는 교수법을 순서대로 쓰시오.

일반교사 : 선생님, 수업 시간에 학생 B가 필기하는 모습과 필기한 내용을 살펴보니 글씨 쓰기에 어려움이 있어 보여요. 그래서 글씨 쓰기 지도를 계획하고 있는데, 어디에 중점을 두어야 할까요?

특수교사 : 먼저 글씨를 바르고 정확하게 쓰는 것에 중점을 두고 글자 크기, 글자 및 단어 사이의 간격, 줄 맞춰 쓰기 등이 올바른지 확인하시면 좋겠어요. 그다음에는 ㉠ <u>글씨를 잘 알아볼 수 있게 쓰는 것뿐 아니라 빠르게 쓸 수 있는 것</u>도 목표로 해 주세요. 정해진 시간 동안 얼마나 많은 글자를 쓸 수 있는지를 확인하면 좋겠네요.

일반교사 : 네, 그럼 어떤 교수 방법으로 지도하는 게 좋을까요?

특수교사 : [글씨 쓰기 과정에 대한 과제분석을 실시하고, 그 절차에 따라 먼저 시범을 보여 주세요. 그리고 학생 B가 글씨 쓰기를 연습할 때 나타나는 실수를 확인해 주세요. 이후 잘못된 부분을 수정해 주시면서 안내된 연습을 하도록 해 주세요. 그다음으로 선생님의 지도를 점진적으로 줄이시고, 나중에는 독립적으로 글씨를 쓸 수 있도록 해 주세요.] ㉡

64 2021 유아A-5

(가)는 통합학급 박 교사와 최 교사, 유아특수교사 김 교사가 지적 장애 유아 은미와 민수의 행동에 대해 협의한 내용의 일부이다. 물음에 답하시오.

(가)

[3월 23일]

김 교사: 은미와 민수가 통합학급에서 또래들과 잘 어울리고 있는지 궁금해요.

박 교사: 은미는 혼자 있는 걸 좋아하고 자기표현이 거의 없어요. 그래서인지 친구들도 은미와 놀이를 안 하려고 해요. 오늘은 우리 반 현지가 자기 장난감을 은미가 가져갔다고 하는데 은미가 아무 말도 하지 않아서 오해를 받았어요. 나중에 찾아보니 현지 사물함에 있었어요.

김 교사: 은미가 많이 속상해 했겠네요. ㉠ 은미가 자신에게 억울한 상황을 자신의 입장에서 분명하게 이야기할 수 있도록 지도해야겠어요. 최 선생님, 민수는 어떤가요?

최 교사: 민수가 활동 중에 갑자기 자리를 이탈해서 아이들이 놀라는 경우가 많아요. 그래서 친구들이 민수 옆에 앉지 않으려고 해요. 민수의 이런 행동은 이야기 나누기 활동에서 많이 나타나는 것 같아요.

김 교사: 선생님들의 말씀을 듣고 보니, 은미와 민수가 속해 있는 통합학급 유아들을 대상으로 ㉡ 또래지명법부터 해 봐야겠다는 생각이 들어요.

박 교사: 네, 좋은 생각이네요.

최 교사: 그런데 김 선생님, 요즘 민수가 자리이탈 행동을 더 많이 하는 것 같아서 걱정이 되네요.

김 교사: 그러면 제가 민수의 행동을 관찰해 보고 다음 주에 다시 협의하는 건 어떨까요?

최 교사: 네, 그렇게 하는 것이 좋겠어요.

[4월 3일]

최 교사: 선생님, 지난주에 민수의 행동을 관찰하기 위해 이야기 나누기 활동을 촬영하셨잖아요. 결과가 궁금해요.

김 교사: 네, ㉢ 민수의 자리이탈 행동의 원인이 선생님의 관심을 얻기 위한 것으로 확인되었어요.

최 교사: 그렇군요. 그러면 민수의 자리이탈 행동을 줄이려면 어떻게 해야 할까요?

김 교사: ㉣ 자리이탈을 하지 않고도 원하는 강화를 받을 수 있게 하여 문제 행동의 동기를 제거할 수 있는 전략을 적용해 보는 것도 좋을 것 같아요.

2) (가)에 나타난 통합학급 유아들의 행동에 근거하여 ① ㉡의 목적 1가지와 ② ㉡에서 사용할 질문을 1가지 쓰시오.

①:

②:

65 2021 초등A-6

다음은 도덕과 5학년 '밝고 건전한 사이버 생활' 단원 수업을 준비하는 통합학급 교사를 지원하기 위해 특수교사가 작성한 노트의 일부이다. 물음에 답하시오.

가. 통합학급 수업 전 특수학급에서의 사전학습
- 소희의 특성

• 읽기 능력이 지적 수준이나 구어 발달 수준에 비해 현저히 낮음 • 인터넷을 즐겨 사용함 • 자신의 경험을 이야기하는 것을 좋아함

- 필요성: 도덕과의 인지적 요소를 학습하기 위해 별도의 읽기 학습이 요구됨
- 제재 학습을 위한 읽기 지도
  - 제재: 사이버 예절, 함께 지켜요
  - 지도방법: ㉠ 언어경험접근

나. 소희를 위한 교수·학습 환경 분석에 따른 지원 내용 선정

분석 결과		지원 내용	
• 사이버 예절 알기 자료를 인쇄물 또는 음성자료로만 제공 • 서책형 자료로만 제공	⇨	• 디지털 교과서 • 동영상 자료 • PPT 자료 • 요약본	[A]

다. 2015 개정 도덕과 교육과정 평가 방향에 근거한 평가 내용

제재: 사이버 예절, 함께 지켜요	
구분	평가 기준
인지적 요소	청소년을 위한 사이버 예절을 아는가?
정의적 요소	사이버 예절 수업에 적극적으로 참여하는가?
행동적 요소	㉡

1) 다음은 ㉠의 단계와 내용(수업 활동)이다. ① ⓐ에 들어갈 내용을 쓰고, ② ⓑ에 공통적으로 들어갈 말을 쓰시오.

단계	내용(수업 활동)
이야기하기	• 교사는 학생이 최근 경험을 이야기할 수 있도록 동기 부여한다. – 사이버 공간에서의 경험을 활용하기
⇩	
받아쓰기	• [ⓐ] – 게임, 문자, 댓글 등의 낱말을 활용하기
⇩	
학습하기	• 다양한 활동을 통해 단어를 학습한다. – 노래 개사를 활용하기
⇩	
읽기 학습하기	• [ⓑ]을/를 읽는 과정으로 나아간다. – (ⓑ)을/를 활용하기

①:

②:

66

2021 초등A-7

(가)는 강 교사가 5학년 읽기 수업에서 활용할 자료이고, (나)는 (가)를 바탕으로 구상한 교수 학습 과정안의 일부이다. 물음에 답하시오.

(가)

> 갯벌의 이로움
>
> 바닷물이 드나드는 넓은 땅을 갯벌이라 부른다. 갯벌은 사람과 자연에 여러 가지 이로움을 준다.
>
> [A]
> 먼저, 갯벌은 어민들에게 경제적 이익을 준다. 갯벌에는 바닷물이 드나들면서 조개나 물고기, 낙지 등과 같은 동물들이 살기에 좋은 환경이 만들어진다. 어민들은 갯벌에서 이러한 것을 잡아 돈을 번다.
> 다음으로, 갯벌은 오염 물질을 정화하여 깨끗한 환경을 만든다. 갯벌은 겉으로는 진흙탕처럼 보이지만 그곳에는 작은 생물들이 많이 살고 있다. 이 생물들은 육지에서 나오는 오염 물질을 분해한다.
> 마지막으로, 갯벌은 물을 흡수해 저장했다가 내보낸다. 그러므로 갯벌은 큰 비가 오면 빗물을 흡수해 홍수를 막아 준다.

(나)

단계	수업 활동
도입	ㅇ 학습 목표 확인하기 - 글 구조를 활용하여 글을 요약할 수 있다. ㅇ 어휘 학습하기 (표) 열: 진흙으로 이루어짐 / 물이 드나듦 / … 갯벌: + / + / 모래사장: − / + / 늪지대: + / − / …
전개	ㅇ 교사와 학생이 글 구조를 활용하여 '갯벌의 이로움'을 요약하는 방법 연습하기 교사 안내: '갯벌의 이로움'의 글 구조를 나타내는 말을 찾아 보자. ➡ '갯벌의 이로움'의 글 구조를 말해 보자. ➡ ≈ ➡ [B] 도식에 '갯벌의 이로움'을 정리해 보자. ➡ '갯벌의 이로움'을 요약해 보자. 학생 활동: (㉠) / (㉡) / / (도식) /

1) 강 교사가 (나)의 '어휘 학습하기'에서 활용한 어휘 학습 방법을 쓰시오.

2) (나)의 ① ㉠에 해당하는 말 3가지를 (가)의 [A]에서 찾아 쓰고, ② ㉡에 해당하는 '갯벌의 이로움'의 글 구조를 쓰시오.

①:

②:

3) 다음은 학생이 (나)의 [B]에서 작성한 활동 결과이다. 활동 결과에 나타난 문제를 해결하기 위해 강 교사가 학생에게 지도해야 할 학습 내용을 쓰시오.

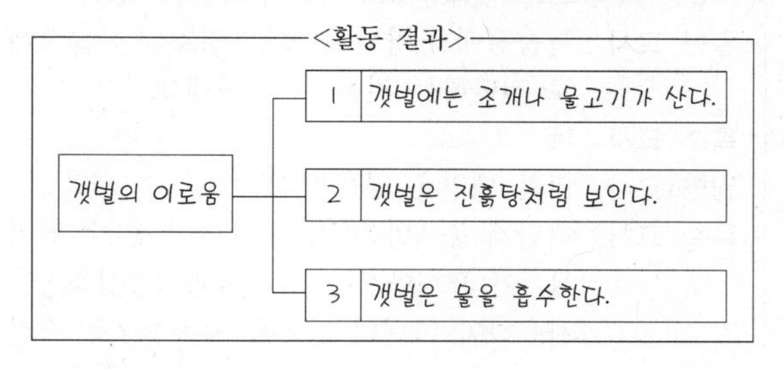

67 2021 초등B-2

(가)는 수학 학습에 어려움이 있는 초등학교 2학년 영호의 검사 결과이고, (나)는 일반 교사와 특수 교사가 나눈 대화이며, (다)는 일반 교사가 실시한 교육과정중심측정(Curriculum-Based Measurement ; CBM) 결과이다. 물음에 답하시오.

(가) 검사결과

• K-WISC-V 검사결과: 지능지수 107
• KNISE-BAAT(국립특수교육원 기초학력검사) 수학 검사 결과: 학력지수 77

(나) 대화 내용

특수 교사: 영호의 검사결과를 검토해보니 한 가지 문제점이 예상되네요. 수학 검사에서 받은 77점은 영호의 실제 수행수준보다 낮은 것 같아요.
일반 교사: 왜 그렇게 생각하시죠?
특수 교사: 두 검사 점수 간의 상관계수는 1이 아니기 때문에 지능점수가 (㉠) 이상이더라도 학업점수는 낮게 추정될 수 있어요. 이러한 문제 때문에 두 점수 간의 불일치된 (㉡) 점수를 이용하는 능력-성취 불일치 모형에서는 영호를 학습장애로 과잉 진단할 수 있어요.
일반 교사: 학습장애가 아닐 수 있는 영호를 학습장애로 진단하는 것은 큰 문제네요.
특수 교사: 네, 그렇죠.
일반 교사: 다른 대안은 없을까요?
특수 교사: 다단계 중재반응모형이 대안이 될 수 있어요. 이 모형에서는 ㉢ <u>교육과정중심측정</u>을 사용하여 학생의 반응을 지속적으로 점검해요. 이러한 검사 결과를 고려하면 과잉진단의 문제점을 어느 정도 예방할 수 있어요.

(다) 교육과정중심측정(CBM) 결과

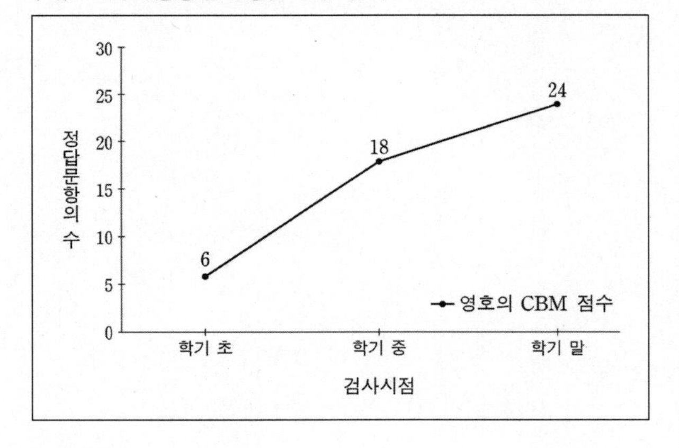

1) (나)의 ㉠과 ㉡에 해당하는 단어를 쓰시오.

㉠:

㉡:

3) 중재반응모형 1단계에서 영호의 중재반응 수준을 평가할 때, ① (다)의 그래프에서 필요한 정보를 1가지 쓰고, ② 중재반응을 평가하는 방법을 1가지 쓰시오.

①:

②:

68 2021 중등A-9

(가)는 ○○중학교 통합학급에 재학 중인 학습장애 학생 E의 특성이고, (나)는 학생 E를 위한 읽기 지도 계획이다. 〈작성 방법〉에 따라 서술하시오.

(가) 학생 E의 특성

- ㉠ 문자를 보고 말소리와 연결하여 의미를 이해하는 능력이 부족함
- 일견단어(sight words)의 수가 부족함
- 문장을 읽을 때 모르는 단어를 종종 빼 먹음

(나) 읽기 지도 계획

- (㉡) 전략 사용: 오디오북 지원 읽기, 학생-성인 짝지어 읽기, 파트너 읽기, 역할극 하기
- 직접교수 모형을 활용한 오디오북 지원 읽기

순서	활동
㉢	• 교사는 오디오북에서 나오는 소리를 듣게 한다.
안내된 연습	• (㉣)
독립적 연습	• 학생 스스로 오디오북에서 나온 단어나 문장을 자연스럽게 읽게 한다.
마무리	• 학습 내용을 요약, 검토하고 이를 이전에 학습한 내용과 통합하여 수업을 마무리한다.

〈작성 방법〉

- (가)의 밑줄 친 ㉠에 해당하는 용어를 쓸 것
- (나)의 괄호 안의 ㉡에 해당하는 읽기 지도 전략의 명칭을 쓸 것
- (나)의 ㉢에 해당하는 명칭을 쓰고, 괄호 안의 ㉣에 해당하는 교사의 활동을 1가지 서술할 것

69 2021 중등B-2

다음은 학습장애 학생의 진단·평가에 대해 김 교사와 교육 실습생이 나눈 대화의 일부이다. 밑줄 친 ㉠~㉦ 중 틀린 곳 2가지를 찾아 바르게 고쳐 쓰시오.

김 교 사: 선생님, 학습장애 진단·평가 모델에 대해 이야기해 볼까요?

교육 실습생: ㉠ 불일치 모델은 학기 초에 모든 학생들을 대상으로 성취도를 평가하고, 효과가 검증된 교수법을 적용한 뒤 학생의 성취 정도에 진전을 보이지 않거나, 또래들에 비해 성취 정도가 심각하게 낮게 나타나는 경우를 학습장애로 규정하는 것으로 기억하지만 확실하진 않아요.

김 교 사: 그렇군요. 학습장애를 진단하기 위해서는 어떤 표준화 검사 도구를 사용해야 하나요?

교육 실습생: 「장애인 등에 대한 특수교육법 시행규칙」 제2조에서는 학습장애 학생의 선별검사나 진단·평가를 할 때 ㉡ 지능검사, ㉢ 적응행동검사, ㉣ 학습준비도검사, ㉤ 시지각발달검사, ㉥ 지각운동발달검사, ㉦ 시각운동 통합발달검사를 실시하도록 규정되어 있었던 것 같아요.

70 2021 중등B-5

(가)는 ○○중학교 특수학급에 재학 중인 학습장애 학생을 위한 수학과 수업 계획이다. 〈작성 방법〉에 따라 서술하시오.

(가) 수업 계획

- 학습 주제: 문장제 문제의 식과 답 구하기

• 문장제 문제
현수는 사탕 주머니 4개를 가지고 있습니다.
주머니에는 사탕이 3개씩 들어 있습니다.
현수가 갖고 있는 사탕은 모두 몇 개입니까? ㉠

- 활동 1: 구체물을 이용하여 나눠 담고 계산하기
- 활동 2: 반구체물을 이용하여 계산하기
- 활동 3: ㉡ 추상적 표현을 이용하여 계산하기
- 정리 및 평가

〈작성 방법〉

- (가)의 ㉠에서 밑줄 친 요소를 활용한 수업 지도 전략을 쓰고, (가)의 ㉠과 같은 전략을 과잉 일반화하였을 경우 학생이 범할 수 있는 수학적 오류를 1가지 서술할 것
- (가)의 밑줄 친 ㉡에 해당하는 활동의 예를 1가지 쓸 것[단, (가)의 ㉠에 근거할 것]

71 2022 유아A-7

(나)는 통합학급에서 음운인식 활동을 하는 과정의 일부이다. 물음에 답하시오.

[B]
교사: 우리가 매일 하는 인사노래에서 '짝'을 '콩'으로 바꿔서 노래를 해 봅시다.

인사하고 인사하고 짝짝짝 돌아돌아 돌아돌아 짝짝짝	➡	인사하고 인사하고 콩콩콩 돌아돌아 돌아돌아 콩콩콩

…(중략)…

[C]
교사: 선생님이 동물을 말하면 끝말을 빼고 말해 봅시다. 코알라에서 '라'를 빼면?
유아: 코알.
교사: 얼룩말에서 '말'을 빼면?
유아: 얼룩.
교사: 잘했어요. 그러면 이번에는 첫말을 빼고 말해 봅시다. 코알라에서 '코'를 빼면?
유아: 알라.
교사: 얼룩말에서 '얼'을 빼면?
유아: 룩말.

3) (나)의 ① [B]와 ② [C]에 해당하는 음절 수준의 음운인식 과제 유형을 각각 쓰시오.

①:

②:

72

2022 초등A-4

(가)는 학습장애 학생 은수의 특성이고, (나)는 2015 개정 국어과 교육과정 3~4학년군의 '중요한 내용을 적어요' 단원을 지도하기 위한 교수 · 학습 과정안의 일부이다. 물음에 답하시오.

(가) 은수의 특성

- 시력은 이상 없음
- 듣기 및 말하기에 어려움이 없음
- /북/에서 /ㅂ/를 /ㄱ/로 바꾸어 말하면 /국/이 되는 것을 알지 못함
- /장구/를 /가구/로 읽고 의미를 이해하는 데 어려움이 있음

(나) 교수 · 학습 과정안

성취 기준	[4국어02-02] 글의 유형을 고려하여 대강의 내용을 간추린다.	
학습 목표	글을 읽고 내용을 간추릴 수 있다.	
단계	교수 · 학습 활동	유의점
도입	• 동기 유발 및 전시 학습 상기 • 학습 목표 확인하기	
전개	• 글을 읽기 전에 미리 보기 – ㉠ 글의 제목을 보고 읽을 글에 대한 내용을 생각해 보기 … (중략) … • 글을 읽고 중심 내용 파악하기 [A] 악기는 타악기, 현악기, 관악기로 나눌 수 있어요. 타악기는 두드리거나 때려서 소리를 내는 악기로 타악기에는 장구나 큰북 등이 있으며, 현악기에는 가야금이나 바이올린 등이 있어요. 그리고 관악기는 입으로 불어서 소리를 내는 악기로 관악기에는 단소나 트럼펫 등이 있어요. • 글의 구조에 대해 알기 – 그래픽 조직자 제시하기 [B] 주제: 악기 / 타악기, 현악기, 관악기 / 세부사항: 장구, 큰북, 가야금, 바이올린, 단소, 트럼펫 … (중략) …	㉡ 은수에게 컴퓨터를 활용한 대체출력 보조공학 지원하기
정리	• 읽기 이해 질문 만들기 – ㉢ 문자적(사실적) 이해 질문 만들기 • 요약하기	

1) ① (가)를 고려하여 은수에게 해당하는 읽기 학습장애의 하위 유형을 쓰고, ② (나)의 ㉠ 읽기 전략의 명칭을 쓰시오.

①:

②:

3) ① [A]에 제시된 타악기에 대한 내용에 근거하여 (나)의 ㉢에 해당하는 질문을 쓰고, ② [B]에 해당하는 설명글의 구조를 쓰시오.

①:

②:

73 2022 중등A-6

(가)는 학습장애 학생 B를 위해 특수 교사와 일반 교사가 작성한 쓰기 과정 접근법 지도 단계이고, (나)는 학생 B가 작성한 작문 노트의 일부이다. 〈작성 방법〉에 따라 서술하시오.

(가) 지도 단계

단계	활동
계획하기	• 글쓰기 주제, 목적, 독자 선택하기 • 쓰기를 위한 아이디어 생성하고 조직하기
↓ 초안쓰기	• 글을 생성하고 구성하는 데 초점 맞추기 • 글의 내용에 집중하여 빠른 속도로 초고 작성하기
↓ (㉠)	• 초고를 읽으면서 ㉡ 글의 내용에 중점을 두어 다듬기 • 서로의 글을 비판적 시각으로 읽고 피드백하기
↓ 편집하기	• (㉢)
↓ 독자와의 공유	• 쓰기 결과를 친구들과 공유하기

(나) 작문 노트

일주일에 3일을 실 수 있다면 월오일에 시면 좋겠다.
㉣ 왜냐하면 토오일, 일오일을 시고 오면 피곤하다. 그래서 월오일에 시는 것이 좋을 것 같고, 화오일도 피곤하겠지만 화오일은 체육이 있어서 시는 것보다 학교에 오고 싶을 것 같다.

〈 작성 방법 〉

- (가)의 괄호 안 ㉠에 해당하는 단계의 명칭을 쓸 것
- (가)의 괄호 안 ㉢에 해당하는 중심 활동을 밑줄 친 ㉡과 비교하여 1가지 서술할 것
- (나)에 나타난 철자 오류 유형을 쓰고, 밑줄 친 ㉣의 쓰기 유창성 값을 음절 단위로 산출하여 쓸 것

74 2022 중등B-1

(가)는 학교 적응 문제를 가진 학습장애 학생 A를 위한 평가 계획의 일부이고, (나)는 학생 A를 위한 사회적 기술 훈련 프로그램 중 하나인 SLAM 전략의 단계별 활동이다. 〈작성 방법〉에 따라 쓰시오.

(가) 평가 계획

- 학생 A의 반 친구 모두에게 함께 공부하고 싶은 친구, 짝을 하고 싶은 친구, 학교 밖에서 만나서 놀고 싶은 친구, 함께 하고 싶지 않은 친구 목록을 제출하도록 함 [A]
- 평가 결과에 따라 면담 학생 목록을 작성하여, 학생 A와 목록에 있는 학생을 대상으로 면담을 실시하도록 함

(나) SLAM 전략의 단계별 활동

㉠ 상대방의 말이 무엇을 의미하는지, 왜 부정적인 말을 하는지 질문하기
㉡ 지금 하고 있는 일을 멈추고, 심호흡하기
㉢ 상대방의 눈을 쳐다보고 외면하지 않기
㉣ 상대방에게 적절하게 반응하기

〈 작성 방법 〉

- (가)의 [A]에 해당하는 사회성 측정 기법의 명칭을 쓸 것
- (나)의 ㉠~㉣을 SLAM 전략 단계에 맞게 기호를 순서대로 쓸 것

75

2022 중등B-4

다음은 학습장애 학생 C를 위해 일반 교사와 특수 교사가 협의하여 작성한 학습전략의 일부이다. 〈작성 방법〉에 따라 서술하시오.

그래픽 조직자 활용하기	□ (㉠) 개발 시 중점 사항 • 이전 차시와 본 수업 내용 간의 연결에 초점을 둠 • 본 수업의 핵심 개념, 글의 조직 및 구조를 소개함 • 수업 초반부에 제시하여 이미 학습한 개념과 새로운 개념 간의 관련성을 제시함 • 그래픽(도해) 조직자, 개념 지도 등을 활용하여 학습의 전이를 촉진함
기억전략 적용하기	□ 기억전략 활용의 예 기억술: (㉡) 예: • 열대 우림 기후, 사바나 기후, 열대 계절풍 기후 → 우(우림)리 사(사바나)랑하게(계절풍) 해 주세요!
인지전략 교수하기	□ 인지전략 (㉢): • 정보를 단순히 반복하여 되뇌는 인지적 조작 활동으로 과제를 단순 암기하는 데 효과적인 학습전략 • 예: 열대기후의 핵심 개념에 줄을 긋거나 강조하면서 반복하며 읽기 조직화: • (㉣) • 학습내용: ㉤ 스콜, 고상 가옥, 플랜테이션, 사막, 오아시스, 관개농업

〈 작성 방법 〉

- 괄호 안의 ㉠, ㉡에 해당하는 전략의 명칭을 기호와 함께 각각 쓸 것
- 괄호 안의 ㉢에 해당하는 전략의 명칭을 쓸 것
- 밑줄 친 ㉤을 활용하여 괄호 안의 ㉣에 해당하는 예를 1가지 서술할 것

76

2023 초등A-6

(가)는 도덕과 수업 후 특수교사가 작성한 수업 성찰일지이고, (나)는 학습장애 학생 수아의 활동지 분석 결과 및 중재 적용 방안이다. 물음에 답하시오.

(가) 수업 성찰일기

- 단원: 5. 함께 지키는 행복한 세상
- 제재: 4. 함께 지키는 아름다운 마음을 길러요. (4/4 차시)
- 학습 목표: 공익을 위한 일을 실천하기 위해 생활 속에서 꾸준히 노력하는 마음을 기른다.
- 주요 수업 내용:
  - 공익을 실천하기 위한 마음가짐을 알기
  - 나의 공익 실천을 위한 글쓰기
- ㉠ 수업 모형

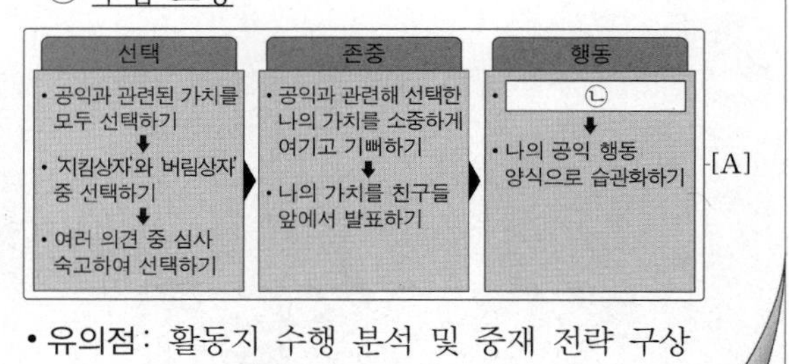

- 유의점: 활동지 수행 분석 및 중재 전략 구상

(나) 수아의 활동지 분석 결과 및 중재 적용 방안

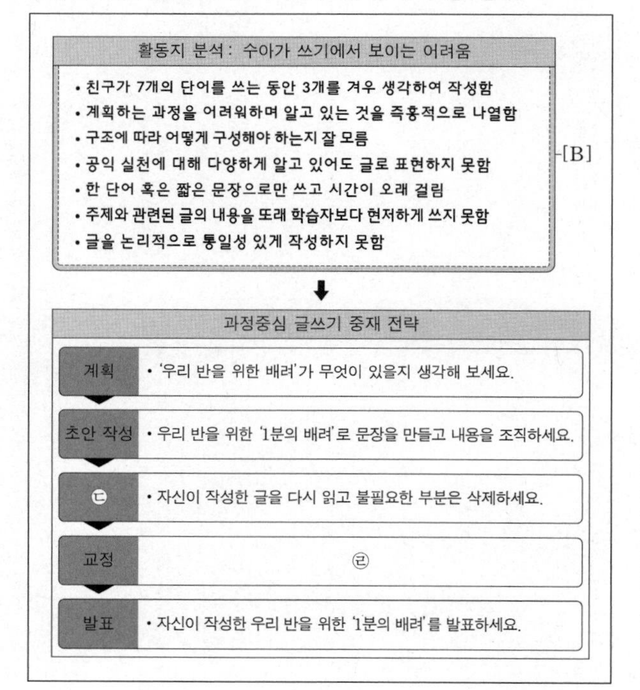

2) (나)의 [B]에서 수아가 나타내고 있는 쓰기 학습장애의 하위 유형이 무엇인지 쓰시오.

3) ① (나)의 ㉢에 해당하는 단계명을 쓰고, ② ㉣에 해당하는 전략을 1가지 쓰시오.

①:

②:

77 2023 중등A-4

(가)는 특수 교사 A가 사칙 연산 지도를 위해 메모한 내용의 일부이고, (나)는 DRAW 전략의 단계와 활동 내용이다. (가)의 괄호 안의 ㉠에 해당하는 용어와 (나)의 괄호 안의 ㉡에 해당하는 단계를 순서대로 쓰시오.

(가) 사칙 연산 지도를 위한 메모

연산	예시
덧셈(+)	• 합병 – 빨간 구슬 5개와 흰 구슬 2개를 합하면 얼마인가? • 첨가 – 꽃병에 꽃이 5송이 있다. 2송이를 더 꽂으면 모두 몇 송이인가?
나눗셈(÷)	• 포함제 – 사과 15개를 한 사람에게 3개씩 나누어 주면 몇 사람에게 줄 수 있는가? – 사탕 8개를 한 번에 2개씩 먹으려고 한다. 몇 번 먹을 수 있는가? • (㉠) – 사과 15개를 3명에게 똑같이 나누어 줄 때 한 사람이 몇 개를 가지게 되는가? – 풍선 6개를 2명이 똑같이 나누어 가지면 한 사람이 몇 개를 가지게 되는가?

(나) DRAW 전략의 단계와 활동 내용

(예시 문제) 17 × 4 = ☐

단계	활동 내용
계산 기호 확인	학생은 곱하기(×) 기호를 보고 제시된 문제가 곱셈 계산식임을 확인한다.
(㉡)	… (중략) …
문제 풀기	계산식을 통해 답을 구하거나 그림을 활용해 답을 구한다.
최종 답 쓰기	☐ 칸에 자신이 구한 답을 옮겨 적는다.

78 2023 중등B-3

(가)는 상보적 교수를 활용한 지도 계획의 일부이고, (나)는 그래픽 조직자 전략 습득을 위한 전략중재모형(Strategy Intervention Model) 적용 계획의 일부이다. 〈작성 방법〉에 따라 서술하시오.

(가) 상보적 교수를 활용한 지도 계획

• 단원: (1) 갈등하는 삶 • 제재: 자전거 도둑

전략	내용
예측하기	1. 나는 자전거를 훔친 도둑이 벌을 받게 되는 이야기를 읽게 될 것이라 생각한다. … (중략) …
질문 만들기	1. 주인공은 누구인가? 수남이 2. 주인공은 무슨 일을 하는가? 전기용품을 판매함 … (중략) …
(㉠)	• 어려운 단어 확인 및 점검 – 도매상, 조건 반사, 황공하다. • 이해가 되지 않는 내용(문장) – 고개를 움츠려 알밤을 피하는 시늉부터 한다. ※ 해결 방안: 다시 읽기, 어려운 단어가 포함된 문장의 앞·뒤 문장 읽기, 사전 찾기, 선생님과 이야기하여 내용을 이해하고 다음 문단으로 넘어가기 … (중략) …
요약하기	전기용품점에서 일하는 열여섯 살 수남이는 목소리가 굵어 전화 받을 때 주인으로 오해받는 일이 많다. … (중략) …

※ 상보적 교수 활용 시 유의사항

• ⓐ 교사와 학생은 비구조화된 대화를 통해 읽기 이해 능력을 향상시키도록 한다.
• ⓑ 사용되는 4가지 전략은 문단이나 단락별로 순환적으로 사용될 수 있다.
• ⓒ 예측하기 전략의 경우, 글을 읽는 중간에 지금까지 읽은 내용을 바탕으로 앞으로 이어질 내용을 예측하게 한다.
• ⓓ 질문 만들기 전략에 사용되는 질문은 핵심어(키워드)를 활용하여 만들 수 있으며, 글의 갈래에 따라 핵심어(키워드)는 달라질 수 있다.

(나) 그래픽 조직자 전략 습득을 위한 전략중재모형

단계		지도 내용
단계 1	사전 검사 및 이행에 대한 약속	• 그래픽 조직자 전략 이해 정도 확인 • 그래픽 조직자 전략 학습 약속
단계 2	설명하기	• 그래픽 조직자 전략의 종류와 목적 설명
단계 3	시범, 모델링	• 그래픽 조직자 전략 적용 과정 시범 및 언어적 시연
단계 7	사후 검사 및 전략 사용 약속	• 그래픽 조직자 전략 내용 이해와 적용 과정 평가 • 지속적인 전략 사용에 대한 약속
단계 8	(㉡)	• (㉢)

〈작성 방법〉

• (가)의 괄호 안의 ㉠에 해당하는 전략의 명칭을 쓸 것
• (가)의 ⓐ~ⓓ 중 틀린 것 1가지를 찾아 기호를 쓰고, 바르게 고쳐 쓸 것
• (나)의 괄호 안의 ㉡에 해당하는 단계의 명칭을 쓰고, 괄호 안의 ㉢에 해당하는 내용을 서술할 것

79 2024 초등A-4

(가)는 지적장애 학생 수아에 대해 담임 교사와 수석 교사가 나눈 대화의 일부이다. 물음에 답하시오.

(가)

담임 교사: 이번 국어 수업의 목표는 '탈것의 이름 읽기'입니다.

[낱말 카드의 예시] 버스 / 자전거 / 지하철

수아에게 이러한 ㉠ 낱말을 여러 번 보여주면서 자동적인 낱말 읽기를 지도하려고 해요. 예를 들어, ㉡ '지하철' 낱말을 보았을 때 'ㅈ', 'ㅣ', 'ㅎ', 'ㅏ', 'ㅊ', 'ㅓ', 'ㄹ'로 분절하기보다 눈에 익어서 보자마자 빠르게 읽는 것이지요.

수석 교사: 이 낱말이 수아에게 어떤 도움이 될까요?

담임 교사: 수아가 성인이 되었을 때 스스로 대중교통을 이용하려면 이 낱말을 배우는 것이 꼭 필요해요. 수아가 지역사회 내에서 가능한 독립적으로 적응하기 위해 필요한 것을 지도해야 한다고 생각해요. [A]

1) (가)의 ㉠과 ㉡에 공통으로 해당하는 용어를 쓰시오.

80 2024 초등B-2

(가)는 학습장애 학생 성호의 개별화교육계획 수립을 위한 사전 협의 내용의 일부이고, (나)는 성호의 수행 포트폴리오의 일부이다. 물음에 답하시오.

(가)

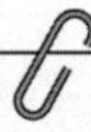

○ 일시 : 2023년 ○월 ○일 ○요일 ○○시 ~ ○○시
○ 장소 : ○○초등학교 특수학급 교실
○ 참석자 : 통합학급 담임 교사, 특수교사 등

〈현재 학습수행수준〉

- 국어
  - ㉠ <u>글에서 단어를 읽을 수는 있으나 또래에 비해 빈번하게 띄어 읽어서 뜻이 잘 드러나도록 자연스럽게 읽지 못함</u>
- 수학
  - 두 자리 수 범위의 덧셈 연산에서 오류가 많고 문장제 문제 해결에 어려움을 보임

〈목표 설정을 위한 내용〉

- 국어
  - ㉡ <u>동일한 글을 자연스럽고 능숙하게 읽을 때까지 소리 내어 수차례 읽는 연습을 하여 (ⓐ)을/를 향상하도록 함</u>
- 수학
  - 두 자리 수 덧셈의 연산 오류를 줄이도록 함
  - 문장제 문제를 해결할 수 있도록 함

(나)

- 국어과 띄어 읽기 결과

부모님∨과∨함께∨동네∨뒷∨산에∨갔어요.⩔숲∨속∨아름∨드리∨나무에∨사슴∨벌레∨한∨마리가∨있어요.⩔생김새∨는∨단단한∨껍데기∨로∨덮인∨등과∨뿔∨처럼∨생긴∨큰∨턱이∨있어요. [A]

- 수학과 문장제 문제 및 풀이 결과

〈문제 1〉
㉢ <u>동물원에 조랑말 17마리, 얼룩말 8마리가 있습니다. 말은 모두 몇 마리 있을까요?</u>

조랑말	얼룩말	→	전체
17	8		?

[B]

… (중략) …

<문제 1> 풀이	<문제 2> 풀이
$\begin{array}{r} 17 \\ +\ 8 \\ \hline 15 \end{array}$	$\begin{array}{r} 28 \\ +\ 25 \\ \hline 43 \end{array}$

[C]

1) ① (가)의 ㉠과 (나)의 [A]를 참고하여 (가)의 ⓐ에 들어갈 읽기 교수 영역을 쓰고, ② ㉡에 해당하는 읽기 지도 방법을 쓰시오.

①:

②:

2) ① (나)의 [B]에 해당하는 문장제 문제 해결을 위한 전략의 명칭을 쓰고, ② ㉢을 변화형 뺄셈 문장제 문제로 만들어 쓰시오.

①:

②:

3) (나)의 [C]에 공통으로 나타난 덧셈 오류를 지도할 때, 수 모형을 이용한 지도 방안을 〈문제 1〉 풀이와 관련지어 1가지 쓰시오.

81
2024 중등A-9

(가)는 학습장애 학생 A의 특성이고, (나)는 읽기 자료, (다)는 (나)를 활용한 국어 수업 계획이다. 〈작성 방법〉에 따라 서술하시오.

(가) 학생 A의 특성

- 글을 읽을 때 음운상의 오류를 보이지 않음
- 글을 빠르게 막힘이 없이 읽을 수 있음
- 읽은 내용을 이해하는 데 어려움이 있음

(나) 읽기 자료

〈고체와 액체〉

우리 주위에는 매우 다양한 물질이 있다. 그중 고체와 액체에 대해 살펴보자. 돌과 나무는 고체이고, 물과 주스는 액체이다. 돌이나 나무 같은 고체는 모양이나 부피가 쉽게 바뀌지 않는다.
이에 반해 물이나 주스 같은 액체는 담는 그릇에 따라 모양이 변하지만 부피는 일정하다. 그래서 물이나 주스를 한가운데가 뚫려 있는 그릇에 통과시키면 모양은 잠깐 바뀌지만 부피는 변하지 않는다.

(다) 국어 수업 계획

〈읽기 이해 지도 계획〉

1) 글의 구조 파악하기
   – (㉠)형 구조
2) 글을 읽고 그래픽 조직자로 표현하기
   – (㉡) 활용하기

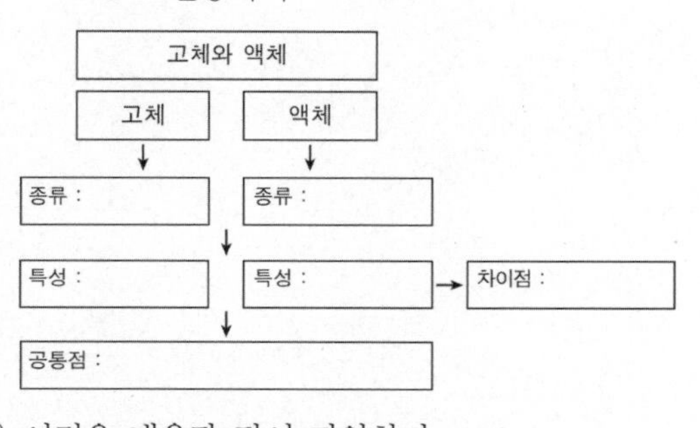

3) 어려운 내용과 단어 파악하기
   – 문맥 분석 전략 활용하기
     학생 A에게 모르는 어휘가 포함된 문장을 읽게 하거나, 앞뒤 문장을 읽으면서 어휘의 뜻을 유추하는 전략 지도하기
   – 단어 형태 분석 전략 활용하기
     ㉢ '한가운데'라는 단어 설명하기
4) 글의 내용 파악하기
   – ㉣ (읽기 전) 이미 알고 있었던 내용, 더 알고 싶은 내용 확인하기, (읽기 후) 오늘 알게 된 내용 기록하기

〈작성 방법〉

- (다)의 괄호 안의 ㉠에 해당하는 (나) 글의 구조의 명칭을 글의 주된 내용 전개 방법에 근거하여 쓸 것
- (다)의 괄호 안의 ㉡에 해당하는 그래픽 조직자의 유형을 쓸 것
- 단어 형태 분석 전략으로 (다)의 밑줄 친 ㉢을 지도하는 교사의 발화를 1가지 서술할 것
- (다)의 밑줄 친 ㉣에 해당하는 전략을 쓸 것

82 2024 중등B-2

다음은 ○○중학교 특수학급의 교육 실습생과 특수 교사의 대화 중 일부이다. 괄호 안의 ㉠에 해당하는 인지 특성을 쓰고, 밑줄 친 ㉢의 내용을 참고하여 학생 B에게 적용한 밑줄 친 ㉡에 해당하는 전략을 쓰시오.

교육 실습생: 선생님, 학생 A는 $\frac{1}{3}$, $\frac{1}{6}$과 같이 분수 쓰는 것을 어려워합니다. 왜 그런가요?
특수 교사: 학생 A는 도형의 이동에 대해서 배우면서 도형을 상하좌우로 옮기기를 어려워했고, 시험에서 숫자 3을 반전해서 쓰기도 했어요.
교육 실습생: 그런 특성이 있군요. 이유가 무엇인가요?
특수 교사: 학생 A는 (㉠) 능력이 낮아요. 그래서 분수를 쓸 때 분모와 분자를 바꿔서 쓰기도 해요.

교육 실습생: 선생님, 학생 B는 분수의 덧셈을 어려워합니다. 어떻게 지도하면 될까요?
특수 교사: 분수 덧셈 문제를 해결하기 위해 여러 단계를 거치는 동안 학생 B가 스스로 문제 해결 과정을 점검해 보도록 하고 있어요. 제가 적용했던 전략 노트를 보여 드릴게요. 처음에는 ㉡ <u>문제를 해결하는 사고 과정을 큰 소리로 학생 B에게 보여주고 학생 B가 이를 관찰</u>하도록 했어요.

㉢ <u><교사 전략 노트>의 일부</u>

교사 활동	학생 활동
(큰 소리로) $\frac{1}{7}$ 더하기 $\frac{4}{7}$, 분수 문제구나.	(교사의 행동을 관찰한다.)
(큰 소리로) 분모와 분자를 확인하자! $\frac{1}{7}$은 7이 분모이고, 1은 분자구나. $\frac{4}{7}$은 7이 분모이고, 4은 분자구나.	(교사의 행동을 관찰한다.)
(큰 소리로) 두 분수의 분모가 같구나.	(교사의 행동을 관찰한다.)
(큰 소리로) 분모가 같으면 분자끼리 더하기가 가능해. 분자인 1과 4를 더하면 되겠구나. 그러면 $\frac{5}{7}$가 되겠구나.	(교사의 행동을 관찰한다.)

83 2025 초등A-4

(가)는 특수학급 김 교사가 작성한 학습장애 학생 3학년 창수의 읽기 지도를 위한 사전 평가 결과의 일부이고, (나)는 2022 개정 국어과 교육과정 1~2학년군 '7. 무엇이 중요할까요' 단원에 대한 학습장애 학생 5학년 수미의 읽기 수업 장면의 일부이다. 물음에 답하시오.

(가)

- 창수의 특성
  - 글자를 소리 내어 읽지 못함
  - 낱자와 소리를 연결하지 못함
  - 2음절 단어를 교사를 따라 소리 내어 읽을 수 있음
  - 자기가 좋아하는 캐릭터 이름을 여러 단어들 중에서 찾을 수 있음
- 사전 평가 실시

과제	1차	2차	3차	
/도/, /레/, /미/, /파/ 중에서 /ㄷ/로 시작하는 소리를 찾을 수 있는가?	○	○	○	[A]
/사자/, /바다/, /사람/ 중에서 /ㅅ/로 시작하는 소리를 찾을 수 있는가?	○	○	○	[A]
…				
의미 단어: '바다', '사자'를 보고 읽을 수 있는가?	×	×	×	
㉠ <u>무의미 단어: '더수', '자그'를 보고 읽을 수 있는가?</u>	×	×	×	

(나)

김 교사: 우리나라에는 섬이 많죠?
수 미: 섬? 섬이 뭐예요?
김 교사: 섬은 주위가 바다로 완전히 둘러싸인 땅이에요.
이제, 선생님과 함께 개념 지도를 그려 가면서 섬의 의미를 알아볼까요?

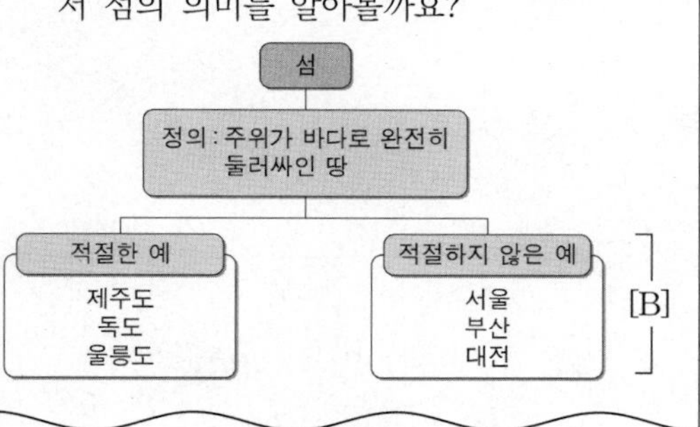

김 교사: 선생님을 따라 읽어 봅시다.

> **독도**
>
> 독도는 우리나라 동쪽 끝에 위치한 섬입니다. 독도는 큰 섬 두 개와 작은 바위섬 89개로 이루어져 있습니다. 큰 섬 두 개를 각각 동도와 서도라고 부릅니다.
>
> – 교육부, 「초등학교 1~2학년군 국어 1-2 나」

수 미: (선생님을 따라 읽는다.)
김 교사: 이번에는 수미가 한번 혼자 읽어 볼까요?
수 미: (띄엄띄엄 읽는다.)

… (중략) …

김 교사: 참 잘 읽었어요. 그러면 이번에는 수미가 ㉡ <u>얼마나 빠르고 정확하게 읽을 수 있는지 알아볼까요?</u>

… (중략) …

김 교사: 이번에는 글을 잘 이해했는지 선생님과 알아봐요.
수 미: 네, 선생님.
김 교사: 선생님이 다시 한번 읽어 줄게요. 잘 들어 보세요.
㉢ <u>독도는 우리나라 동쪽 끝에 위치한 섬입니다.</u> 독도는 큰 섬 두 개와 작은 바위섬 89개로 이루어져 있습니다. 큰 섬 두 개를 각각 동도와 서도라고 부릅니다.

… (하략) …

1) (가)의 ① [A]에서 확인하고자 하는 음운 인식의 하위 기술을 쓰고, ② 밑줄 친 ㉠의 검사 목적을 창수의 특성과 관련하여 1가지 쓰시오.

①:

②:

2) (나)의 ① [B]에 해당하는 '섬'의 어휘 지식 수준을 쓰고, ② 밑줄 친 ㉡에서 평가하고자 하는 읽기 능력을 쓰시오.

①:

②:

3) (나)의 밑줄 친 ㉢에 대한 사실적 질문을 쓰시오.

84

2025 초등B-2

다음은 일반 교사와 특수 교사가 초등학교 4학년 학생 지우에 대해 나눈 대화의 일부이다. 물음에 답하시오.

일반 교사: 선생님, 지난 주에 지우 어머니께서 학습장애 진단에 대해 문의하셨습니다. 학습장애 진단은 어떻게 하나요?

특수 교사: 학습장애 진단에는 다양한 모형이 사용됩니다. 대표적으로는 능력과 학업성취의 차이에 기초한 (㉠)과/와 중재에 대한 학생 반응 정도에 기초한 중재반응 모형이 있습니다.

일반 교사: 중재반응 모형에서는 진단이 어떻게 이루어지나요?

특수 교사: 우선 지적기능상의 어려움이 없어야 합니다. [그리고 정해진 기간 동안 효과적인 지도에도 불구하고 성취도가 기대되는 수준만큼 향상되지 않으면 학습장애 판별을 의뢰합니다.] [A] 물론 이 과정에서 다른 장애나 ㉡ <u>환경적 요인의 영향</u>도 고려해야 하고 필요한 추가 검사들도 실시합니다.

일반 교사: 아, 그렇군요. 며칠 전 기초학력 지도 시간에 지우랑 수학 문제를 풀어 봤는데 2학년 수준의 뺄셈도 어려워했어요. 이게 지우가 푼 학습지입니다. 함께 봐 주시겠어요?

<뺄셈 연산 학습지 중 일부>

○ 계산해 봅시다.

$$\begin{array}{r} 56 \\ -\ 25 \\ \hline 31 \end{array} \qquad \begin{array}{r} 72 \\ -\ 33 \\ \hline 41 \end{array}$$

$$\begin{array}{r} 65 \\ -\ 57 \\ \hline 12 \end{array} \qquad \begin{array}{r} 31 \\ -\ 18 \\ \hline 27 \end{array}$$

특수 교사: 학습지를 살펴보니까 뺄셈 연산에서 (㉢) 오류가 나타나요. 우선, 이 부분에 중점을 두고 지도하면 좋겠어요.

1) ① ㉠에 들어갈 학습장애 진단 모형의 명칭과 ② [A]의 장점을 중재 제공 시점과 관련지어 1가지 쓰고, ③ 밑줄 친 ㉡이 필요한 이유를 「장애인 등에 대한 특수교육법 시행령」(대통령령 제33406호, 2023. 4. 18. 일부개정)의 학습장애 정의에 근거하여 1가지 쓰시오.

①:

②:

③:

2) ① ㉢에 들어갈 뺄셈 오류의 유형을 쓰고, ② ㉢을 반영한 학습목표를 메이거(R. Mager)의 행동적 목표로 쓰시오. (단, 숙달 수준을 80% 이상의 정확도로 할 것)

①:

②:

85 2025 중등A-9

(가)는 ○○ 중학교 학습장애 학생 D에 대해 특수 교사와 교육 실습생이 나눈 대화이고, (나)는 특수 교사가 학생 D를 위해 작성한 지도 계획이다. 〈작성 방법〉에 따라 서술하시오.

(가) 특수 교사와 교육 실습생의 대화

특 수 교 사: 학생 D의 쓰기 지도를 위해서는 먼저 오류를 분석해 봐야 해요.

교육 실습생: 네. 학생 D의 비형식적 쓰기 검사에서 틀린 단어를 목록으로 정리해 봤어요.

연번	오류단어	정답	연번	오류단어	정답
1	저략	절약	8	부냐	분야
2	조아하다	좋아하다	9	추카	축하
3	구지	굳이	10	저캅	적합
4	나이주셔서	낳아주셔서	11	구치다	굳히다
	… (하략) …			… (하략) …	

소리 나는 대로 적으면 안 되는 단어를 정확하게 쓰지 못하는 표기 처리 오류가 나타나는 것 같아요. 구체적으로 보면, ㉠ <u>경음화 규칙이 적용되는 단어 '절약'과 '분야'</u>, ㉡ <u>ㅎ 탈락 규칙이 적용되는 단어 '낳아'와 '좋아'</u>, 그리고 ㉢ <u>축약 규칙이 적용되는 단어 '축하'와 '적합'</u>, ㉣ <u>구개음화 규칙이 적용되는 단어 '굳이', '굳히다'</u>에서 오류가 있는 것 같아요. [A]

특 수 교 사: 네. 학생 D의 오류 유형을 고려해서 지도 방안을 수립하면 되겠네요.

… (중략) …

교육 실습생: 학생 D가 글쓰기 과제를 해야 하는데 어떻게 써야 할지 고민이라는 이야기를 들었어요. 어떻게 도움을 줄 수 있을까요?

특 수 교 사: 학생 D의 글쓰기 자료를 보면 다른 친구보다 내용과 구성이 빈약해요. 글의 유형별 구조에 따라 주요한 요소를 포함하여 글을 작성하는 방법을 명시적으로 가르치는 것이 도움이 될 수 있어요.

(나) 지도 계획

○ 학습 목표: POW+WWW What 2 How 2 전략을 사용하여 이야기 글을 작성할 수 있다.

○ 전략 소개
- POW는 쓰기 과정 단계이다.
  'P'는 (㉤) 단계
  'O'는 생각 조직하기 단계
  'W'는 생각 추가하여 쓰기 단계
- WWW What 2 How 2는 이야기의 7요소이다.

Who	When	Where
누가	언제	어디서

What1 : 인물이 하고자 하는 일이 무엇인가?

What2 : 인물에게 무슨 일이 일어났는가?

How1 : 이야기가 어떻게 끝났는가?

How2 : 인물이 어떻게 느끼는가?

○ 교수 단계

단계	활동 내용
시범	• 전략을 소개하고 전략의 목적과 이점을 제시한다. • 교사는 전략을 어떻게 사용하는지 시범을 보인다.
안내된 연습	㉥ <u>교사는 학생이 전략 사용 단계에 따라 전략을 적용하는 데 필요한 지원을 한다.</u>
독립 연습	학생은 교사의 지원 없이 전략을 독립적으로 사용한다.
정리	학습 내용을 요약하고 다음 차시 학습 내용을 안내한다.

〈 작성 방법 〉

- [A]에서 학생 D가 어려워하는 쓰기 영역이 무엇인지 명칭을 쓸 것
- (가)의 밑줄 친 ㉠~㉣ 중 <u>틀린</u> 내용을 1가지 찾아 기호를 쓰고, 바르게 고쳐 서술할 것
- (나)의 괄호 안의 ㉤에 들어갈 내용을 쓰고, 밑줄 친 ㉥에 해당하는 교사의 활동 내용을 1가지 서술할 것

86 2025 중등B-10

(가)는 과학 교과서 지문이고, (나)는 ○○ 중학교 학습장애 학생 K를 위한 수업 계획서이다. (다)는 (나)의 활동을 지도하기 위한 특수 교사와 교과 교사의 대화이다. 〈작성 방법〉에 따라 서술하시오.

(가) 과학 교과서 지문

> 지구계는 크게 기권, 수권, 지권, 생물권, 외권으로 구성되어 있다. 기권은 공기로 이루어져 있고, 수권은 바다와 육지, 대기 중의 물로 이루어져 있다. 지권은 암석과 토양, 지구 내부로 이루어져 있으며, 생물권은 지구상의 모든 생물로 이루어져 있다. 그리고 외권은 지구를 둘러싸고 있는 기권 바깥의 우주 공간이다.

(나) 수업 계획서

단원명	1. 지구계
학습목표	지구계의 구성 요소를 알고, 분류할 수 있다.
단계	**내용**
활동 1	지구계의 구성 요소 개념 알기
활동 2	지구계의 구성 요소 분류하기
활동 3	… (생략) …

(다) 특수 교사와 교과 교사의 대화

교과 교사: 학생 K가 수업 시간에 교과서 내용을 어려워하는데, 어떤 전략이 학생 K에게 효과적일까요?

특수 교사: 수업 계획서의 활동 1에서는 ㉠ 수업에서 다룰 교과서의 중심 내용과 주요 어휘 등으로 구성된 활동지를 제공하는 게 도움이 돼요. [A]

교과 교사: 수업 내용을 조직화한 수업자료를 미리 제작해서 수업 시간에 제공하면 되겠네요.

특수 교사: 활동 2에서는 그래픽 조직자를 활용할 수 있어요.

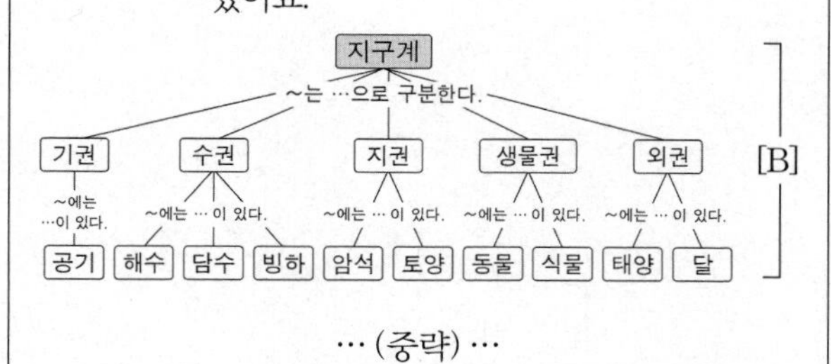

… (중략) …

특수 교사: 교과서 지문을 이해하기 위해서 문단에서 중심 내용 파악하기 전략을 적용할 수 있어요.

단계		작성 내용
1단계	(㉡)	태양계
2단계	문단에서 주요 내용 찾기	(생략)
3단계	1~2단계의 내용을 10어절 이내 문장으로 만들기	(생략)

〈 작성 방법 〉
- [A]에 근거하여 밑줄 친 ㉠의 명칭을 쓸 것
- [B]에 해당되는 그래픽 조직자의 유형을 쓰고, 장점을 1가지 서술할 것
- (다)의 괄호 안의 ㉡에 해당하는 내용을 서술할 것

MEMO

김남진

KORSET 특수교육

기출분석 ❷

K O R e a S p e c i a l E d u c a t i o n T e a c h e r

PART 06

정서·행동장애아교육

Part 06

정서 · 행동장애아교육 Mind Map

Chapter 1 정서 · 행동장애의 이해

1 정서 · 행동장애의 개념
- 장애인 등에 대한 특수교육법
- 정서 · 행동장애 정의의 다양성

2 정서 · 행동장애의 분류
- 의학적 분류
- 교육적 분류
  - 내재화 장애(요인)
  - 외현화 장애(요인)
  - 장단점
- 장애의 공존

3 정서 · 행동장애 학생의 특성
- 인지적 특성
- 학업적 특성
- 언어적 특성
- 사회적 특성
- 행동적 특성

Chapter 2 정서 · 행동장애의 원인과 진단 · 평가

1 정서 · 행동장애의 원인
- 생물학적 요인
- 환경적 요인
  - 가족 구조
  - 애착
    - 안정 애착
    - 불안정 애착
      - 회피 애착
      - 저항 애착
      - 혼란 애착
  - 아동 관리
    - 권위적 훈육
    - 권위주의적 훈육
    - 관대한 훈육
    - 무관심한 훈육
  - 아동 학대
- 학교 요인
- 문화적 요인

2 정서 · 행동장애의 진단 · 평가
- 법률적 규정 및 검사도구
  - 장애인 등에 대한 특수교육법
    - 적응행동검사
    - 성격진단검사
    - 행동발달평가
    - 학습준비도검사
  - 검사도구
- 행동장애의 체계적 선별

Chapter 3 정서 · 행동장애의 이론적 관점

❶ 신체생리적 모델
- 기본 관점
- 원인
  - 유전적 요인
  - 뇌와 신경생리학적 요인
  - 기질적 요인
    - 순한 기질
    - 까다로운 기질
    - 느린 기질(더딘 기질)
- 진단 · 평가
- 신체생리적 모델의 중재

❷ 정신역동적 모델
- 기본 관점
- 원인
  - 정신분석학적 견해
  - 인본주의 견해 : Maslow의 욕구위계 이론
- 진단 · 평가
- 정신역동적 모델의 중재

❸ 행동주의 모델
- 기본 관점
- 원인
- 진단 · 평가
- 행동주의 모델의 중재
  - 사회적 기술 훈련
  - 행동 증가 기법 및 행동 감소 기법

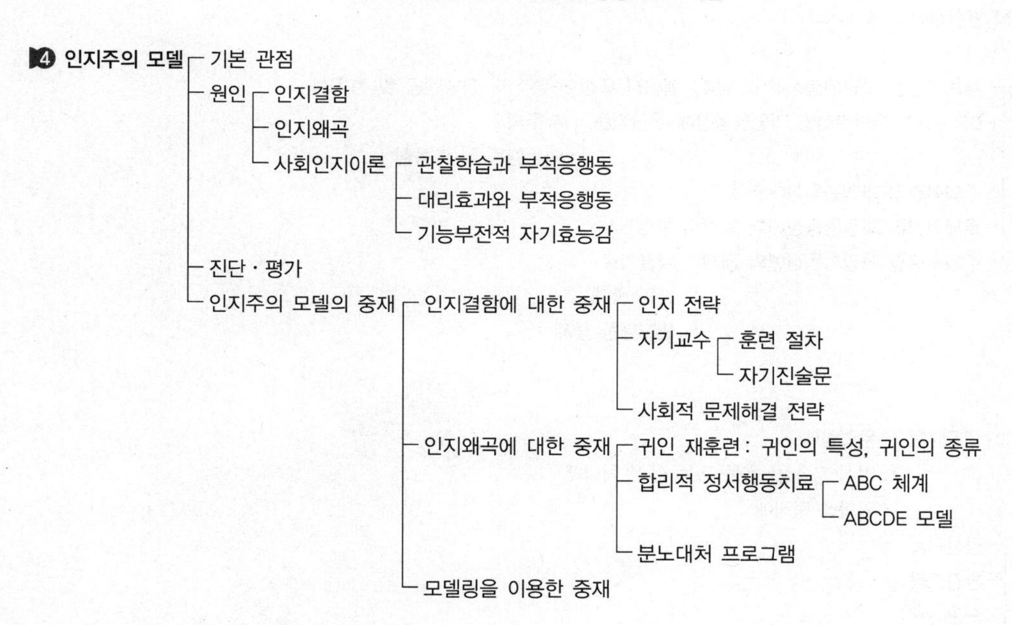

❺ 생태학적 모델
- 기본 관점 : 미시체계, 중간체계, 외체계, 거시체계, 시간체계
- 원인
- 진단 · 평가
- 생태학적 모델의 중재
  - Re-ED 프로젝트
  - 아동청소년 서비스 체계 프로그램(CASSP)
  - 랩어라운드 서비스

Chapter 4 정서 · 행동장애의 하위 유형

1 품행장애

- 품행장애의 개념: 타인의 권리 침해, 사회적 규범 위반
- DSM-5의 품행장애 진단기준
  - 사람과 동물에 대한 공격성
  - 재산/기물 파괴
  - 사기 또는 절도
  - 심각한 규칙위반
- 품행장애의 원인
- 품행장애의 중재
  - 부모 훈련
  - 기능적 가족 중재
  - 학교 중심 프로그램: 1차 예방, 2차 예방, 3차 예방
  - 지역사회 기반 프로그램
  - 다중체계 중재
  - 인지행동 중재: 문제해결 훈련, 분노조절 훈련, 자기관리 훈련, 자기교수, 대안반응 훈련, 귀인 재훈련, 합리적 정서행동치료
  - 사회적 기술 훈련

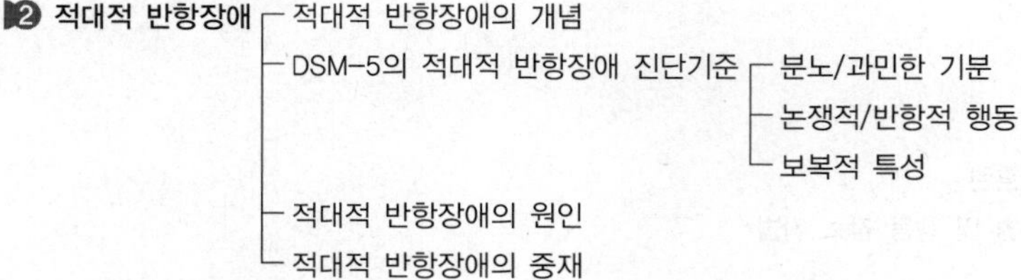

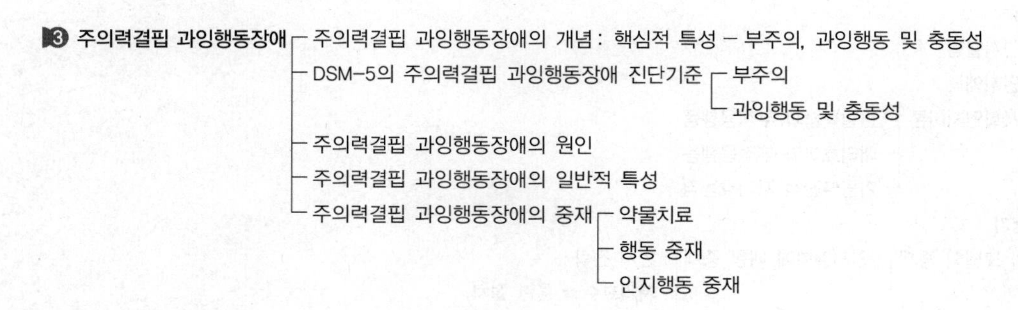

4 틱장애

- 틱장애의 개념
- DSM-5의 틱장애 진단기준
  - 뚜렛장애
  - 만성(지속성) 운동 또는 음성 틱장애
  - 일과성 틱장애
- 틱장애의 중재
  - 정신치료
  - 환경조작
  - 습관 반전
  - 상황 역실행
  - 약물치료
- 틱이 나타났을 때 지켜야 할 주의사항

❺ 우울장애
- 우울장애의 개념
- 우울장애의 하위 유형
  - 파괴적 기분조절장애
  - 주요 우울장애: 필수 증상 – 우울 기분, 흥미나 즐거움의 상실
  - 지속적 우울장애
- 우울장애의 중재

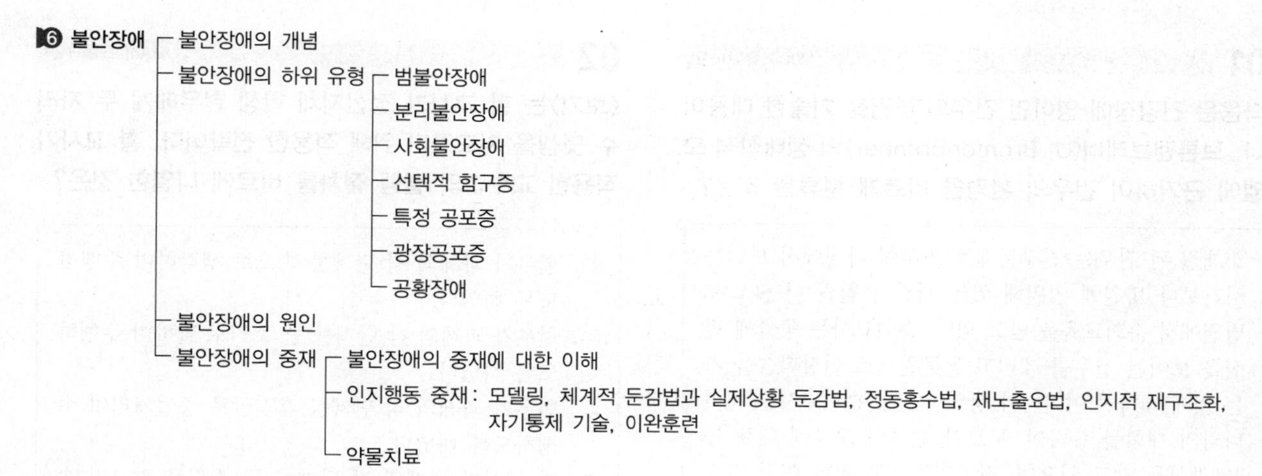

❼ 외상 및 스트레스 관련 장애
- 외상후 스트레스장애(PTSD)
- 반응성 애착장애

❽ 강박 및 관련 장애
- 강박장애
- 신체추형장애

❾ 양극성장애
- 양극성장애의 개념
- 양극성장애의 하위 유형
  - 제Ⅰ형 양극성장애
  - 제Ⅱ형 양극성장애
  - 순환성장애
- 양극성장애 진단 시 유의점
- 양극성장애의 중재

❿ 기초신체기능 관련 장애
- 급식 및 섭식장애
  - 유형
  - 중재
- 배변장애
- 수면장애

기출문제 다잡기

정답 및 해설 p.123

01 2009 유아1-14

다음은 건강장애 영아인 건우의 환경을 기술한 내용이다. 브론펜브레너(U. Bronfenbrenner)의 생태학적 모델에 근거하여 건우의 환경을 바르게 분류한 것은?

> 28개월 된 건우는 건강문제로 인하여 가정에서 보내는 시간보다 병원에 입원해 있는 시간이 훨씬 더 많으며, 병원에서 순회교육을 받고 있다. 순회교사는 동물에 관심을 보이는 건우를 데리고 동물원으로 현장학습을 가는 것에 대하여 어머니와 상의하였다. 순회교사는 어머니와의 대화를 통하여, 부모가 건우의 교육에 대해 높은 관심을 갖고 있으며, 장기입원으로 인한 여러 가지 어려움을 해결하기 위하여 종교단체의 도움을 받고 있다는 사실도 알게 되었다.

① 건우가 입원해 있는 병원은 미시체계(소구조)에 해당한다.
② 건우 부모와 순회교사의 관계는 미시체계(소구조)에 해당한다.
③ 건우 가족에게 도움을 주는 종교단체는 중간체계(중간구조)에 해당된다.
④ 건우가 현장학습을 갈 지역사회 동물원은 거시체계(대구조)에 해당된다.
⑤ 건우가 받는 순회교육의 법적 근거인 현행 장애인 등에 대한 특수교육법은 외부체계(외부구조)에 해당된다.

02 2009 초등1-29

〈보기〉는 황 교사가 정신지체 학생 현우에게 두 자리 수 덧셈을 지도하기 위해 적용한 전략이다. 황 교사가 적용한 교수법의 실행 절차를 바르게 나열한 것은?

> 〈보기〉
> ㄱ. 현우가 과제의 각 단계를 속으로 생각하며 수행하도록 하였다.
> ㄴ. 현우가 과제의 각 단계를 큰 소리로 말하며 수행하도록 하였다.
> ㄷ. 현우가 과제의 각 단계를 혼잣말로 중얼거리며 수행하도록 하였다.
> ㄹ. 황 교사가 과제의 각 단계를 큰 소리로 말하며 수행하는 시범을 보였다.
> ㅁ. 황 교사가 과제의 각 단계를 수행하면서 현우에게는 각 단계를 큰 소리로 말하도록 하였다.

① ㄱ → ㄴ → ㅁ → ㄷ → ㄹ
② ㄷ → ㄱ → ㄹ → ㅁ → ㄴ
③ ㄷ → ㄹ → ㅁ → ㄴ → ㄱ
④ ㄹ → ㄴ → ㅁ → ㄱ → ㄷ
⑤ ㄹ → ㅁ → ㄴ → ㄷ → ㄱ

03

2009 중등1-6

「장애인 등에 대한 특수교육법 시행령」에 명시된 정서 · 행동장애를 지닌 특수교육대상자 선정기준에 해당하는 것을 〈보기〉에서 고른 것은?

〈보기〉

장기간에 걸쳐 다음 각 목의 어느 하나에 해당하여, 특별한 교육적 조치가 필요한 사람

ㄱ. 또래나 교사와의 대인관계에 어려움이 있어 학습에 어려움을 겪는 사람
ㄴ. 지적 · 감각적 · 건강상의 이유로 설명할 수 없는 학습상의 어려움을 지닌 사람
ㄷ. 인지능력에 비하여 언어 수용 및 표현능력이 낮아 학습에 어려움이 있는 사람
ㄹ. 사회적 상호작용과 의사소통에 결함이 있어 학교생활 적응에 어려움이 있는 사람
ㅁ. 일반적인 상황에서 부적절한 행동이나 감정을 나타내어 학습에 어려움이 있는 사람
ㅂ. 학교나 개인 문제에 관련된 신체적인 통증이나 공포를 나타내어 학습에 어려움이 있는 사람

① ㄱ, ㄴ, ㅁ, ㅂ ② ㄱ, ㄷ, ㄹ, ㅂ
③ ㄱ, ㄹ, ㅁ, ㅂ ④ ㄴ, ㄷ, ㄹ, ㅁ
⑤ ㄷ, ㄹ, ㅁ, ㅂ

04

2009 중등1-18

A중학생이 보이는 행동 특징에 가장 적합한 장애는?

2008년 1월부터 현재까지 A는 의도적으로 부모나 교사가 화낼 일을 자주 해 왔다. 부모나 교사가 주의를 줄 때마다 그들과 말다툼을 하거나 성질을 부리면서 화를 낸다. 또한 자신이 실수를 하거나 나쁜 행동을 하고도 다른 친구 때문이라고 그 친구들을 비난하는 일이 잦다.

① 틱장애(tic disorder)
② 품행장애(conduct disorder)
③ 투렛장애(tourette disorder)
④ 반항성장애(oppositional defiant disorder)
⑤ 주의력결핍 과잉행동장애(attention deficit hyperactivity disorder)

05 2009 중등2A-2

김 교사는 중학교 2학년 통합학급을 맡고 있다. 김 교사의 학급에는 공격행동으로 따돌림을 당하고 있는 정서·행동장애 학생인 영수가 있다. 김 교사와 특수교사인 최 교사의 대화 내용에 입각하여 다음 물음에 답하시오.

> 김 교사: 영수는 친구들의 말이나 행동에 쉽게 기분이 상하여 화를 내고 욕을 하거나 친구를 때리곤 해요. 저는 그때마다 영수와 함께 상황을 이야기하고, 자신의 생각을 글로 쓰도록 합니다. 그러면 영수는 대체로 잘못을 인정하지만, 시간이 지나면 같은 행동을 반복합니다. 학급의 아이들이 점점 영수를 피하고 있어서 안타까워요.
> 최 교사: 제 생각에 영수의 공격적인 행동은 환경적인 탓인 것 같습니다. 영수 부모님은 이혼을 하였고, 어머니 대신 할머니가 주로 집안 살림을 하신대요. 그리고 아버지가 가끔 술에 취한 상태로 영수를 꾸짖으며 때리는 모양이에요. 방과 후에는 주로 오락실에서 게임을 하거나 놀이터에서 놀다가 집으로 들어간답니다.
> 김 교사: 영수가 아버지의 폭력적인 행동을 모방했을 수도 있겠네요. 무엇보다도 화가 났을 때, 영수가 자신의 감정을 조절하면서 적절하게 표현할 수 있는 방법을 배워야 할 것 같습니다.
> 최 교사: 부분적으로 동의합니다만, 아무리 개인에게 문제가 없더라도 주위 환경이 나쁘면 부정적인 영향을 받을 수밖에 없습니다. 특수학급에서는 공격적인 행동을 거의 하지 않고 친구들과도 잘 지내는 편이거든요. 통합학급의 상황을 잘 관찰할 필요가 있지 않을까요?
> 김 교사: 하지만 영수가 친구들의 행동을 이유 없이 부정적으로 해석하는 것이 더 큰 문제라고 생각합니다. 우선 화가 나면, 그 즉시 자신에게 '욕하지 말자.'라고 말하도록 하고, 상황을 객관적으로 보는 훈련을 시켜야겠어요. 그 과정에서 서서히 자신의 생각이 잘못되었다는 사실을 깨닫게 될 것입니다.

김 교사는 영수의 문제를 인지론적으로 접근하고 있다. 이러한 사실을 뒷받침하는 근거를 위 대화 내용에서 찾아 설명하고, 김 교사의 인지론적 접근을 보완하는 방법 중 하나인 생태학적 접근을 미시체계(microsystem)와 중간체계(mesosystem) 측면에서 논하시오.

06 2010 유아1-4

다음은 특수학급 강 교사가 학습장애 아동 영규와 나눈 대화이다. 영규의 말에 나타난 귀인과 그 특성이 바르게 연결된 것은?

> 강 교사: 지난 시간에 했던 단어카드 놀이 재미있었니?
> 영　규: (머뭇거린다.)
> 강 교사: 단어카드에서 나온 단어를 기억할 수 있니? 한 번 말해보렴.
> 영　규: 기억이 잘 안나요. ㉠ <u>저는 잘할 수 있는 게 전혀 없어요.</u>
> 강 교사: 그렇게 생각하니? 너도 얼마든지 잘할 수 있어.
> 영　규: 하지만, ㉡ <u>선생님은 질문을 할 때마다 제가 모르는 것만 물어보세요.</u>
> 강 교사: 영규는 선생님이 좀 쉬운 것을 물어봤으면 좋겠다고 생각하는구나.
> 영　규: 예. 그리고 ㉢ <u>저는 단어카드 놀이가 어려워서 하기 싫어요.</u>
> 강 교사: 단어카드 놀이가 어렵니?
> 영　규: 예. 그래도 ㉣ <u>공부를 잘하는 은혜에게 도움을 받으면 할 수 있을 것 같기도 해요.</u>
> 강 교사: 은혜의 도움을 받는 것도 좋지만, 네가 스스로 열심히 해야 한다고 생각하지 않니?
> 영　규: (머리를 긁적이며) 그럴 것 같아요. ㉤ <u>그럼 앞으로는 열심히 해 볼게요.</u>

구분	영규의 말	귀인	특성		
			안정성	원인의 소재	통제성
①	㉠	노력	불안정	내적	통제 불가능
②	㉡	행운	불안정	외적	통제 가능
③	㉢	과제	안정	외적	통제 불가능
④	㉣	타인	안정	외적	통제 가능
⑤	㉤	능력	불안정	내적	통제 불가능

07

2010 유아2A-1

강 교사는 민수와 함께 (가)와 같은 퍼즐 맞추기 활동을 하면서 (나)와 같은 민수의 문제점을 발견하였다. 강 교사는 민수의 문제점을 고려하여 (다)와 같은 자기 교수 프로그램을 적용하여 지도하였다.

(가) 퍼즐 맞추기 활동

- 목표: 6조각 동물그림 퍼즐을 맞출 수 있다.
- 활동: 동물그림 퍼즐 맞추기
- 준비물: 동물이 그려진 여러 종류의 동일한 조각 형태의 퍼즐 세트(1세트 6조각)
- 유의사항: 아동이 각자 선호에 따라 동물그림 퍼즐 3세트를 선택하여 활동하게 함

(나) 강 교사가 발견한 민수의 문제점

- 자신의 퍼즐을 맞추는 과정이 올바른지, 퍼즐을 잘 맞추었는지 확인하지 않는다.
- 한 종류의 동물그림 퍼즐은 맞출 수 있으나, 다른 동물그림 퍼즐을 맞추지 못한다.
- 동물 형태를 보고 퍼즐을 맞추도록 배웠으나, 퍼즐 조각의 연결부분(🀫🀫)만을 맞추려고 하여 퍼즐을 완성하지 못한다.

(다) 자기 교수 프로그램 지도 원리와 지도 활동

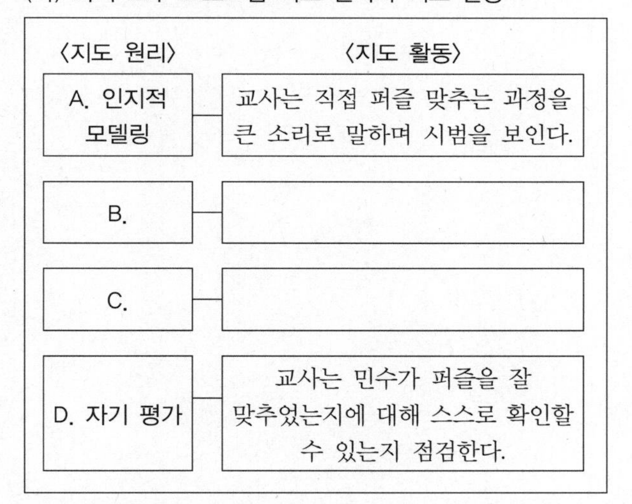

(나)에 제시된 민수의 문제점에서 1) 민수의 인지적 전략 특성 3가지를 유추해내고, 2) 강 교사가 민수의 인지적 전략 특성 문제를 해결하기 위하여 (다)와 같이 자기 교수 프로그램을 적용한 이유 3가지를 논하시오. 그리고 3) 강 교사가 적용한 자기 교수 프로그램의 B와 C에 들어갈 지도 원리와 구체적인 지도 활동 1가지를 각각 제시하시오. (500자)

08
2010 초등1-9

다음은 정신장애 진단 통계편람(DSM-IV-TR)에 따라 주의력결핍과잉행동장애 하위 유형 중 하나로 진단된 나래의 행동 관찰 기록이다. 이에 비추어 나래에게 나타나는 장애 유형의 특성과 이를 개선하기 위한 교수 전략을 가장 적절하게 짝지은 것은?

〈행동 관찰〉

- 이름 : 이나래
- 관찰자 : 교사 박민수
- 관찰 기간 : 2009년 3월 9일 ~ 10월 15일
- 관찰 내용
  - 수업시간에 이유 없이 자리를 뜬다.
  - 다른 사람의 활동을 방해하고 간섭한다.
  - 여가활동에 조용히 참여하거나 놀지 못한다.
  - 선생님의 질문이 끝나기 전에 성급하게 대답한다.
  - 점심시간에 식당에서 자기 차례를 기다리지 못한다.
  - 책상에 앉아 있을 때 손이나 발을 가만히 있지 못하고 계속 움직인다.
- 관찰자 의견 : 학교생활에서 위와 같은 행동이 자주 나타난다.

	특성	교수 전략
①	능력 결여	– 인지적 능력을 증진시키기 위하여 행동계약 전략을 사용한다.
②	동기 결여	– 주어진 과제에 집중하는 시간을 증가시키기 위하여 모델링 전략을 사용한다.
③	억제력 결여	– 행동의 지침이 될 규칙을 마음속으로 생각해보도록 자기대화 전략을 사용한다.
④	작업기억 결여	– 단기기억을 증진시키기 위하여 자기교수 전략을 사용한다.
⑤	자기조절력 결여	– 자기가 행동을 통제하도록 주기적 전략을 사용한다.

09
2010 중등1-19

정서·행동장애 학생의 문제행동에 대한 특수교사의 관점에 따른 지도 내용을 바르게 설명한 것을 〈보기〉에서 모두 고른 것은?

〈보기〉

ㄱ. 문제행동의 원인을 정신내적 과정상의 기능장애에 의한 것으로 보고, 자기점검 및 행동형성 절차를 적용하여 학생의 행동 변화를 이끌어 낸다.
ㄴ. 문제행동의 원인을 잘못된 학습에 의한 것으로 보고, 문제행동과 관련된 환경적 변인을 파악하고, 이를 조작하여 학생들의 행동 변화를 이끌어 낸다.
ㄷ. 문제행동은 개인의 기질 등에 기인하나 이러한 문제가 환경적 요인으로 발현될 수 있다고 보고, 문제행동을 직접 중재하기보다는 의사 등 관련 전문가에게 의뢰한다.
ㄹ. 문제행동이 사고, 감정, 행동 간 상호작용에 의해 발생하는 것으로 보고, 학생이 자신의 욕구와 갈등을 표현할 수 있도록 환경을 지원하여 건강한 성격 발달이 이루어지도록 한다.

① ㄱ, ㄷ　② ㄴ, ㄷ
③ ㄴ, ㄹ　④ ㄱ, ㄴ, ㄹ
⑤ ㄱ, ㄷ, ㄹ

10
2010 중등1-21

다음 사례와 같이 우울증이 있는 정서·행동장애 학생에 대한 지도방법으로 가장 거리가 먼 것은?

- **대상**: 중학교 2학년 특수교육대상자
- **관찰 및 상담 내용**: 일반교사에 의하면, 학생은 평소 우유부단함을 보이고 꾸중을 듣거나 일이 자기 뜻대로 되지 않으면 잘 울며, 자주 죽고 싶다고 말하기도 한다. 친구들과 함께 있을 때에도 대부분 혼자서 무관심하게 시간을 보내고, 수업 시간에 과제를 완수하지 못하거나 종종 실패하기도 한다. 1학기에 실시한 중간고사와 기말고사에서 성적이 부진했다. 부모에 의하면, 밤에 쉽게 잠들지 못하고 만성적 피로감을 호소한다고 한다. 학생의 성격검사 결과, 자신에 대해 지나친 죄책감을 지니고 있는 것으로 나타났으며, 현재 의사의 처방에 따라 약물 치료를 받고 있다.

① 이완훈련으로 충동 조절을 할 수 있도록 지도한다.
② 멘토를 지정해 사회적 관계를 확대하고 교우관계의 범위를 넓혀가도록 지도한다.
③ 부정적인 자동적 사고에 대한 신념을 논박하고 왜곡된 사고를 재구조화할 수 있도록 지도한다.
④ 일반교사, 상담교사, 부모 등과 팀을 이루어 다양한 인지적 접근방법으로 학생의 문제를 지도한다.
⑤ 정동홍수법을 사용하여 주어진 과제를 완수하게 하고 단기간에 학업 성취도를 높일 수 있도록 지도한다.

11
2011 유아1-9

다음의 영기와 인수는 공통된 장애가 있다. 정신장애 진단 및 통계 편람 제4판(DSM-IV-TR)에 제시된 이 장애의 진단준거에 해당하는 것은?

- 영기는 어느 날 집 앞에서 심한 교통사고를 당한 후, 지금까지 자동차를 보면 몹시 초조해하고 집 앞 도로를 혼자 다니지 못한다. 또한 혼자서 장난감 자동차 충돌을 재연하며 논다.
- 인수는 엄마와 함께 지하철을 타고 가다 화재로 심한 화상을 입은 후, 밤에 잠을 이루지 못하고 자주 악몽을 꾼다. 또한 텔레비전에서 불이 나오는 장면만 보면 심하게 울면서 안절부절못하며 엄마에게 안긴다.

① 손 씻기와 같은 반복적인 행동이 적어도 하루에 한 시간 이상 나타난다.
② 여러 사건이나 활동에 대한 과도한 불안이나 걱정이 적어도 6개월 이상, 최소한 한 번에 며칠 이상 일어난다.
③ 말을 해야 하는 특정한 사회적 상황에서 말을 할 수 있음에도 불구하고 1개월 이상 지속적으로 말을 하지 않는다.
④ 외상과 관련된 사건의 재경험, 그 사건과 관련된 자극의 회피, 일반적인 반응의 마비, 각성 상태의 증가가 1개월 이상 지속적으로 나타난다.
⑤ 애착이 형성된 사람으로부터 분리되는 것에 대해 부적절하고 과다하게 반응하며, 이러한 반응은 4주 이상 지속되고 18세 이전에 나타난다.

12 2011 유아2A-2

다음의 (가)는 두 아동이 나타내는 정서 및 행동상의 특성이며, (나)와 (다)는 각 아동이 보이는 인지 행동적 특성과 이에 대해 교사가 적용한 인지적 중재의 사례이다.

(가) 아동 특성

건희	• 다음의 5가지 특성이 연속 2주 동안 지속되었다. 특별한 병이 없는데도 배가 아프거나 머리가 아프다고 한다. 재미있게 놀던 활동도 재미없어 하며 친구들과 노는 활동이 크게 줄어들었다. 식욕이 줄고 체중이 감소한다. 잠을 잘 자지 못한다. 슬픈 기분이나 초조감을 나타낸다.
성호	• 다음의 3가지 특성이 최근 1년 동안 지속되었다. 친구들에게 자주 몸싸움을 건다. 원하는 물건을 얻기 위해 부모님에게 거짓말을 한다. 동물을 잔인하게 괴롭힌다. • 위의 특성 중 친구들에게 자주 몸싸움을 거는 행동은 지난 6개월 동안 심하게 지속되었다.

(나) 건희의 인지 행동적 특성과 중재

• 인지 행동적 특성: 일상적인 생활 사건에 대해 늘 극단적이고 부정적으로 생각한다.

• 중재:

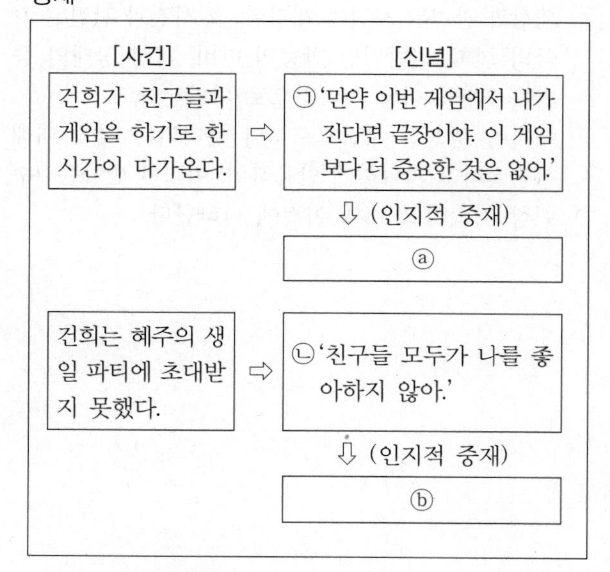

(다) 성호의 인지 행동적 특성과 중재

• 인지 행동적 특성: 누군가가 자신의 기분을 상하게 하는 말을 하면 상대방을 주먹으로 때리는 행동을 먼저 한다.

• 중재:

[단계]	[중재 활동]
문제 확인 및 정의	내가 고쳐야 할 문제는 '친구가 나에게 기분 나쁘게 말을 할 때 친구를 주먹으로 때린다.'는 것이다.
⇩	
대안 모색	친구가 기분 나쁘게 말을 할 때 가능한 다른 대안들을 생각해 본다. – 대안 1. 그 친구에게 "네가 그렇게 말하니까 기분이 나쁘잖아."라고 말한다. – 대안 2. 선생님께 "친구가 기분 나쁜 말을 했다."고 고자질을 한다.
⇩	
ⓒ	
⇩	
ⓓ	
⇩	
실행 및 평가	자신이 선택한 해결방법을 시도하고, 그 결과를 평가한다.

건희와 성호가 보이는 (가)의 특성에 해당하는 장애 진단명을 「정신장애의 진단 및 통계 편람 제4판(DSM-IV)」의 진단기준에 근거하여 각각 제시하시오. 그리고 (나)에서 건희가 가진 ㉠, ㉡의 비합리적 신념이 바뀌어 도달해야 될 합리적 신념 ⓐ, ⓑ를 각각 제안하고, (다)에서 성호에게 적용한 대인간 문제 해결(interpersonal problem solving) 중재 사례 중 ⓒ, ⓓ에 들어갈 단계명과 중재 활동을 각각 제시하시오. 또한 교사가 (나)와 (다)의 사례에서 적용한 중재 방법을 각 아동의 인지 행동적 특성에 근거하여 비교하시오. (500자)

13

2011 중등1-20

학생 A(중1, 13세)는 2년 전부터 다음과 같은 행동문제가 심화되었다. 학생 A의 행동에 대한 설명으로 옳은 것만을 〈보기〉에서 모두 고른 것은?

- 친구의 농담이나 장난을 적대적으로 해석하여 친구와 자주 다툰다.
- 행위의 결과에 대한 고려 없이 자주 타인의 물건을 훔치고 거짓말을 한다.
- 부모와 교사에게 매우 반항적이며, 최근 1년 동안 가출이 잦고 학교에 무단결석하는 일이 빈번해졌다.
- 부모의 금지에도 불구하고 자주 밤늦게까지 거리를 돌아다니며, 주차된 자동차의 유리를 부수고 다닌다.
- 자신의 학업성적이 반에서 최하위권에 머무는 것을 공부 잘하는 급우 탓으로 돌리며 신체적 싸움을 건다.

〈보기〉

ㄱ. 학생 A의 행동은 DSM-Ⅳ-TR의 진단준거에 따르면 적대적 반항장애이다.

ㄴ. 학생 A의 대인관계 기술은 다양한 행동중재 기법을 종합적으로 적용하는 사회적 기술 훈련(SST)을 통하여 향상될 수 있다.

ㄷ. 학생 A가 보이는 행동의 원인으로 신경생리적 요인, 뇌 기능 관련 요인, 기질과 같은 생물학적 요인을 배제할 수 없다.

ㄹ. 학생 A가 보이는 공격행동의 외적 변인을 통제하고자 한다면, 인지처리과정의 문제를 다루는 인지행동적 중재가 적합하다.

① ㄱ, ㄴ ② ㄴ, ㄷ
③ ㄷ, ㄹ ④ ㄱ, ㄴ, ㄹ
⑤ ㄱ, ㄷ, ㄹ

14

2012 유아1-7

다음은 일반학급의 김 교사가 자신의 학급에 통합되어 있는 민지에 대해서 특수학급 교사에게 한 이야기이다. 김 교사의 이야기를 근거로 할 때, 민지가 보이는 DSM-Ⅳ 분류상의 장애 유형(㉠)과 귀인 유형(㉡~㉣)을 바르게 제시한 것은?

㉠ 민지는 평소 학급 활동에 매우 소극적이고 수업에 잘 집중하지 못합니다. 사소한 일에도 부적절한 죄책감을 가지고 있으며, 또래들과 잘 어울리지 못하는 아이입니다. 민지 어머니도 민지가 지난 달 초부터는 매사 흥미를 잃고 피곤하다고 하면서 별로 먹지도 않고 과민해져서 걱정이 많으시더군요.
제가 보기에는 충분히 해낼 수 있는 과제에 대해서도 자신을 스스로 낮게 평가하고 과제를 회피하는 것 같습니다. 어제는 수업 중에 친구들과 게임을 하였는데, ㉡ 자기가 게임에서 진 것은 자신의 무능함 때문이라고 말하더군요. 또한 ㉢ 자기는 언제나 시험을 잘 치지 못하고, ㉣ 학급의 모든 활동에서 다른 친구들에게 뒤지고 잘하지 못한다고 하더군요.

	장애 유형	귀인 유형		
	㉠	㉡	㉢	㉣
①	우울장애	내적	안정적	전체적
②	우울장애	외적	불안정적	전체적
③	범불안장애	내적	안정적	특정적
④	범불안장애	외적	불안정적	특정적
⑤	강박장애	내적	불안정적	전체적

15

2012 중등1-21

품행장애에 대한 설명으로 적절한 것만을 〈보기〉에서 있는 대로 고른 것은?

〈보기〉

ㄱ. 적대적 반항장애의 전조가 되는 외현화 장애이다.
ㄴ. 만 18세 이전은 아동기 품행장애로 구분되며, 성인의 경우에는 반사회적 성격장애의 기준에 부합하여야 한다.
ㄷ. 교사의 차별 대우, 폭력, 무관심으로 인한 적개심, 낮은 학업 성취, 일탈 또래와의 상호작용 경험 등이 품행장애의 발현에 영향을 미칠 수 있다.
ㄹ. 사람과 사물에 대한 공격성, 재산 파괴, 사기 또는 절도 등의 행동들이 품행장애의 진단준거에 포함되나, 방화와 심각한 규칙위반 행동은 제외된다.
ㅁ. 부모의 부정적 양육 태도, 가정 내 학대 등이 품행장애의 원인이 될 수 있으므로, 가족 내의 긍정적 요인을 증가시키는 것이 품행장애 예방의 한 가지 방법이다.

① ㄱ, ㄴ
② ㄷ, ㅁ
③ ㄱ, ㄷ, ㄹ
④ ㄴ, ㄹ, ㅁ
⑤ ㄱ, ㄷ, ㄹ, ㅁ

16

2012 중등1-23

(가)~(마)의 정서 · 행동장애학생들의 사례에 나타난 이론적 모델과 중재방법으로 옳은 것은?

(가) 학생 A는 학교에서 과잉행동과 충동성을 보였다. 이에 교사는 부모에게 병원에서 진단을 받도록 권유하였다. 학생 A는 병원에서 약물을 처방받아 복용하고 있다. 약물처방 후의 학생 행동에 대하여 교사는 주의를 기울였다.
(나) 학생 B는 인근 작업장에서 일하고부터 감정 기복이 심하고, 친구들에게 자주 분노를 표출하였다. 이에 교사는 작업장, 가정, 학교의 환경을 조사하고, 일어날 수 있는 사건에 대한 체크리스트를 만들었다.
(다) 학생 C는 무단결석을 빈번히 하고, 친구들과 자주 싸운다. 이에 교사는 학생에게 자신이 처한 상황에서의 문제를 파악해 기록하게 한 후, 그 문제를 해결할 수 있는 여러 방법과 결과에 대해 생각해보도록 하였다. 그리고 자신이 선택하여 실행한 방법과 결과를 기록하도록 지도하였다.
(라) 학생 D는 여러 사람 앞에서 소리 내어 책을 읽는 것을 두려워하여, 그런 상황을 자주 회피한다. 이에 교사는 두려움 유발 자극을 낮은 단계부터 높은 단계로 서서히 직면하도록 하는 이완훈련을 통해 두려움을 극복할 수 있도록 지도하였다.
(마) 학생 E는 경쟁적 학습과 스트레스 등으로 인해 스스로 좌절하고 친구들과 어울리지 못한다. 이에 교사는 타인 위로하기, 감정 공유하기 등과 같은 집단 프로그램을 통해 소외당하거나 우울해 하는 학생 E가 자존감을 회복할 수 있도록 지도하였다.

① (가)는 신체생리학적 모델을 근거로 교사가 학교에서 약물요법을 실행한 것이다.
② (나)는 생태학적 모델을 근거로 교사가 분노통제훈련을 실행한 것이다.
③ (다)는 심리역동적 모델을 근거로 합리적 정서치료의 절차를 적용한 것이다.
④ (라)는 행동주의 모델을 근거로 체계적 둔감화 절차를 적용한 것이다.
⑤ (마)는 인지 모델을 근거로 자기교수 절차를 적용한 것이다.

17 2012 중등1-24

다음은 「정신장애진단통계편람」을 근거로 하여 제시한 정서 · 행동장애 유형의 주요 특성 중 일부이다. (가)~(다)에 해당하는 장애 유형이 바르게 짝지어진 것은?

> (가) 여러 사건이나 활동에 대한 지나친 불안 또는 걱정(염려스런 예견)이 적어도 6개월 동안, 최소한 한 번에 며칠 이상 발생한다. 걱정을 조절하는 것이 어렵다는 것을 스스로 인식한다. 안절부절못함, 쉽게 피로해짐, 집중 곤란, 쉽게 화를 냄, 과민 기분, 근육 긴장, 수면 문제 등과 같은 부수적 증상을 3개 이상 동반한다.
>
> (나) 비합리적인 생각을 반복하거나 특정 의식 또는 행동을 반복한다. 이러한 소모적이고 심각한 사고 또는 행동이 과도하거나 불합리하다는 것을 스스로 인식한다. 흔히 오염에 대한 생각, 반복적 의심 등과 더불어 반복적인 손 씻기, 정돈하기 등의 행동을 한다.
>
> (다) 적어도 2년 동안 하루의 대부분이 우울하고, 우울하지 않은 날보다 우울한 날이 더 많다. 아동과 청소년은 최소한 1년 이상 과민한 상태를 보이기도 한다. 식욕 부진 또는 과식, 불면 또는 수면 과다, 기력 저하 또는 피로감, 자존감 저하, 절망감 등과 같은 부수적 증상을 2개 이상 동반한다.

	(가)	(나)	(다)
①	외상후스트레스 장애	기분부전장애	양극성장애
②	외상후스트레스 장애	강박장애	주요우울장애
③	범불안장애	강박장애	기분부전장애
④	공황장애	분리불안장애	기분부전장애
⑤	범불안장애	공황장애	주요우울장애

18 2013 초등B-3

다음의 (가)는 통합학급에 입급된 정서 · 행동장애 학생 은수의 특성이다. 물음에 답하시오.

(가) 은수의 특성

> • 무단결석을 자주 한다.
> • 친구로부터 따돌림을 당한다.
> • 교사의 요구를 자주 무시한다.
> • 친구들의 학용품이나 학급 물품을 부순다.
> • 수업시간에 5분 이상 자기 자리에 앉아 있지 못한다.

1) (가)에서 DSM-IV-TR에 따른 품행장애의 주된 진단기준에 해당하는 특성 2가지를 찾아 쓰시오.

19 2013 중등1-30

정신장애진단통계편람(DSM-IV-TR)에 근거하여 주의력결핍과잉행동장애(ADHD)에 관련된 내용을 기술한 것 중 옳은 것은?

① 손상을 초래하는 과잉행동 및 충동 또는 부주의 증상들이 만 3세 이전에 나타난다.
② 부주의에는 흔히 질문이 채 끝나기도 전에 성급하게 대답하는 증상이 포함된다.
③ 충동성에는 흔히 다른 사람이 직접적으로 말을 할 때 경청하지 않는 것처럼 보이는 증상이 포함된다.
④ 과잉행동에는 흔히 손발을 가만히 두지 못하거나 의자에 앉아서도 몸을 움직이는 증상이 포함된다.
⑤ 주의력결핍과잉행동장애 복합형은 부주의와 충동성에 관한 증상들 중 5가지가 2개월 동안 부적응적이고 발달수준에 적합하지 않은 정도로 지속되는 경우이다.

20 2013 중등1-32

반사회적 행동을 하는 학생들에 대한 학교 차원의 긍정적 행동지원에 관한 설명 중 옳은 것은?

① 교사는 집단 따돌림이 발생한 것을 알았더라도, 즉각적으로 개입하지 않는다.
② 반사회적 문제행동에 대한 3차적 예방 조치로 학교는 발생한 반사회적 행동을 조기에 판별·중재하거나 개선하는 노력을 해야 한다.
③ 문제행동의 공격성 수준을 낮출 수 있도록 학교 분위기를 긍정적으로 조성하기 위하여 교직원에게 학생들의 모든 행동을 수용하도록 교육한다.
④ 행동 문제가 발생되지 않도록 하는 1차적 예방 조치로서, 반사회적 행동의 개선 가능성이 높은 학생들을 대상으로 집중적인 행동 지도를 시행한다.
⑤ 학교가 미리 설정한 행동 규칙을 위반한 경우에는 지속적으로 일관성 있게 제재를 가하되, 적대적이고 신체적인 제재나 가해는 하지 않는 것이 효과적이다.

21 2013 중등1-33

정서 · 행동장애의 진단 · 분류체계와 관련된 설명 중 옳은 것만을 〈보기〉에서 있는 대로 고른 것은?

〈 보기 〉

ㄱ. 행동적 · 차원적 분류체계는 문제행동의 유형을 두 가지 차원으로 범주화하는데, 그중 하나는 외현화 문제행동의 범주로 과잉통제행동이라고도 하며, 반항, 불복종, 불안 등이 포함된다.

ㄴ. 행동적 · 차원적 분류체계의 내재화 문제행동 범주에는 사회적 위축, 우울 등과 같이 개인의 정서 및 행동적 어려움을 야기하는 문제가 포함된다.

ㄷ. 정서 · 행동장애가 학습장애 등과 같이 다른 장애와 함께 나타나거나, 정서 · 행동장애의 하위 유형인 품행장애와 우울장애 등이 함께 나타나는 경우, 이를 장애의 공존(comorbidity) 또는 동시발생이라고 한다.

ㄹ. 정신장애진단통계편람(DSM-Ⅳ-TR)과 같은 의학적 분류체계는 정서 · 행동장애의 각 하위 유형을 식별하는 데 초점을 두는 분류체계로 특수교육대상 학생들에 대한 표찰(labeling) 문제를 줄일 수 있다.

① ㄱ, ㄴ　② ㄴ, ㄷ
③ ㄱ, ㄴ, ㄷ　④ ㄱ, ㄷ, ㄹ
⑤ ㄴ, ㄷ, ㄹ

22 2013추시 중등A-6

다음은 정서 · 행동 문제가 있는 영수와 은지의 행동 특성을 기술한 것이다. 물음에 답하시오.

영수의 행동 특성	영수는 잠시도 가만히 있지 못하며 발을 꼼지락거린다. 때로는 멍하니 딴 생각을 하다가 교사가 주의를 주면 바른 자세를 취한다. 그리고 친구를 때리고 괴롭히는 행동이 잦아 ㉠ 자기교수 훈련을 실시했더니, 때리는 행동이 조금 줄어들었다. 그러나 친구들의 놀이를 방해하는 행동은 여전히 심하다. 특히, 과제를 수행할 때 실수를 자주 범한다. 소아정신과 의사는 영수의 이런 특성이 ㉡ 기질과 관련이 있을 수 있다고 했다.
은지의 행동 특성	은지는 2년 전 자신을 키워 준 할머니가 돌아가신 후부터 수업 시간마다 눈을 깜빡이거나 코를 찡그리고 쉬는 시간에는 코를 킁킁거려서 친구들로부터 "조용히 해."라는 소리를 많이 듣는다. 한동안 ㉢ 자신의 물건에 집착하는 행동을 보여서 심리극을 실시한 결과 집착 행동이 많이 줄어들었다. 그러나 학습에 대한 흥미는 점점 떨어지고 있다. 소아정신과 의사는 은지의 행동이 내과적 질환에 의한 것은 아니라고 했다.

1) 다음은 ㉠의 단계별 교수 · 학습 활동이다. ①과 ②에 들어갈 알맞은 활동을 쓰시오.

단계	교수 · 학습 활동
1단계 : 인지적 모델링	교사 : ① ______________ 학생 : 이를 관찰한다.
2단계 : 외현적 외부 지도	학생 : 교사의 지시에 따라 ①에서 교사가 보여준 것을 그대로 한다. 교사 : 학생이 과제를 수행하는 동안 큰 소리로 자기교수의 내용을 말한다.
3단계 : 외현적 자기교수	학생 : 큰 소리로 자기교수의 내용을 말하면서 교사가 보여준 것을 그대로 한다. 교사 : 이를 관찰하고 피드백을 제공한다.
4단계 : 자기교수 용암	학생 : ② ______________ 교사 : 이를 관찰하고 피드백을 제공한다.
5단계 : 내재적 자기교수	학생 : 자기교수의 내용을 속으로 말하며 그대로 행동한다.

①:

②:

2) 토마스(A. Thomas)와 체스(S. Chess)가 분류한 ㉡의 3가지 유형을 쓰시오.

• 유형 :

3) 정서 · 행동장애 학생에게 적용 가능한 개념적 지도 모델 중 ㉢에 해당하는 모델을 쓰시오.

• 모델 :

4) DSM-IV-TR(2000)의 장애 진단 기준에 의하면 은지의 행동 특성은 어떤 장애에 해당하는지 쓰시오.

• 장애 :

23 2013추시 중등B-6

(가)는 A 중학교 2학년에 재학 중인 학습장애 학생들의 대화 중 일부이다. 물음에 답하시오.

(가) 학생들의 대화

> 민지: 수영아! 나 시험 엉망이었어. ㉠ 나는 공부에 재능이 없나 봐.
> 수영: 나도 시험 잘 못 봤어. ㉡ 시험 공부를 열심히 안 했기 때문에 그런 것 같아.
> 진주: 이번 시험은 너무 어렵지 않았니? ㉢ 선생님이 문제를 너무 어렵게 냈기 때문에 시험을 잘 못 본 것 같아. 다음에는 쉬운 문제가 나왔으면 좋겠어.
>
> …(중략)…
>
> 민지: 진주야, 중학교에 올라오니 공부하는 것이 더 힘든 것 같아. 초등학교 때보다 과목도 많고, 암기해야 할 것도 많아서 무척 힘들어.
> 진주: 나는 순서대로 암기해야 하는 것을 기억하기 어렵더라. 나중에 박 선생님을 찾아가서 어떻게 공부해야 하는지 여쭤봐야겠어.

1) 민지, 수영, 진주는 시험 결과를 각각 ㉠, ㉡, ㉢과 같이 귀인하였다. Weiner의 귀인이론에 근거하여 ①~③에 알맞은 말을 쓰시오.

학생	귀인	통제 소재	안정성
민지	①	학습자 내부	안정 (바꿀 수 없음)
수영	노력	학습자 내부	②
진주	과제 난이도	③	안정 (바꿀 수 없음)

①:

②:

③:

24 2014 유아B-2

통합유치원에 다니는 은수는 5세로 정서 및 행동상의 문제를 보이고 있다. (가)는 은수의 행동 특성이고, (나)는 활동계획안의 일부이다. 물음에 답하시오.

(가) 은수의 행동 특성

- 작은 실수에도 안절부절못하면서 울어버림
- 놀이 활동 시 주의를 기울이지 않고 규칙을 잘 따르지 않음

(나) 활동계획안

<table>
<tr><td>활동명</td><td colspan="3">친구야, 함께 공놀이 하자</td></tr>
<tr><td>활동 목표</td><td>• 공놀이에 적극적으로 참여한다.
• 공을 다양한 방법으로 전달한다.
• 서로 협동하며 함께 하는 즐거움을 느낀다.</td><td>누리 과정 관련 요소</td><td>• 신체운동 · 건강: ㉠
• 사회관계: 다른 사람과 더불어 생활하기－친구와 사이좋게 지내기</td></tr>
<tr><td>활동 자료</td><td colspan="3">고무공</td></tr>
<tr><td>활동 방법</td><td colspan="3">• 공을 탐색하고 공을 전달하는 다양한 방법에 대해 이야기를 나눈다.
－ 4~5명이 같은 방향을 바라보고 한 줄로 서서 머리 위로 공을 전달한다.
－ 공을 전달받은 마지막 사람은 줄의 제일 앞으로 뛰어가 다시 머리 위로 공을 전달한다.
－ 처음 섰던 줄 순서가 될 때까지 계속한다.
…(중략)…</td></tr>
<tr><td>활동 관찰 내용</td><td colspan="3">• ㉡ <u>은수가 차례를 기다리지 못하고 친구를 밀어버림</u>
• 은수는 머리 위로 공을 전달하다 갑자기 ㉢ <u>공을 떨어뜨리자 "나는 바보야"라고 울며 공놀이를 하지 않겠다고 함</u></td></tr>
</table>

3) 다음은 (나)의 ㉢에 나타난 은수의 행동을 엘리스(A. Ellis)의 합리적 정서행동치료 이론에 근거하여 ABC를 작성한 것이다. ①과 ②에 해당하는 내용을 각각 쓰시오.

<table>
<tr><th>A
(활성화 사건)</th><th>B
(①)</th><th>C
(결과)</th></tr>
<tr><td rowspan="2">공을 떨어뜨렸다.</td><td>나는 바보다.</td><td>울면서 공놀이에 참여하지 않는다.</td></tr>
<tr><td>괜찮아, 누구나 실수로 공을 떨어뜨릴 수 있어.</td><td>②</td></tr>
</table>

①:

②:

25 2014 초등B-1

(가)는 정서 · 행동장애 학생 영희의 특성이고, (나)는 통합학급 김 교사가 사회과 '사회 변화와 우리 생활' 단원을 지도하기 위해 작성한 교수 · 학습 과정안이다. 물음에 답하시오.

(가) 영희의 특성

- 외국인 어머니에게 태어난 다문화 가정의 자녀임
- 친구들이 자신을 자꾸 쳐다보는 상황에 대해 '자신이 너무 이상하게 생겼기 때문'이라고 생각하여 친구들 눈에 띄지 않게 항상 혼자 다님
- 영희의 행동을 이해하지 못하는 친구들로부터 놀림과 따돌림을 당함

(나) 교수 · 학습 과정안

단원명	사회 변화와 우리 생활
제재	사회의 다양성과 소수자의 권리
학습 목표	서로의 차이를 이해하고 존중하는 태도를 기르고 실천한다.
단계	교수 · 학습 활동
(생략)	• 따돌림 동영상 자료를 보고 상황에 대한 심각성 인식, 관심과 공감 갖기 • 친구 간의 갈등 경험에 대해 이야기 나누기
㉠	• 소집단별로 따돌림의 원인을 다양한 측면에서 토론하기 • 토론 내용을 기초로 '서로의 차이를 이해하지 못하기 때문에 따돌림 문제가 나타난다.'라는 (㉡)하기
정보 수집	• 따돌림의 대처 방안에 대한 다양한 자료 조사하기 • 수집된 자료를 토대로 따돌림의 이유와 대처 방안 찾기
대안 제시	• 다양한 측면에서 따돌림에 대한 대처 방안 생각해 보기 • 작성한 평가 기준에 따라 각 대처 방안을 평가한 후 최선책 선택하기
검증	• 최선책을 실천하기 위한 계획 세우기 • 단기적 방안과 장기적 방안을 정리 · 보고하기

1) 김 교사는 영희에게 엘리스(A. Ellis)의 합리적 정서 행동 치료(REBT)전략을 사용하여 지도 방안을 수립하였다. 다음의 ①에 들어갈 내용을 쓰고, ②~④에 들어갈 내용을 각각 쓰시오.

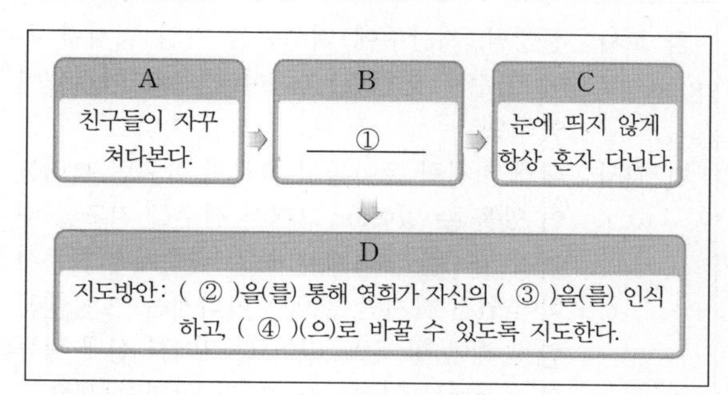

①:

②:

③:

④:

26

2015 유아A-3

다음은 통합학급 김 교사와 특수학급 박 교사 간의 대화이다. 물음에 답하시오.

김 교사: 선생님, 지난주에 백색증을 가진 저시력 유아 진수가 입학했는데 여러 가지 어려움이 있네요.
박 교사: 대개 저시력 유아들이 환경이 바뀌면 어려움이 있을 수 있어요. 그래서 진수를 지도할 때 여러 가지를 고려해야 해요. 진수에게 잔존시력이 있긴 하지만 필요에 따라서는 ㉠ 보행훈련을 해야 할 수도 있어요. 그래서 실내 활동과 ㉡ 실외 활동을 할 때 잘 살펴 보세요.

… (중략) …

김 교사: 선생님, 또 한 가지 걱정이 있어요. 진수는 어머니가 데리러 와도 별 반응이 없어요. 어머니가 부르는데도 진수는 별로 반가워하는 것 같지가 않아요. 아침에 헤어질 때 울지도 않고 어머니에 대한 반응이 별로 없어요. 어머니와 진수의 애착 관계가 괜찮은 걸까요?
박 교사: 글쎄요. 진수의 애착 행동은 (㉢) 유형의 유아들이 나타내는 특성이긴 한데……. 안정 애착 유형의 유아들은 어머니가 돌아오면 반기며 좋아해요. 그리고 어머니를 (㉣)(으)로 생각하기 때문에 낯선 상황에서도 적극적으로 환경을 탐색하거든요. 앞으로 진수를 더 많이 관찰해야 할 것 같아요.

3) 에인스워드(M. Ainsworth)의 애착 이론에 근거하여 ㉢에 해당하는 애착 유형 1가지를 쓰고, ㉣에 알맞은 말을 쓰시오.

㉢ 애착 유형:

㉣:

27

2015 초등B-6

(가)는 정서 · 행동장애학생 지우의 특성이고, (나)는 통합학급 교사와 특수학급 교사가 지우의 수업 참여 증진을 위해 협의하여 지도한 자기교수 전략이다. 물음에 답하시오.

(가) 지우의 특성

- 대부분의 시간에 위축되어 있고 다른 친구들과 상호작용을 하지 않음
- 자기표현을 하지 않고 수업 활동에 참여하지 않음
- 음악 시간에 따라 부르기를 할 때에 소리를 내지 않고 창밖만 응시함

(나) 자기교수 전략

자기교수 단계와 자기 진술문의 예시
– (㉠): "나는 지금 무엇을 해야 하지?" – 계획: "이제 어떻게 하지?" – 자기 평가: "어떻게 했지?" – 자기 강화: "잘했어."

자기교수 전략을 가르치기 위한 교수 활동
1단계: 인지적 모델링 2단계: 외현적 자기교수 안내 3단계: ㉡ 외현적 자기교수 4단계: 자기교수 용암 5단계: 내재적 자기교수

1) (나)의 ㉠단계의 명칭을 쓰시오.

2) 다음은 (나)의 ㉡에 해당되는 활동이다. 괄호에 들어갈 교사의 활동을 쓰시오.

> 지우가 큰 소리로 자기교수를 말하면서 과제를 수행한다. 그리고 교사는 ( ).

28
2015 중등A-9

다음은 학생 A와 B에게 나타나는 행동 특성으로, 이 행동들은 약물이나 기타 일반적인 의학적 문제로 발생하는 것은 아니다. 정신장애의 진단 및 통계 편람(DSM-IV-TR)의 진단 준거에 근거하여 학생 A와 B의 장애 진단명을 순서대로 쓰시오.

- 학생 A의 행동 특성

지난 1년 4개월 동안 콧바람 불기 행동과 "시끄러" 하는 고함지르기 행동이 본인의 의지와 상관없이 나타나고 있다. 이러한 행동들은 버스를 탈 때에나 영화를 관람할 때에도 나타난다. 그래서 학생 A는 여러 사람이 있는 장소에 가기 싫어하고, 다른 사람에 의해 관찰되는 상황에 대해 두려움을 나타내고 있다. 또한 친구들로부터 자주 놀림을 받기도 하였고, 수차례 무단결석을 하였다. 이로 인해 학업에 어려움을 겪고 있으며, 우울, 자기 비하 등의 정서적 문제를 보이고 있다.

- 학생 B의 행동 특성

다른 사람과 대화를 할 때나 혼자 있을 때, 본인의 의지와 상관없이 거의 매일 어깨 움츠리기 행동과 반복적 발 구르기 행동이 작년 1월부터 10월까지 10개월간 나타났고, 작년 11월 한 달 동안은 이 행동들이 나타나지 않다가 작년 12월부터 올해 2월까지 3개월간 다시 나타났다. 올해 3월부터는 이전 행동들이 나타나지 않았으나, 다른 행동인 킁킁거리기 행동과 상대방이 마지막으로 말한 단어를 반복하는 행동이 9개월째 나타나고 있다. 이로 인해 사회적 대인관계에 고통을 호소하고 있다.

29 2016 유아A-1

다음은 통합학급 유아교사인 김 교사와 유아특수교사인 박 교사의 대화이다. 물음에 답하시오.

김 교사: 선생님, 현수가 근래에 들어서 자꾸 친구를 때리는데, 걱정이 많아요. 장점이 참 많은 아이인데…. 그런 행동만 하지 않으면 좋을 텐데요. 게다가 곧 초등학교에 입학해야 하는 상황이라….
박 교사: 현수 부모님과 상담은 해 보셨나요?
김 교사: 네. 어머니 말씀을 들어 보니, 현수가 아기일 때 가족과 떨어져 친척 집에 머물면서 ㉠ 심리적으로 무척 위축되고 불안한 시기를 보낸 것 같아요. 그러한 부정적인 경험들이 내재되어 있다가 지금 친구를 때리는 공격 행동으로 나타나는 것은 아닌가 생각되더군요.
박 교사: 그럴 수도 있지만, 현수의 행동을 어느 한 가지 이유가 아니라 ㉡ 가족 관계, 또래 관계, 유치원 생활, 지역사회 환경 등 현수와 직·간접적으로 연결되어 있는 다양한 환경 맥락과 상황 속에서 이해하는 것이 필요할 수도 있어요.
김 교사: 그렇군요. 그런데 당장 입학을 앞두고 있고, 친구를 때리는 행동이 본인뿐 아니라 다른 유아들에게도 영향을 미칠 수 있으니, 빨리 그 원인을 알고 싶어요. 방법이 없을까요?
박 교사: 그러면 현수가 보이는 행동의 원인과 의도를 파악하기 위한 (㉢)을/를 해 보면 좋겠어요. 이를 위해서 현수의 행동을 관찰해 볼 수 있는 ABC평가, 면접, 질문지 등 다양하고 체계적인 방법을 사용할 수 있어요.
김 교사: 아, 그런 방법이 있군요. 현수의 행동 문제가 개선되어 내년에 초등학교에 가서도 잘 적응했으면 좋겠네요.
박 교사: 사실 지난해에 초등학교에 들어간 문주가 비슷한 상황이었어요. 그때 담임 선생님과 함께 행동 중재를 해서, 초등학교에 입학할 즈음에는 행동이 좋아졌어요.
김 교사: ㉣ 초등학교 취학 과정에서 아이들은 많은 변화를 경험하기 때문에 새로운 환경에서 잘 적응할 수 있도록 유치원에서부터 지원을 하는 것이 필요해요. 현수처럼 행동 문제를 보이는 아이들에게는 더욱 중요하지요.
박 교사: 그래요. 그리고 문주의 경우에는 그 마지막 단계로 ㉤ 초등학교에 입학한 이후에 잘 적응하고 있는지 몇 회에 걸쳐 방문하여 점검했고, 담임 선생님과 상담도 했어요.

1) ㉠과 ㉡에 반영된 이론적 관점이 무엇인지 각각 쓰시오.

㉠:

㉡:

30 2016 초등B-2

(가)는 정서 · 행동장애로 진단받은 영우에 대해 통합학급 김 교사와 특수학급 최 교사가 나눈 대화의 일부이다. 물음에 답하시오.

(가) 대화 내용

> 김 교사: 영우는 품행장애로 발전할 수 있는 적대적 반항장애가 있다고 하셨는데, 이 둘은 어떻게 다른가요?
>
> 최 교사: DSM-IV-TR이나 DSM-5의 진단기준으로 볼 때, 적대적 반항장애는 품행장애의 주된 특성인 (㉠)와/과 (㉡)이/가 없거나 두드러지지 않는다는 점이 달라요. 그래서 적대적 반항장애를 품행장애의 아형으로 보기도 하고, 발달 전조로 보기도 해요.
>
> … (중략) …
>
> 최 교사: 제가 지난번에 말씀드린 대로 ㉢ 학급 규칙을 정해서 적용해 보셨나요?
>
> 김 교사: 네, 그렇게 했는데도 ㉣ 지시를 거부하는 영우의 행동은 여전히 자주 발생하고 있어요.
>
> … (하략) …

1) (가)의 ㉠과 ㉡에 해당하는 내용을 각각 쓰시오.

㉠:

㉡:

31 2016 중등A-4

다음은 정서 및 행동의 문제를 이해하기 위한 이론적 관점이 적용된 사례이다. (가)와 (나)에서 사용된 전략의 명칭을 순서대로 쓰시오.

32 2017 유아A-4

다음은 정서 · 행동문제를 가진 5세 유아 영우에 대해 방과 후 과정 교사인 민 교사, 통합학급 교사인 박 교사, 그리고 유아특수 교사인 강 교사가 나눈 대화이다. 물음에 답하시오.

> 민 교사: 자유놀이 시간에 영우가 색칠하기를 하고 있었어요. 그런데 색칠하던 크레파스가 부러지자 옆에 있던 민영이에게 "야, 네가 방해해서 크레파스가 부러졌잖아." 하고 화를 내면서 들고 있던 크레파스를 교실 바닥에 내동댕이쳤어요. 영우는 자신의 실수로 크레파스가 부러진 것을 민영이 탓으로 돌리며 화를 낸 거죠.
> 박 교사: 우리 반에서도 자신이 실수할 때면 항상 다른 친구들이 방해했기 때문이라며 화를 내고 물건을 던졌어요. 영우의 이런 행동을 지도하기 위해 ㉠ 영우가 물건을 던질 때마다 달력에 스스로 표시하도록 가르치려고 하는데, 이 방법이 영우에게 도움이 될까요?
> 강 교사: 박 선생님께서 선택하신 중재방법은 영우의 귀인 성향으로 보아 ㉡ 영우에게 바로 적용하기는 어려울 것으로 보여요. 영우의 행동은 누적된 실패 경험에서 비롯된 것일 수 있어요. 그러므로 성공 경험을 통해 ㉢ 영우의 귀인 성향을 바꿀 수 있도록 지도하는 것이 우선되어야 해요.

2) 위 대화에서 나타난 ① 영우의 귀인 성향을 쓰고, 이에 근거하여 ② 강 교사가 ㉡과 같이 판단한 이유를 쓰시오.

①:

②:

3) 강 교사의 대화를 근거로 ㉢에 해당하는 인지적 중재기법을 쓰시오.

33 2017 초등B-1

(가)는 특수교사가 일반교사에게 정서 · 행동 문제를 가진 학생에 대해 자문한 내용이다. 물음에 답하시오.

(가)

> 일반교사: 우리 반에 또래와 다르게 문제행동을 자주 보이는 학생이 있어요. 이 학생이 혹시 정서 · 행동장애가 있는 것은 아닌지 궁금합니다.
> 특수교사: 정서 · 행동장애 학생으로 진단하기 위해서는 문제행동의 발생 빈도나 강도가 높은 심각성, (㉠), 교육적 성취의 어려움을 종합적으로 고려해요.
> 일반교사: 그렇군요. 정서 · 행동장애로 진단받지는 않았지만 지금 문제행동을 보이는 학생이나 앞으로 보일 가능성이 있는 학생도 도움을 받을 수 있으면 좋겠어요.
> 특수교사: 그래서 학교의 모든 학생들에게 질 높은 학습 환경을 제공하고, 문제행동 위험성이 있는 학생에게는 소집단 중재를 하고, 지속적으로 문제행동을 보이는 학생에게는 개별화된 중재를 제공하는 (㉡)을(를) 갖추는 것이 필요합니다.
>
> …(하략)…

1) (가)의 ㉠에 들어갈 말을 문제행동 양상(차원) 측면에서 쓰시오.

34

2017 중등B-2

다음은 정서 · 행동장애 학생 A에 대해 교사들 간에 나눈 대화 내용이다. 김 교사와 박 교사가 A의 행동을 바라보는 정서 · 행동 장애의 이론적 관점을 순서대로 쓰시오.

김 교사: A는 생후 13개월 즈음에 위탁 가정에 맡겨져, 4살 때 지금의 가정으로 입양되어 성장했다고 합니다. A는 영아기 때 정서적 박탈을 경험하면서 불안정한 심리와 정서를 갖게 되었고, 유아기 때 안정애착이 형성되지 않아서 수업 시간에 이상한 소리를 내며 주변 사람들의 주의를 끌려고 한 것 같습니다.

박 교사: A가 영유아기에 자신이 한 행동에 적절한 반응을 받지 못한 것 같아요. 잘 지내고 있을 때보다 부적절한 행동을 했을 때 선생님에게 관심을 더 받는다는 것을 알고, 지금의 부적절한 행동이 계속 유지되고 있는 것 같습니다.

최 교사: 두 분의 말씀 잘 들었습니다. 이제부터는 교사의 주의를 끌기 위해 A가 소리를 내면 반응해 주기보다, 손을 들도록 가르치고 손드는 행동에 반응을 해 줘야겠어요.

35

2018 유아A-3

(가)는 5세 지적장애 유아 민수의 특성이고, (나)는 민수를 위한 책 정리 지도 방법이다. 물음에 답하시오.

(가)

- 2~3개 단어를 이용해서 자신의 요구나 의사를 말로 표현할 수 있음
- 동물 그림을 보고 이름을 말할 수 있음
- 책 읽는 것은 좋아하지만 책을 제자리에 정리하지 못함

(나)

단계	활동 내용
인지적 모델링	교사가 큰 소리로 "책을 꽂아요."라고 말하면서 책을 제자리에 꽂는다.
외현적 지도	교사가 큰 소리로 "책을 꽂아요."라고 말을 하고, 민수는 교사의 말을 큰 소리로 따라 하면서 책을 제자리에 꽂는다.
외현적 자기 지도	(　　　)
외현적 자기 지도의 감소	민수가 점점 작은 목소리로 "책을 꽂아요."라고 말하고, 책을 제자리에 꽂는다.
내재적 자기 지도	마음속으로 '책을 꽂아요.'를 생각하며 책을 제자리에 꽂는다.

1) (가)에 근거하여 ① (나)에서 민수에게 적용한 지도 방법의 명칭과 ② (　　)에 들어갈 활동 내용을 쓰시오.

①:

②:

PART 06

36 2018 초등A-2

(가)는 정서 · 행동장애 학생 정우의 행동 특성이다. 물음에 답하시오.

(가)

- 친구들을 자주 때리고 친구들에게 물건을 집어던짐
- 교사의 지시에 대해 소리 지르고 거친 말을 하며 저항함
- 수업 시작종이 울려도 제자리에 앉지 않고 교실을 돌아다님

1) (가)는 정서 · 행동장애를 이분하는 교육적 분류 중 어느 유형에 해당하는지 쓰시오.

37 2018 중등A-6

다음은 학생 B가 보이는 행동 특성에 대해 특수교사와 방과 후 교사가 나눈 대화이다. 밑줄 친 ㉠과 ㉡에 해당하는 중재 방법을 순서대로 쓰시오.

특 수 교 사: 안녕하세요? 학생 B는 방과 후 활동 시간에 잘 참여하고 있습니까?

방과 후 교사: 예, 잘 참여하고 있습니다. 그런데 그리기 활동 후 감상 시간에 본인의 작품을 발표하는 순서가 되면 극도의 불안감을 나타내면서 손을 벌벌 떨거나 안절부절못하는 행동을 보입니다. 그러다 갑자기 화를 내고 심한 경우 소리 내며 우는 행동까지 이어집니다. 학생 B의 불안감을 줄이기 위해 어떻게 하면 좋을까요?

특 수 교 사: 예, 여러 가지 방법이 있는데 그중에서 두 가지 정도가 학생 B에게 적절할 것 같습니다. 첫 번째는 ㉠ <u>이완 기술을 습득하고 유지하면서 짝, 모둠, 학급 전체로 점차 대상을 확대하여 발표를 해보도록 하는 방법</u>입니다. 두 번째는 ㉡ <u>'발표 성공 사례' 영상을 보고 영상 속 주인공의 발표 행동을 따라하는 절차를 반복하는 방법</u>이 있습니다.

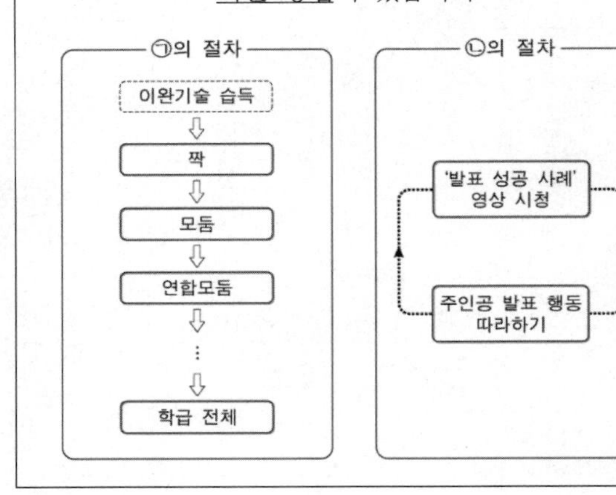

㉠:

㉡:

38

2018 중등A-11

(가)는 주의력결핍과잉행동장애 학생 H와 관련하여 특수교사와 통합학급 교사가 나눈 대화이다. 〈작성 방법〉에 따라 서술하시오.

(가) 특수교사와 통합학급 교사의 대화

통합학급 교사: 「정신장애의 진단 및 통계 편람 제5판(DSM-5)」에서 주의력결핍과잉행동장애의 진단준거가 바뀌었다면서요?
특 수 교 사: 예, 주의력결핍과잉행동장애의 진단준거가 「정신장애의 진단 및 통계 편람 제4판 개정판(DSM-Ⅳ-TR)」에 비해 DSM-5에서는 ㉠ 몇 가지 변화가 있습니다.

… (중략) …

통합학급 교사: 학생 H가 통합학급에서 수업 중에 자리 이탈 행동을 종종 보입니다. 이에 대한 적절한 지원방법이 없을까요?
특 수 교 사: 예, 학생 H의 문제행동에 대한 긍정적 행동지원을 할 수 있습니다. 이를 위해 먼저 학생 H의 문제행동을 관찰하는 것이 필요합니다. 이때에는 (나)와 같은 관찰기록 방법을 사용할 수 있습니다.
통합학급 교사: 그렇다면 (나)의 관찰기록 결과만 살펴보면 될까요?
특 수 교 사: 아니요. ㉡ (나)의 관찰기록 결과를 분석한 다음에 다른 방식의 직접 관찰을 할 필요가 있습니다.

〈 작성 방법 〉

- 밑줄 친 ㉠에 해당하는 내용을 2가지 쓸 것

39 2019 유아A-5

원기는 손을 흔드는 상동 행동을 하는 5세 발달지체 유아이다. 다음은 현장 체험학습을 다녀온 후에 통합학급 김 교사와 특수학급 박 교사가 평가회에서 나눈 대화의 일부이다. 물음에 답하시오.

박 교사: 김 선생님, 지난 현장 체험학습 때 원기에게 일어난 일 기억하시죠?

김 교사: 물론이죠. 다른 아이들이 원기가 손을 반복적으로 흔드는 행동을 쳐다보며 흉내 내고 놀렸잖아요. 그때 아이들이 원기를 도와주었고, 박 선생님과 제가 칭찬을 많이 해 주었죠.

박 교사: 그랬죠. 그래서 평소에 우리 아이들이 장애에 대해 올바른 태도를 가질 수 있도록 사전 교육이나 활동이 꼭 필요합니다.

김 교사: 네. 저도 박 선생님의 생각에 동의해요. 그리고 장애가 있는 친구들에 대한 태도에서 ㉠ <u>대상과 관련된 정보나 지식 또는 신념</u> 등이 부족하거나 왜곡되면 장애가 있는 친구들에 대한 태도에 매우 부정적인 영향을 미치기도 한대요.

… (중략) …

김 교사: 아이들은 교사의 말이나 행동을 그대로 따라 하는 것 같아요. 지난번 현장 체험학습 때 놀림을 받은 원기에게 아이들이 다가가 안아 주거나 토닥거려 주고, 함께 손을 잡고 다녔죠. ㉡ <u>평소 박 선생님과 제가 원기에게 하던 행동을 아이들이 자세히 본 것</u> 같아요. 교사의 행동이 아이들에게 참 중요하다는 것을 다시 알았어요.

박 교사: 네. 그리고 아이들끼리도 서로 영향을 주고받는 것 같아요. ㉢ <u>지난번 현장 체험학습 때 제가 원기를 도와주었던 친구들을 칭찬해 줬더니, 그 모습을 보고 몇몇 유아들은 원기를 도와주는 행동을 따라 하는 것</u> 같아요.

… (중략) …

김 교사: 참, 선생님. 원기가 혼자 화장실에 가는 것을 좀 불안해 해요. 꼭 저와 같이 가려고 하고 화장실 문도 못 닫게 하네요. 이때는 어떻게 하면 좋을까요?

박 교사: 저는 원기의 불안감을 줄여 주는 것이 무엇보다 중요하다고 봐요. 불안감을 줄여 주는 방법에는 여러 가지가 있는데, 그중에 ㉣ <u>체계적 둔감법</u>과 ㉤ <u>실제 상황 둔감법</u>이 생각나네요.

… (하략) …

2) 반두라(A. Bandura)의 사회학습이론에 근거하여, ㉢에 해당하는 강화의 유형을 쓰시오.

3) ㉣과 ㉤의 장점을 각각 1가지 쓰시오.

㉣ :

㉤ :

40 2019 초등A-4

(가)는 정서 · 행동장애 학생 민규의 특성이다. 물음에 답하시오.

(가) 민규의 특성

- 자주 무단결석을 함
- 주차된 차에 흠집을 내고 달아남
- 자주 밤늦게까지 집에 들어오지 않고 동네를 배회함
- 남의 물건을 함부로 가져간 후, 거짓말을 함
- 반려동물을 발로 차고 집어던지는 등 잔인한 행동을 함
- 위와 같은 행동이 12개월 이상 지속되고 있음

1) ① (가) 민규의 특성에 해당하는 장애 명칭을 DSM-5 진단기준을 근거로 쓰고, ② 민규의 행동 원인을 반두라(A. Bandura)의 사회학습관점에 근거하여 쓰시오.

①:

②:

41 2019 중등A-8

다음은 ○○중학교 건강장애 학생 K의 보호자와 송 교사가 나눈 대화이다. 밑줄 친 ㉠에 해당하는 인지행동중재 방법의 명칭을 쓰시오.

보호자: 선생님, 학생 K가 퇴원 후 학교에 복귀하게 되었는데, 학습 결손도 걱정이지만 오랜만에 학교에 가서 그런지 불안과 긴장이 심해지는 것 같아요.

송 교사: 개별적인 지원 방법을 고민해 봐야겠군요. 먼저, 학업 지원 측면에서 학습 결손 보충과 평가 조정 등을 고려하겠습니다. 불안과 긴장에 대해서는 ㉠ 깊고 느린 호흡, 심상(mental image) 등을 통해 근육의 긴장을 감소시키는 방법을 고려해보면 좋겠네요.

42 2020 유아B-4

다음은 통합학급 김 교사와 유아특수교사 강 교사가 나눈 대화이다. 물음에 답하시오.

김 교사: 다음 주에 학부모 공개 수업을 하는데 특수교육대상인 수희와 시우가 수업에 잘 참여할지 걱정이 되네요.
강 교사: 그래서 저희는 또래주도 전략을 사용해 보려고 해요. 모둠별로 '경단 만들기' 요리 수업을 할 거예요. ㉠ 수희와 시우가 참여하여 경단을 완성했을 때, 모둠 전체를 강화하려고 해요. 또 수희의 상호작용 증진을 위해서 자유선택활동 시간에 ㉡ 훈련받은 민수가 수희에게 "블록쌓기 놀이 하자."라고 하면서 먼저 블록을 한 개 놓으면, 수희가 그 위에 블록을 쌓아요. 그러면서 둘이 계속 블록쌓기 놀이를 하게 하려고요.
김 교사: 선생님, 시우는 자기도 참여하고 싶은 것이 있으면 큰 소리를 질러요. 시우를 어떻게 도울 수 있을까요?
강 교사: 선생님, 우선 시우에게 ㉢ 대체행동 교수를 실시하면 어떨까요?
김 교사: 네. 좋은 생각이네요. 그럼 혹시 시우가 집에서는 어떤지 좀 아세요?
강 교사: 네. 시우 어머니와 면담 시간을 가졌어요. 시우 부모님은 시우가 갓난아기 때부터 맞벌이를 하였고 주 양육자도 자주 바뀌었대요. 그래서 ㉣ 시우가 평소에 엄마랑 떨어지지 않고 꼭 붙어 있으려고 했대요. 엄마가 자리를 비우면 심하게 불안해하면서 울지만, 막상 엄마가 다시 돌아오면 반가워하기보다는 화를 냈대요. 그리고 엄마가 달래려 하면 엄마를 밀어내서 잘 달래지지 않았다고 해요.

…(하략)…

3) 에인스워드 외(M. Ainsworth et al.)의 애착유형 중에서 ㉣에 해당하는 유형을 쓰시오.

43 2020 초등A-3

(가)는 정서 · 행동장애 학생 성우의 사회과 수업 참여 방안에 대해 특수교사와 일반교사가 나눈 대화의 일부이다. 물음에 답하시오.

(가) 대화 내용

일반교사: 성우는 교실에서 자주 화를 내고 주변 친구를 귀찮게 합니다. 제가 잘못된 행동을 지적해도 자꾸 남의 탓으로 돌려요. 그리고 교사가 어떤 일을 시켰을 때 무시하거나 거부하기도 합니다. 이 모든 문제행동이 7개월 넘게 지속되고 있어요. [A]
성우가 품행장애인지 궁금합니다.
특수교사: 제 생각에는 ㉠ 품행장애가 아닙니다. 관찰된 행동만으로 판단하는 것은 어렵지만, '아동 · 청소년 행동 평가척도(CBCL 6-18)' 검사 결과를 참고하면 좋겠어요.

…(중략)…

일반교사: 성우는 성적도 낮은 편이라 모둠 활동을 할 때 환영받지 못하는 경우가 많아서 사회과 수업에 협동학습을 적용하려고 해요. 그런데 협동학습에서도 ㉡ 능력이 뛰어난 학생이 모둠 활동에 지나치게 개입하여 주도하려는 현상이 나타날 수 있어요.
특수교사: 맞습니다. 교사는 그러한 현상을 방지하기 위해서 ㉢ 과제 부여 방법이나 ㉣ 보상 제공 방법을 면밀하게 고려해 보아야 하지요.
일반교사: 그렇군요. 집단 활동에서 성우의 학습 수행을 평가할 수 있는 방법은 무엇인가요?
특수교사: 관찰이나 면접을 활용하여 성우의 ㉤ 공감 능력, 친사회적 행동 실천 능력의 변화를 평가하면 좋을 것 같습니다.

…(하략)…

1) (가)의 [A]를 참고하여 ㉠의 이유를 DSM-5에 근거하여 1가지 쓰시오.

44
2020 중등B-1

(가)의 학생 A의 특성에 해당하는 장애 명칭을 '정신장애의 진단 및 통계 편람 제5판(DSM-5)' 진단기준에 근거하여 쓰고, (나)의 대화에서 괄호 안의 ㉠에 해당하는 용어를 쓰시오.

(가) 학생 A의 특성

- 최근 7개월간 학교와 가정에서 과도한 불안을 보인 날이 그렇지 않은 날보다 더 많음
- 자신의 걱정을 스스로 통제하는 것이 어렵다고 호소함
- 과제에 집중하기 힘들어 하고 근육의 긴장을 보이며 쉽게 피곤해 함
- 학교, 가정 등 일상생활에서 불안이나 걱정 때문에 고통을 받고 있음
- 특정 물질의 생리적 영향이나 다른 의학적 상태 때문에 나타난 증상이 아님
- 이 장애는 다른 정신장애에 의해 더 잘 설명되지 않음

(나) 대화

통합학급 교사: 학생 A의 어려움을 줄여줄 수 있는 방안에는 어떠한 것이 있나요?

특 수 교 사: 네, 선생님, 다양한 중재 방법이 있습니다. 그중 하나는 인지적 모델을 바탕으로 하는 (㉠)입니다. 이 중재 방법에서는 정서·행동장애 학생이 보이는 부정적 정서 반응과 행동의 원인을 비합리적 신념 때문이라고 봅니다. 그래서 학생 A의 비합리적 신념을 논박하면, 비합리적 신념이 합리적 신념으로 변화하여 바람직한 정서를 보이고 적절한 행동을 하게 된다고 봅니다.

45
2021 유아A-3

(가)는 유아특수교사 박 교사와 최 교사, 통합학급 김 교사가 5세 발달지체 유아 지호에 대해 나눈 대화이다. 물음에 답하시오.

(가)

[9월 7일]

김 교사: 신입 원아 지호가 일과 중에 갑자기 울음을 터뜨리는 일이 많은데 기질상의 문제일까요?

박 교사: 글쎄요. 지호가 울기 전과 후에 어떤 일이 있었는지 자세히 살펴봐야 할 것 같아요.

최 교사: 지호를 둘러싼 사회적 맥락과의 상호작용도 중요한 것 같아요. 지호가 다녔던 기관은 소규모이고 굉장히 허용적인 곳이었다니, 지호에게 요구하는 것이 크게 달라진 것이죠. 지호뿐만 아니라 ㉠ <u>지호 어머니도 새 선생님들과 관계를 맺고 소통하는 것</u>이 큰 부담이시래요. 이런 점도 영향이 있겠지요? [A]

박 교사: 네, 다양한 관점을 통합하여 봐야 할 것 같습니다. 다음 회의 때까지 울음 행동 자료를 직접 관찰 방법으로 수집해 볼게요.

1) [A]와 같이 유아의 정서·행동문제를 바라보는 모델에 근거하여, ㉠에 해당하는 체계가 무엇인지 쓰시오.

46 2022 유아B-1

다음은 통합학급 김 교사와 유아특수교사 박 교사가 나눈 대화의 일부이다. 물음에 답하시오.

박 교사: 선생님, 우리 아이들의 노는 모습이 참 다양하죠?
김 교사: 오늘 수희와 영미는 병원놀이를 했고, 재우와 인호는 퍼즐놀이를 했어요. 민우는 혼자서 종이 블록을 가지고 쌓기놀이를 하고 있었어요. 마침 지수가 그 옆을 지나다가 민우 옆에 앉더니 자기도 민우처럼 종이 블록을 가지고 쌓기놀이를 하더라고요. 그런데 지수와 민우는 서로 상호 작용을 하지는 않았어요. [A]

…(중략)…

김 교사: 지수가 '같은 그림 찾기' 놀이를 할 때에 좀 어려워하던데, 이런 경우에는 어떻게 가르칠 수 있을까요?
박 교사: 네, 촉구법을 사용할 수 있어요. ㉠ 지수가 '같은 그림 찾기' 놀이를 할 때, 찾아야 하는 그림카드는 지수가 잘 볼 수 있도록 가까이에 두고 다른 그림 카드는 조금 멀리 두는 거예요.
김 교사: 아, 그렇군요. 전에 태호가 좀 충동적이고 산만했었는데, 최근에는 ㉡ 태호가 속삭이듯 혼잣말로 "나는 조용히 그림책을 볼 거야."라고 말하며 그림책을 꽤 오랫동안 잘 보더라고요.
박 교사: 네. 사실은 얼마 전부터 태호에게 자기교수법으로 가르치고 있었어요. 자기교수법은 충동적이고 주의 산만한 아이에게 효과가 있다고 해요.
김 교사: 그럼 자기교수법은 어떻게 가르치나요?
박 교사: 자기교수법에는 5단계가 있어요. 첫 번째 인지적 모델링 단계에서는 교사가 유아 앞에서 "나는 조용히 그림책을 볼 거야."라고 말하며 책을 보는 거예요. 두 번째 외적 모방 단계에서는 교사가 말하는 자기 교수 내용을 유아가 그대로 따라 말하면서 그림책을 보는 것입니다. …(중략)… 마지막으로 다섯 번째는 ㉢ 내적 자기교수 단계가 있어요.

3) 마이켄바움과 굿맨(D. Meichenbaum & J. Goodman)의 자기 교수법에 근거하여, ① ㉡에 해당하는 자기교수법 단계의 명칭을 쓰고, ② ㉢에서 태호가 할 행동의 예를 쓰시오.

①:

②:

47 2022 유아B-4

(나)는 교사들이 나눈 대화의 일부이다. 물음에 답하시오.

(나)

김 교사: 오늘 아이들이 '내가 만든 똑딱 소리'라는 놀이를 만들고 모두가 재미있게 참여했어요.
박 교사: 맞아요. 특히, 수줍음이 많고 자리 이탈이 심했던 영호가 이전과는 다르게 놀이에 참여하는 모습을 볼 수 있어서 참 흐뭇했어요.
김 교사: 저도 그렇게 느꼈어요. 다른 친구들이 나와서 각자 만든 리듬을 연주할 때마다 유심히 보더라고요. 가끔씩 ㉣ 영호는 혼잣말로 "두구두구 두구두구"라고 하며 중얼거리기도 하고, "요렇게, 아니, 아니."라고 하면서 고개를 가로젓다가 까딱거리며 리듬 막대를 살살 움직여보기도 하더군요.
박 교사: 그래요. 그러다가 ㉤ 진아가 리듬 연주를 하고 나서 친구들에게 큰 박수를 받았잖아요. 그런 진아를 보더니 영호도 리듬 연주를 하겠다며 손을 번쩍 들었어요.
김 교사: 오늘 놀이에서 영호는 자신감이 커졌을 거예요.

3) 반두라(A. Bandura)의 관찰학습 이론에 근거하여, ㉤에서 영호가 손을 든 이유를 쓰시오.

48 2022 초등A-6

(가)는 특수교사가 체크한 5학년 지호의 특성이고, (다)는 특수교사가 특수학급에서 분노조절 중재를 실시한 후에 지호가 작성한 분노조절 기록지의 일부이다. 물음에 답하시오.

(가) 지호의 특성

최근 지호는 수업 활동으로 게임을 하다 질 때마다 심하게 화를 내며 성질을 부리고 좌절하는 모습을 보인다.	
• 자주 또는 쉽게 화를 낸다.	✓
• 자주 다른 사람에 의해 쉽게 기분이 상하거나 신경질을 부린다.	✓
• 자주 화가 나 있고 원망스러워 한다.	✓
• 자주 권위자 또는 성인과 논쟁한다.	
• 자주 권위자의 요구나 규칙 따르기를 적극적으로 무시하거나 거부한다.	
• 자주 고의적으로 타인을 귀찮게 한다.	
• 자주 본인의 실수나 잘못된 행동을 타인의 탓으로 돌린다.	✓
• 위와 같은 행동이 적어도 6개월 동안 지속되었다.	✓

(다) 지호가 작성한 분노조절 기록지

나의 감정 기록지	
• 지난 수업시간 경험했던 부정적 느낌을 쓰세요.	너무 화가 나고 속상했어.
• 부정적 느낌이 들기 직전에 무슨 일이 있었는지 쓰세요.	철수와 한 팀이 되어 게임했더니 져 버렸어.
• 이 상황이 발생한 이후 든 생각을 쓰세요.	게임에서 지는 것은 절대 있을 수 없어.
• 이 상황 이후에 나 자신에게 한 말을 쓰세요.	나는 항상 철수 때문에 게임에 져.
～～～	～～～
• 현재 갖게 된 합리적 신념을 자기 말로 쓰세요.	(㉢)

1) 「정신장애진단 및 통계편람 제5판 DSM-5」에 근거하여 (가)의 지호 특성에 해당하는 장애 진단명을 쓰시오.

3) ① (가)와 (다)에 근거하여 특수교사가 지호에게 적용한 분노조절 중재와 같이 인지 왜곡을 중재하는 목표를 쓰고, ② 지호에게 성공적으로 중재를 실시한 후, (다)의 ㉢에 들어갈 지호의 합리적 신념을 자기말(self-talk)로 쓰시오.

①:

②:

49

2022 중등A-9

다음은 품행장애 학생 D에 관해 통합 교사와 특수 교사가 나눈 대화의 일부이다. 〈작성 방법〉에 따라 서술하시오.

통합 교사: 선생님, 우리 반에 전학 온 학생 D에게 품행장애가 있다고 합니다. 품행장애는 어떤 건가요?

특수 교사: 품행장애는 다른 사람의 기본 권리를 침해하고 나이에 맞는 규범과 규칙을 지속적이고 반복적으로 위반하는 행동을 하는 것을 말합니다.

통합 교사: 품행장애로 진단하기 위한 구체적인 기준이 있나요?

특수 교사: 예, 품행장애로 진단하려면 (㉠), 재산 파괴, 사기 또는 절도, 심각한 규칙 위반에 포함된 하위 15가지 항목 중에서 3가지 이상의 행동을 12개월 동안 보이고, 이로 인해 학업적 · 사회적으로 현저한 손상이 있어야 합니다.

통합 교사: 그렇군요. 품행장애는 아동기 발병형이 청소년기 발병형보다 예후가 더 안 좋다고 하던데요. 그 둘은 어떻게 구분하나요?

특수 교사: 예, 이 둘은 증상이 나타나는 시기로 구분할 수 있습니다. 아동기 발병형은 (㉡)에 품행장애의 특징적인 증상을 한 가지 이상 보이는 경우를 말합니다.

… (중략) …

통합 교사: 선생님, 학생 D가 보이는 문제행동의 원인이 ㉢ <u>부모의 부적절한 양육 태도나 또래와의 부정적 경험</u>과 관련이 있나요?

… (중략) …

특수 교사: 그리고 학급에서 학생 D가 모둠별 활동에 참여할 때에는 ㉣ <u>독립적 집단유관</u>을 사용하는 것이 좋을 것 같습니다.

〈작성 방법〉

- 괄호 안의 ㉠, ㉡에 해당하는 내용을 '정신장애 진단 및 통계 편람 제5판(DSM-5)'의 진단 기준에 근거하여 기호와 함께 각각 쓸 것
- 밑줄 친 ㉢에 해당하는 체계명을 브론펜브레너(U. Bronfenbrenner)의 생태학적 모델에 근거하여 쓸 것

50

2023 유아A-3

다음은 특수교육지원센터 유아특수교사와 서아 어머니의 면담 내용 중 일부이다. 물음에 답하시오.

어머니: 서아는 지금 23개월인데, 임신 30주에 이른둥이로 태어났어요.

교 사: 네. 이른둥이로 태어나 어려움이 있으셨나요?

어머니: 자라면서 또래에 비해 발육이 늦었어요. 걷는 것도, 말도 늦게 시작해 걱정을 했어요.

교 사: ㉠ <u>발달이 늦어 걱정이 많으셨겠네요.</u> 그럼 양육은 주로 누가 하시나요?

어머니: 제가 직장을 다녀서 낮에는 주로 서아 할머니께서 저희 집으로 오셔서 서아를 돌봐 주시고 있어요. 제가 다니는 직장은 일이 너무 많아 외출이나 휴가를 신청하는 데 눈치가 보여요.

교 사: 그렇군요. 현재 가장 큰 걱정거리가 무엇인가요?

어머니: 할머니는 서아를 늘 업고 다니시고 매번 밥도 떠먹이고, 옷도 다 입혀 주세요. 서아가 원하는 것은 다 들어주세요. 그래서인지 요즘 서아가 원하는 대로 되지 않으면 울며 떼를 써서 걱정이에요.

교 사: 할머니께서 서아가 스스로 할 수 있는 것까지 모두 해 주시고, 최근에 서아에게 고집스러운 행동이 생겨 걱정이 된다는 말씀이시군요.

어머니: 맞아요.

교 사: 그럼 서아 어머니는 어떻게 양육하시나요?

어머니: 저는 서아가 느리고 서툴러도 스스로 하게 해요.

교 사: 어머니는 서아가 스스로 하게 하시는군요.

어머니: 네, 할머니께 서아 스스로 하게 하시라고 말씀드리지만, 서아가 아직 어려 괜찮다고만 하셔서 걱정도 되고, 화도 나고 그래요. 이 문제를 어떻게 해결해야 할지 고민이 돼요.

교 사: 생각하시는 해결 방법이 있나요?

어머니: 직장에서 시간 내기도 어렵고, 서아를 일관성 있게 돌보려면 휴직을 해야 하나 고민하고 있어요.

교 사: 그러시군요.

… (하략) …

3) 어머니와 교사의 대화에 근거하여 브론펜브레너(U. Bronfenbrenner)의 생태학적 체계모델의 외체계에 해당하는 것을 1가지 쓰시오.

51 2023 유아B-2

(다)는 유아특수교사 박 교사와 통합학급 김 교사의 대화이다. 물음에 답하시오.

(다)

김 교사:	오늘 놀이 시간에 민지가 병원놀이를 많이 무서워했어요.
박 교사:	그래서 민지 어머니도 민지가 아플 때 병원에 가기 어렵다고 하셨어요.
김 교사:	주사가 무섭긴 하겠지만 지나치게 불안을 나타내는 것에 대해서는 걱정이 되네요. 무슨 좋은 방법이 있을까요?
박 교사:	㉢ 친구들이 주사기 놀잇감을 가지고 병원놀이하는 모습을 멀리서 지켜보는 낮은 자극 수준부터 점차 높은 자극 수준으로 올라가도록 단계를 만들고, 자극 단계 순서대로 차츰 노출시켜서 민지가 불안을 줄여갈 수 있도록 연습시켜 봐요.
김 교사:	네, 선생님. 그런데 민지가 각 단계마다 연습을 하다가 불안이 높아질 때에는 어떻게 하지요?
박 교사:	그럴 때를 대비해서 스스로 불안을 낮출 수 있도록 (㉣)을/를 가장 먼저 연습해야 해요.

3) (다)의 ① ㉢에 해당하는 중재 방법이 무엇인지 쓰고, ② ㉢과 관련하여 ㉣에 들어갈 용어를 쓰시오.

①:

②:

52

2023 유아B-4

(가)는 5세 발달지체 유아 지우에 대한 통합학급 교사들의 대화이고, (다)는 지우의 자기교수훈련 과정의 예시이다. 물음에 답하시오.

(가)

김 교사: 우리 반 친구들이 지역 축제에서 풍물놀이하는 것을 본 이후에 전통악기에 대한 관심이 참 많아졌어요. 정말 재미있었나 봐요. 교실에서도 난타놀이를 한다고 '개구리' 노래를 부르며 자유롭게 연주도 하고 신나게 놀았잖아요.

박 교사: 나중에는 지우가 혼자서 북놀이를 하다가 악보를 바라보고 있어서 ㉠ <u>'개구리' 노래를 부를 때 앞 두 마디는 노래로 부르다가, '꽥꽥~' 하는 두 마디에서만 북을 두드리고, 나머지는 다시 노래하는 방법</u>을 알려주었더니 재미있어 했어요.

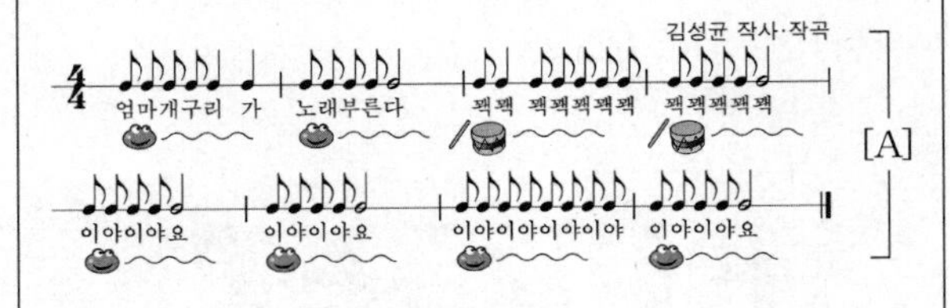

… (중략) …

김 교사: 지우가 장구도 많이 좋아하는 것 같아요. 그런데, 악기놀이를 할 때 다른 친구들의 장구채를 빼앗거나 밀치고 먼저 하려는 행동을 하는 것 같아요.

박 교사: 네, 맞아요. 지우가 이제 곧 초등학교 진학도 하게 될 테니, 입학 전 적응 기술을 가르치기 위해 마이켄바움과 굿맨(D. Meichenbaum & J. Goodman)의 자기교수 훈련을 시작하려고요. [B]

(다)

[자기교수 훈련 과정]	
박 교사의 행동	지우의 행동
"줄을 서서 차례를 기다려요"라고 큰 소리로 말하면서 줄을 선다.	㉡
(생략)	㉢
지우의 행동을 관찰하고 피드백을 제공한다.	(생략)
(생략)	(속삭이듯 작은 목소리로) "줄을 서서 차례를 기다려요."라고 말하면서 줄을 선다.
(생략)	('줄을 서서 차례를 기다려요.'라고 속으로 말하면서) 줄을 선다.

3) (가)의 [B]에 근거하여 (다)의 ㉡과 ㉢에 해당하는 지우의 행동을 각각 쓰시오.

㉡:

㉢:

53 2023 초등B-4

(가)는 특수교사 성찰일지의 일부이다. 물음에 답하시오.

(가) 성찰일지

- 오늘은 동물보호협회와 협력수업으로 '반려견과 친구 되기' 수업을 진행함
  - 지우가 수업 시간에 강아지를 괴롭히고 강아지에게 위협적인 행동을 자주 함
- 지우의 부모 면담 내용
  - 집에서 키우는 강아지를 학대함
  - 자주 주변 사람을 괴롭히고 위협하거나 협박함
  - 이웃집 자동차를 고의적으로 망가뜨림
  - 동생에게 이유 없이 자주 시비를 걸고 몸싸움을 함
  - 이런 행동이 1년 이상 지속되고 있음 [A]
  - 현재 소아 정신과에서 치료를 받고 있음
- 지우에 대한 각별한 지도가 필요함

…(하략)…

1) 『정신질환의 진단 및 통계 편람 제5판』에 근거하여, (가)의 [A]에 해당하는 장애 진단명을 쓰시오.

54 2023 중등A-5

(가)는 특수학급에 재학 중인 학생 A의 특성이다. 〈작성 방법〉에 따라 서술하시오.

(가) 학생 A의 특성

- 일상생활 중 자신의 의지와 상관없이 다음과 같은 행동을 보임
  - 갑자기 손목을 꺾으면서 앞·뒤로 빨리 반복적으로 파닥거림
  - 다른 소리(예 헛기침하기, 킁킁거리기)는 내지 않음
  - 초등학교 입학 이후 지속적으로 이와 같은 행동 특성을 보였음
- 현재 특별한 약물을 복용하거나 다른 질병은 없음

〈작성 방법〉

- (가)의 학생 A의 행동 특성에 해당하는 장애명을 쓸 것(단, DSM-5의 신경발달장애 하위 범주 기준에 근거할 것)

55

2023 중등B-5

(가)는 신규 교사와 수석 교사가 나눈 대화의 일부이다. 〈작성 방법〉에 따라 서술하시오.

(가) 신규 교사와 수석 교사의 대화

신규 교사: 2022년 6월에 일부 개정된 장애인 등에 대한 특수교육법 시행령에서 중도중복장애를 지닌 특수교육 대상자에 대한 선정 기준이 보다 명료해졌다고 들었습니다.
수석 교사: 네. 그렇습니다. 중도중복장애는 지적장애 또는 자폐성장애를 지니면서 시각장애, 청각장애, 지체장애, (㉠) 중 하나 이상을 가지고 있어야 합니다.
신규 교사: 시각과 청각 모두 장애의 정도가 심하여 두 감각에 의한 학습활동이 곤란한 경우도 중도중복장애로 분류되나요?
수석 교사: ㉡ 아닙니다.

… (중략) …

신규 교사: 중도중복장애 학생의 보호자가 교과교육을 강하게 요구하고 있어요. 하지만 우리 반 학생들의 장애 정도가 너무 심하다보니 교과지도보다는 식사지도와 배변지도에 치중하게 되는 것 같아요.
수석 교사: 물론 교과지도도 중요합니다. 그러나 상위 욕구와 하위 욕구로 욕구의 위계를 설명하였던 매슬로우(A. Maslow)에 따르면, (㉢)(이)라고 합니다. 중도중복장애 학생의 생리 및 안전의 욕구를 고려하여 이를 충족하기 위한 기능적 기술을 우선적으로 가르치는 것이 중요합니다. 기본적인 생리 · 안전이 제공되었을 때 비로소 학습이 이뤄진다고 생각합니다.

〈 작성 방법 〉
- (가)의 괄호 안의 ㉢에 해당하는 내용을 서술할 것

56 2024 유아A-4

다음은 유아특수교사 최 교사와 박 교사가 나눈 대화이다. 물음에 답하시오.

[11월 ○○일]

최 교사: 다음 달에 진행할 카드 만들기는 잘 준비되고 있나요?
박 교사: 네. 다양한 재료와 도구를 활용하여 크리스마스 카드를 꾸미려고 해요. 그래서 소윤이가 모양펀치를 활용하여 스티커를 만들어 붙이는 방법을 미리 연습하고 있는데 어려움이 있어요.
최 교사: 어떤 어려움인가요?
박 교사: 단계를 나누어서 관찰해 보니 각각의 단계는 잘 수행하지만 순서대로 수행하는 걸 계속 어려워해요.
최 교사: 소윤이가 단계를 순서대로 수행하는 데만 어려움을 보이고 과제도 복잡하지 않으니 연쇄법 중에서 (㉠)을/를 적용해 보면 좋을 것 같아요. 이 연쇄법은 매 회기마다 모든 단계를 수행하도록 하면서 어려움을 보이면 촉구를 제공하여 지도하는 방법이에요. 모든 단계를 다 수행했을 때는 강화하면 돼요. [A]

[12월 □□일]

최 교사: 이번 크리스마스 카드 만들기는 어땠어요?
박 교사: 유아들이 정말 즐거워했어요. 특히 소윤이가 모양 스티커를 활용해 카드를 잘 꾸몄어요. 그동안 소윤이의 자율성이 향상된 것이 더 도움이 된 것 같아요.
최 교사: 어떤 방법을 사용하셨어요?
박 교사: 먼저 순서에 따라 카드를 완성하면 좋아하는 트램펄린 타는 것을 약속했어요. 활동 중에는 각 단계마다 그림과제분석표에 동그라미를 그려 점검하게 했고요. ㉡ <u>활동이 끝난 후에는 스스로 그림과제 분석표를 보고, 사전에 정한 기준대로 모든 단계에 동그라미가 있으면 웃는 강아지 얼굴에 스탬프를 찍게 했어요.</u> 그랬더니 카드 만들기 활동 후 소윤이가 웃는 강아지 얼굴에 표시한 걸 가지고 와서 "소윤이 트램펄린 탈래."라고 말하더라고요.

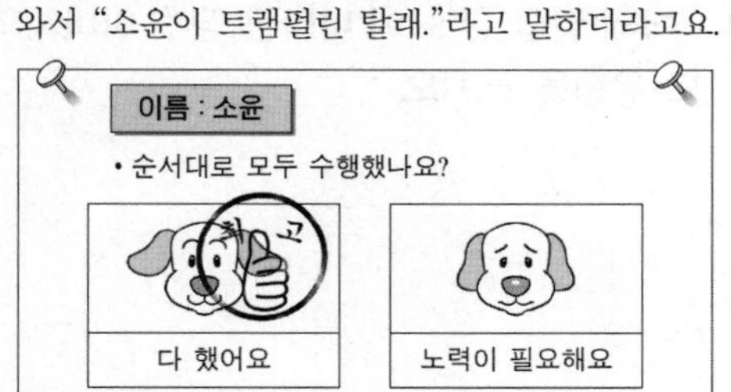

최 교사: 정말 기특하네요.
박 교사: 네. 그리고 ㉢ <u>소윤이가 친구들에게 "이것 봐, 이거 내가 했어. 혼자 만든 거야, 많이 연습했어. 잘했지? 예쁘지?"라고 자랑했어요. 소윤이가 자신의 노력 덕분에 잘 완성했다고 생각하더라고요.</u>
최 교사: 소윤이의 자신감이 높아진 것 같아 기쁘네요.

…(중략)…

박 교사: 마지막으로 말씀드릴 내용은 진우 이야기예요. 진우가 ㉣ <u>어른에게 '안녕하세요'라고 인사를 해야 한다고 배웠잖아요. 그런데 또래나 어린 동생에게도 '안녕하세요'라고 인사를 하더라고요.</u>
최 교사: 그럼 ㉤ <u>또래나 어린 동생에게 적절히 인사를 할 수 있도록 변별훈련</u>을 하면 되겠어요.

2) 귀인이론 중 통제 소재의 차원에서 ㉢에 해당하는 특성을 쓰시오.

57 2024 중등A-12

다음은 정서 · 행동장애 학생 A에 대한 특수 교사 A와 B의 대화이다. 〈작성 방법〉에 따라 서술하시오.

특수 교사 A: 선생님, 우리 학교에 재학 중인 학생 A가 최근 운동장에서 흙을 입에 넣는 모습을 봤어요. 바로 뛰어갔는데, 벌써 삼켜서 말릴 수가 없었어요. 그런 행동을 예전에도 여러 번 봤어요. ㉠ 학생 A와 같은 행동이 나타나면 의사와 먼저 상담을 하고 진단을 받아 봐야 할 것 같아요. 혹시 특정 영양소가 결핍되어 그런 행동이 발생할 수도 있지 않나 싶습니다.

특수 교사 B: 그럴 수도 있겠네요. 일전에 학생 A의 담임 선생님과 이야기 나눌 기회가 있었는데 ㉡ 학생 A가 2개월 전부터 갑자기 그런 행동을 했다고 하더라고요. 담임 선생님도 걱정이 많아요. 혹시 학생 A가 그 행동을 했을 때 누군가 관심을 줬고, 그 행동이 계속 관심을 받아서 지속되는 건 아닐까 하는 생각도 들어요. 일단 그 행동의 기능을 파악하는 것이 좋겠습니다.

특수 교사 A: 일단 원인이 파악되면 시급하게 중재를 시작해야 할 것 같아요.

특수 교사 B: 네, 그런데 아무리 시급한 상황이라 할지라도 어떤 중재를 도입하고 실행할 때에는 중재 목표의 중요성, ㉢ 중재 절차의 적절성, (㉣) 측면에서 사회적 타당도를 살펴보는 것이 필요하지요

〈작성 방법〉

- 밑줄 친 ㉠, ㉡의 정서 · 행동 문제를 바라보는 관점은 어떤 개념적 모델에 근거한 것인지 순서대로 쓸 것

58 2025 유아B-1

(가)는 5세 발달지체 유아 정후의 어머니와 유아 특수 교사 김 교사가 나눈 대화이다. 물음에 답하시오.

(가)

어 머 니: 선생님, 정후가 요즘 부쩍 산만해지고 집중을 잘 못해서 병원을 찾았더니 ㉠ 주의력결핍-과잉행동 장애라고 하네요. 믿을 수가 없어서 여러 병원을 돌아다녀 보았지만 동일한 진단을 받았어요. 내년이면 초등학교에 가야 하는데 정말 걱정이에요.

김 교사: 어머님, 걱정이 많으시겠어요.

어 머 니: ㉡ 정후 아빠가 이런 문제는 초등학교 가기 전에 해결해야 한다고 하면서 정후가 집에서 지켜야 할 규칙을 만들어서 무조건 지키게 해요. 그걸 지키지 못하면 심하게 야단을 쳐서 요즘 정후가 스트레스가 많아요.

김 교사: 무조건 못하게 한다고 행동이 나아지는 건 아닌데, 염려가 되네요.

…(하략)…

1) (가)의 밑줄 친 ㉠의 핵심적인 특성 3가지를 쓰시오.

2) (가)의 밑줄 친 ㉡에 나타난 정후 아버지의 양육 태도 유형을 쓰시오.

MEMO

김남진
KORSET 특수교육
기출분석 ❷

KORea Special Education Teacher

PART 07

자폐성장애아교육

Part 07

자폐성장애아교육 Mind Map

Chapter 1 자폐성장애의 이해

1 자폐성장애의 개념
- 장애인 등에 대한 특수교육법
- 정신장애의 진단 및 통계편람
  - 진단기준
    - 사회적 의사소통과 사회적 상호작용의 결함
    - 제한적이고 반복적인 행동, 흥미, 활동
    - 초기 발달 시기 출현
  - 심각도

2 자폐성장애의 원인 및 진단 · 평가
- 자폐성장애의 원인
- 자폐성장애의 진단 · 평가
  - 장애인 등에 대한 특수교육법
    - 적응행동검사
    - 성격진단검사
    - 행동발달평가
    - 학습준비도검사
  - 검사도구

Chapter 2 자폐성장애의 특성

1 자폐성장애의 일반적 특성

2 DSM-5의 진단적 특성
- 사회적 의사소통과 사회적 상호작용의 결함
  - 사회-정서적 상호성의 결함
  - 사회적 상호작용을 위한 비언어적인 의사소통 행동의 결함
  - 관계 발전, 유지 및 관계에 대한 이해의 결함
- 제한적이고 반복적인 행동, 흥미, 활동
  - 상동적이거나 반복적인 운동성 동작, 물건 사용 또는 말하기
  - 동일성에 대한 고집, 일상적인 것에 대한 융통성 없는 집착 또는 의례적인 언어나 비언어적 행동 양상
  - 강도나 초점에 있어서 비정상적으로 극도로 제한되고 고정된 흥미
  - 감각 정보에 대한 과잉 또는 과소반응 또는 환경의 감각 영역에 대한 특이한 관심

3 주요 발달 영역별 특성
- 사회적 상호작용 특성
- 의사소통 특성
  - 일반적 특성
  - 반향어 : 즉각반향어, 지연반향어
- 행동 특성
- 감각 특성
  - 자폐성장애 학생의 감각적 특성 이해 : 과잉반응, 과소반응
  - 감각체계별 특성 : 청각체계, 시각체계, 미각체계, 후각체계, 촉각체계
  - 감각처리 모델
    - 낮은 등록
    - 감각 추구
    - 감각 민감
    - 감각 회피

④ 관련 특성
- 인지
- 적응행동
- 운동 기능
- 감각 지각
- 기타 특성

Chapter 3 자폐성장애의 인지적 결함 특성

① 마음이해능력의 결함
- 마음이해능력의 개념
- 마음이해능력 결함 관련 특성
- 교육적 지원 방안
  - 상황이야기, 짧은 만화 대화
  - 활동 중심 마음이해 향상 프로그램
    - 정서이해 향상 프로그램
    - 믿음이해 향상 프로그램

② 중앙응집 기능의 결함
- 중앙응집의 개념
- 중앙응집 기능 결함 관련 특성
- 교육적 지원 방안

③ 실행기능의 결함
- 실행기능의 개념
- 실행기능 결함 관련 특성
- 교육적 지원 방안

Chapter 4 환경 구조화 전략

① 물리적 환경의 구조화
- 물리적 공간의 구조화
  - 개념
  - 진정 영역
- 공간 내 감각 자극 조절

② 시간의 구조화
- 시간의 구조화 개념
- 시각적 일과표
  - 활동 간 일과표
  - 활동 내 일과표

Chapter 5 교육적 접근

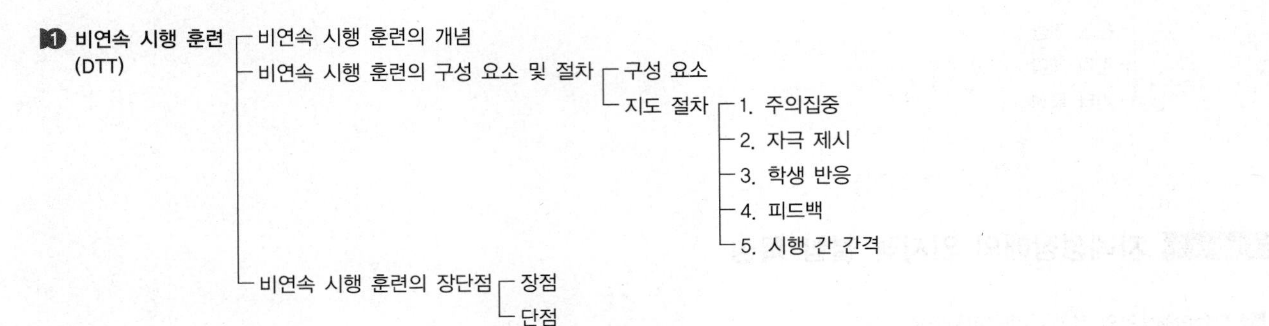

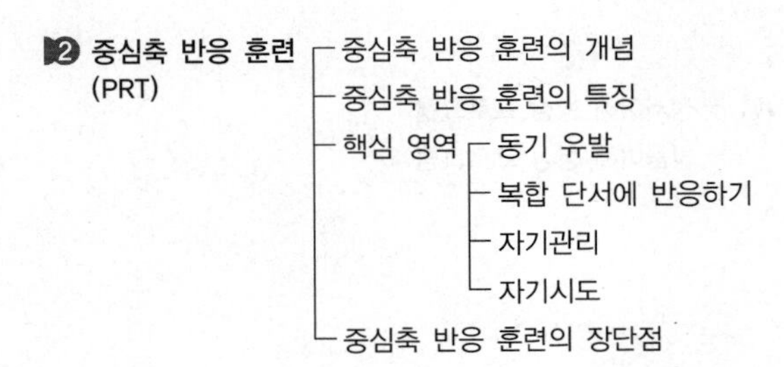

3 공동행동일과
- 공동행동일과의 개념
- 공동행동일과를 실시하기 위한 유의사항

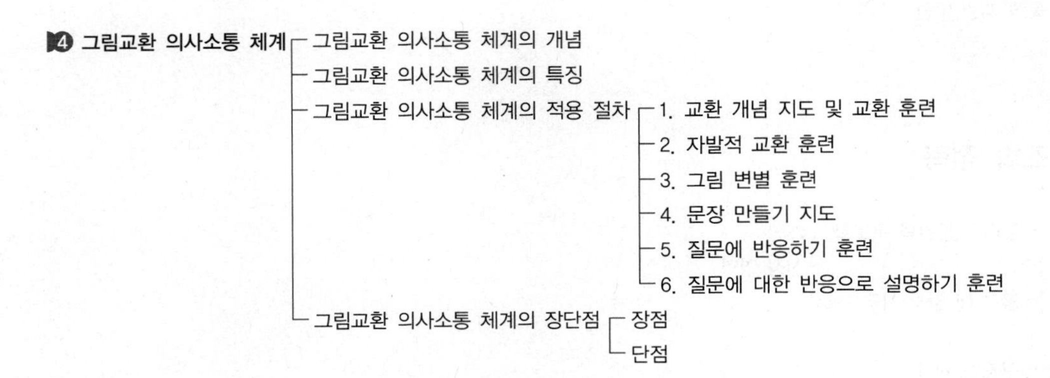

5 기능적 의사소통 훈련
- 기능적 의사소통 훈련의 개념
- 기능적 의사소통 훈련의 절차와 방법
- 기능적 의사소통 훈련 사용 시 고려사항
- 기능적 의사소통 훈련의 장단점

6 TEACCH
- 구조화
- 구조화된 교수
- TEACCH의 개념
- TEACCH의 구조화 유형
  - 물리적 구조화
  - 일과의 구조화
  - 개별 과제 조직
  - 작업 시스템

7 파워카드 전략
- 파워카드 전략의 개념
- 파워카드 전략의 요소
  - 시나리오
  - 파워카드
- 파워카드 전략에서 학생이 좋아하는 인물이나 관심사를 이용하는 이유: 동기부여, 역할 모델, 비위협적인 방법
- 파워카드 전략이 도움이 되는 상황

8 상황이야기
- 상황이야기의 개념
- 상황이야기의 특징
- 설명문과 코칭문
  - 설명문: 설명문, 조망문, 긍정문
  - 코칭문: 청자 코칭문, 팀원 코칭문, 자기 코칭문
- 상황이야기의 작성 지침
  - Gray, 2010
  - Gray, 2015
- 상황이야기의 적용 절차

9 짧은 만화 대화
- 짧은 만화 대화의 개념
- 짧은 만화 대화의 적용 방법
- 짧은 만화 대화의 적용 절차
- 짧은 만화 대화의 장점
- 짧은 만화 대화의 주의사항

10 사회적 도해
- 사회적 도해의 개념
- 사회적 도해의 특징
- 사회적 도해의 적용 절차
  - 1. 실수를 확인하기
  - 2. 실수로 인하여 손해 본 사람이 누구인지 결정하기
  - 3. 실수를 어떻게 정정할 것인지 결정하기
  - 4. 실수가 다시 발생하지 않도록 계획하기
- 사회적 도해의 장점

11 비디오 모델링

12 학습지원 전략

기출문제 다잡기

정답 및 해설 p.152

01 2009 유아1-1

〈보기〉는 구어가 전혀 발달되지 않았을 뿐 아니라, 비언어적 의사소통에도 어려움을 보이는 동건이에게 유 교사가 그림교환의사소통체계(picture exchange communication system ; PECS)를 지도한 방법의 예시이다. 지도 절차가 순서대로 제시된 것은?

〈보기〉

ㄱ. 동건이가 그림카드를 사용하여 문장판에 문장을 만들고 그것을 교사에게 제시하도록 지도하였다.
ㄴ. 동건이가 원하는 그림카드를 교사에게 주면 해당하는 사물을 주어 교환의 개념을 알도록 지도하였다.
ㄷ. 동건이가 선호하는 사물의 그림카드와 선호하지 않는 사물의 그림카드 중 선호하는 것을 식별하도록 지도하였다.
ㄹ. 동건이가 자신의 의사소통판으로 가서 그림카드를 가져와 교사에게 주면 해당하는 사물을 주어 자발적으로 교환하도록 지도하였다.

① ㄴ → ㄷ → ㄱ → ㄹ
② ㄴ → ㄹ → ㄷ → ㄱ
③ ㄷ → ㄴ → ㄹ → ㄱ
④ ㄷ → ㄹ → ㄱ → ㄴ
⑤ ㄹ → ㄴ → ㄷ → ㄱ

02 2009 유아1-4

자폐성장애 아동의 사회적 의사소통 지도 방법 중 하나인 중심축 반응 훈련(privotal response training ; PRT)에 대한 적절한 진술을 〈보기〉에서 모두 고른 것은?

〈보기〉

ㄱ. 특정한 사회적 상황과 그에 대한 적절한 반응을 설명해 주는 이야기를 지도한다.
ㄴ. 자연적 환경에서 발생하는 다양한 학습 기회와 사회적 상호작용에 반응하도록 지도한다.
ㄷ. 학습 상황에서 습득한 중심축 반응을 유사한 다른 상황에서도 보일 수 있도록 일반화를 강조한다.
ㄹ. 동기화, 환경 내의 다양한 단서에 대한 반응, 자기주도, 자기관리 능력의 증진에 초점을 둔다.

① ㄱ, ㄴ
② ㄱ, ㄷ
③ ㄷ, ㄹ
④ ㄱ, ㄴ, ㄷ
⑤ ㄴ, ㄷ, ㄹ

03 2009 중등1-21

다음은 자폐성장애학생에게 '병원에서 적절한 행동하기'를 가르치기 위해 개발된 '사회적 이야기(social stories)'의 예이다. 이 이야기에 대해 옳은 것을 〈보기〉에서 고른 것은?

> 병원대기실에는 의자가 있다. 아파서 병원에 온 사람들은 진찰을 받기 위해 의자에 앉아 있다. ㉠ 일반적으로 사람들은 아프기 때문에 의자에 앉아서 기다리고 싶어한다. 때때로 어린아이들은 대기실에서 뛰어다닌다. 어린아이들은 일반적으로 가만히 앉아 있기 힘들기 때문에 뛰어다닐 수 있다. 나는 중학생이기 때문에 가만히 앉아서 기다릴 수 있다. 아버지는 내가 가만히 앉아서 기다릴 수 있도록 나에게 퍼즐을 주시면서 "퍼즐을 맞춰라."라고 말씀하실 것이다. ㉡ 나는 가만히 앉아서 기다리기 위해 퍼즐을 맞춘 후 아버지에게 퍼즐을 다 하였다고 말할 것이다. 아버지는 내가 가만히 앉아서 퍼즐을 하고 있다면 좋아하실 것이다.

〈보기〉

ㄱ. ㉠은 지시문이다.
ㄴ. ㉡은 통제문이다.
ㄷ. 개별화된 인지적 중재 방법이다.
ㄹ. 학생들이 해야 할 행동을 기술하기 위하여 쓴 글이다.
ㅁ. 학생들이 사회적 상황과 상대방의 입장을 이해할 수 있도록 돕는다.

① ㄱ, ㄴ, ㄹ ② ㄱ, ㄴ, ㅁ
③ ㄱ, ㄷ, ㄹ ④ ㄴ, ㄷ, ㅁ
⑤ ㄷ, ㄹ, ㅁ

04 2010 유아2A-3

통합유치원에 다니는 경수는 만 5세이고 자폐성 장애를 가지고 있다. (가)는 경수의 의사소통행동에 대한 진술이고, (나)는 김 교사와 경수 어머니가 경수의 의사소통 능력 향상 방법에 대하여 나눈 대화 중 일부이다.

(가) 경수의 의사소통행동

① 경수는 먼저 의사소통을 시도하지 않으며 하루 종일 혼자 웅얼거리는 행동을 반복한다.
② 어머니가 경수에게 필요한 것이 뭐냐고 물어볼 경우, 자신이 원하는 것이 있으면 손으로 가리킨다. 하지만 다른 사람의 언어적 자극에는 반응하지 않는다.
③ 교사가 촉구할 때에도 경수는 자신이 원하는 것이 제시될 경우에만 반응한다.

(나) 김 교사와 경수 어머니의 대화

…(중략)…

김 교사: 경수의 전반적인 의사소통행동 특징을 고려해 개별화교육 목표를 '자발적 의사소통'으로 정하였어요. 그래서 '그림교환 의사소통체계(Picture Exchange Communication System ; PECS)'를 사용했으면 해요.
어머니: 제가 자폐성 장애 유아와 관련된 자료를 자주 검색하는데…. PECS는 그림카드를 제시하여 아이가 원하는 것을 얻게 하는 방법이라던데요. 그런데 저는 경수가 그림카드 한 장만으로 의사소통을 하는 것은 원치 않아요. 경수는 지금도 자신이 원하는 것을 손으로 직접 가리키는 정도는 되거든요.
김 교사: 경수 어머님 말씀의 뜻은 잘 알겠어요. 하지만 자폐성 장애 유아들이 PECS로 의사소통을 할 경우 구어까지 사용하게 된다는 연구 결과가 많이 보고되고 있어요.
어머니: 그렇군요. 그런데 PECS 말고도 경수와 같은 아이의 구어를 유도할 수 있는 다른 방법이 없을까요?
김 교사: '비연속 시행 훈련(Discrete Trial Training ; DTT)'이라는 방법이 있긴 하지만 ….
어머니: 그럼 DTT를 경수에게 적용해 볼 수는 없나요?
김 교사: 저도 DTT를 전혀 고려해 보지 않은 건 아닙니다. 하지만 현재 경수가 보이는 의사소통행동 특징들로 볼 때, PECS가 더 적절한 것 같아요.

…(이하 생략)…

(가)에 나타난 경수의 의사소통행동 특징 3가지를 쓰고, 이 특징들과 PECS의 전반적 내용을 연계하여 경수에게 PECS가 더 적합하다고 권유하는 김 교사 의견의 정당성을 논하시오. 그리고 경수 어머니가 PECS에 대해 잘못 알고 있는 사항을 찾아 바르게 고치고, 경수의 구어 사용이 촉발될 수 있는 가능성을 PECS의 해당 단계에 근거하여 논하시오. (500자)

05

2010 초등1-19

다음은 장 교사가 자폐성장애 학생 동수와 국어 수업 시간에 나눈 대화이다. 장 교사가 말하기 지도를 위해 동수의 의사소통 특징을 바르게 분석한 것을 〈보기〉에서 고른 것은?

장 교사: 이번에는 순서대로 해보자.
동　수: 내가도 집에 있어.
장 교사: 동수가 하겠다고?
동　수: (단음조의 억양으로) 내가도 집에 있어.
장 교사: (학생이 알아듣기 어려울 정도로 작게 말하며) 동수가 해야지.
동　수: (아무런 반응 없이 대답이 없다.)
장 교사: 이제 누가 할 차례지?
동　수: 선생님이가 있어.

〈보기〉

ㄱ. 명료화 요구하기가 가능하다.
ㄴ. 대명사를 사용하여 말하고 있다.
ㄷ. 비언어적 의사소통 수단을 사용한다.
ㄹ. 말 차례 지키기(turn-taking)가 가능하다.
ㅁ. 주격조사를 정확하게 사용하며 말하고 있다.

① ㄱ, ㄷ　② ㄱ, ㄷ
③ ㄴ, ㄹ　④ ㄷ, ㅁ
⑤ ㄹ, ㅁ

06

2010 중등1-26

다음은 자폐성장애의 특징을 설명한 것이다. (가)와 (나)에 해당하는 특징으로 옳은 것은?

(가) 스스로 계획하는 데 어려움이 있고, 억제력이 부족하여 하고 싶은 일을 충동적으로 하므로 부적절한 행동을 하게 된다. 또한 생각과 행동의 융통성이 부족하여 학습한 내용을 일반화하는 데 어려움이 있다.
(나) 정보처리 방식이 상향식이어서 임의로 주변 환경에 의미를 부여함으로 인하여, 의미 있는 환경을 받아들이는 데 어려움을 겪는다. 따라서 사소하거나 중요하지 않은 일에 사로잡히게 된다.

	(가)	(나)
①	실행기능 결함	중앙응집 결함
②	마음읽기 결함	실행기능 결함
③	중앙응집 결함	감각적 정보처리 결함
④	마음읽기 결함	중앙응집 결함
⑤	실행기능 결함	선택적 주의집중 결함

07

2011 유아1-14

다음은 김 교사가 연주 어머니, 지호 어머니와 나눈 대화이다. 어머니들의 말에 나타난 각 유아의 의사소통 특성을 고려할 때, 지호와 연주에게 적절한 언어교수법과 그 적용 이유가 바르게 연결된 것은?

> 김 교 사: 오늘은 두 분 어머니께 자녀의 의사소통 발달을 위해 가정에서 하실 수 있는 방법에 대해 알려 드리려고 합니다. 의사소통 발달을 돕기 위해서는 먼저 환경을 구조화하는 것이 필요합니다.
> 연주 어머니: 환경을 구조화하는 것이란 어떤 것인가요?
> 지호 어머니: 저도 그게 궁금해요.
> 김 교 사: 예를 들면, ㉠ ______________.
> 지호 어머니: 아, 그렇군요. 지호는 몇 개의 단어를 말해 보라고 시키면 말할 수 있지만 정작 그 단어를 사용해야 하는 장소에서 지호가 먼저 말하지는 않아요. 이 문제를 해결할 수 있는 방법은 없을까요?
> 연주 어머니: 연주는 발화가 되지 않아 갖고 싶은 것을 달라고 하지 못하니까 무조건 울어버려요. 어떻게 해야 하나요?
> 김 교 사: 여러 가지 방법이 있습니다.
>
> …(이하 생략)…

구분	지호		연주	
	언어 교수법	적용 이유	언어 교수법	적용 이유
①	우연교수	자발적 구어 표현력 향상에 효과적이므로	비연속 시도훈련 (discrete trial training)	자발적 구어 표현력 향상에 효과적이므로
②	우연교수	자발적 구어 표현력 향상에 효과적이므로	그림교환 의사소통 체계 (PECS)	의사소통 의도 표현력 향상에 효과적이므로
③	그림교환 의사소통 체계	습득한 어휘의 일반화에 효과적이므로	비연속 시도훈련	발화 훈련에 효과적이므로
④	그림교환 의사소통 체계	습득한 어휘의 일반화에 효과적이므로	우연교수	발화 훈련에 효과적이므로
⑤	비연속 시도훈련	자발적 구어 표현력 향상에 효과적이므로	우연교수	의사소통 의도 표현력 향상에 효과적이므로

08

2011 유아1-20

만 5세인 윤호는 자기의 물건이나 장난감을 만지는 친구를 밀어 넘어뜨리거나 다치게 한다. 권 교사는 2007년 개정 유치원 교육과정 사회생활 영역의 내용인 '나의 감정 알고 조절하기'를 지도하면서 윤호의 문제를 해결하기 위한 지도 방법을 〈보기〉와 같이 고안하였다. 지도 방법과 교수 전략이 바르게 연결된 것은?

〈보기〉

ㄱ. 자신과 친구의 기분을 나타내는 얼굴 표정을 찾아 문제 상황 그림에 붙이게 하고, 왜 기분이 그런지에 대해 답하게 한다.
ㄴ. 친구를 밀지 않고 자신의 감정을 말로 표현하면 파란 스티커를, 친구를 밀면 빨간 스티커를 개별 기록판에 윤호가 스스로 붙이게 한다.
ㄷ. 화가 나기 시작하면 윤호 스스로 '멈춰, 열까지 세자.'라고 마음속으로 말하면서 팔을 움츠리고 서서 천천히 열까지 세며 화를 가라앉히게 한다.
ㄹ. 친구를 밀지 않고 "내 거 만지는 거 싫어."라고 말하면 칭찬한 후 장난감을 가지고 놀게 하고, 친구를 밀면 장난감을 가지고 놀 수 없게 한다.

구분	ㄱ	ㄴ	ㄷ	ㄹ
①	상황이야기 (Social Story)	자기점검	자기교수	대안행동 차별강화
②	상황이야기	자기강화	문제해결 기술	대안행동 차별강화
③	상황이야기	자기점검	문제해결 기술	상반(양립불가) 행동 차별강화
④	마음읽기 중재	자기강화	자기교수	상반(양립불가) 행동 차별강화
⑤	마음읽기 중재	자기점검	자기교수	대안행동 차별강화

09
2011 유아1-27

유치원 통합학급에 있는 자폐성장애 유아 은수와 발달 지체 유아 현주, 일반 유아들 사이에서 일어난 상황 및 교사의 지도 내용에 대한 교수 전략을 바르게 연결한 것을 모두 고른 것은?

구분	상황 및 지도 내용	교수 전략
㉠	• 은수는 간식 시간 전인 이야기 나누기 시간에 간식을 달라고 떼를 쓰며 운다. • 그림 일과표를 제시해 주고, 이야기 나누기 시간이 시작되면 모래시계를 거꾸로 세워 놓는다.	시간의 구조화
㉡	• 은수는 머리카락 잡아당기기에 집착하여 옆에 있는 친구의 머리카락을 잡아당겨 울린다. • 은수와 다른 유아에게 적절한 사회적 행동을 가르칠 수 있는 주제로 대본을 만들어 상황에 맞는 역할을 하도록 한다.	사회극 놀이
㉢	• 현주는 또래 친구들이 바깥놀이를 위해 외투를 입는데 혼자 돌아다니고 있다. • 바깥놀이를 나갈 때 현주에게 친구들이 옷 입는 것을 보고 따라하게 한다.	과제 분석
㉣	• 유아들이 율동 시간에 침을 흘리는 현주와는 손을 잡으려고 하지 않는다. • 친구로부터 소외당하는 내용의 비디오를 보여 주고, 반성적인 이야기 나누기를 통해 현주를 이해하도록 한다.	공동행동 일과

① ㉠, ㉡ ② ㉠, ㉢
③ ㉡, ㉣ ④ ㉠, ㉡, ㉢
⑤ ㉡, ㉢, ㉣

10
2011 초등1-14

다음은 보람특수학교(초등) 송 교사가 자폐성장애 학생 진규를 지도한 사례이다. 지도 사례에 나타난 송 교사의 지도 전략을 〈보기〉에서 고른 것은?

학생 특성	• 장난감 자동차를 좋아함 • 구어를 할 수는 있으나, 자발적 발화가 거의 나타나지 않음
학습 목표	말로 물건을 요구할 수 있다.
지도	송 교사는 진규의 손이 닿지는 않지만 볼 수 있는 선반 위에 진규가 좋아하는 장난감 자동차를 올려놓았다. 진　규: (선반 위에 놓아둔 장난감 자동차를 응시한다.) 송 교사: 뭘 보니? 뭘 줄까? 진　규: (계속해서 장난감 자동차를 응시만 하고 말을 하지 않는다.) 송 교사: 자동차? 자동차 줄까? 진　규: (계속 쳐다 보기만 하고 말을 하지 않는다.) 송 교사: "자동차 주세요."라고 말해 봐. 진　규: (잠시 머뭇거리다가) 자동차 주세요. 송 교사: (진규에게 장난감 자동차를 준다.) 진　규: (장난감 자동차를 받아서 논다.) (송 교사는 어머니에게 진규가 가정에서도 장난감 자동차를 달라는 표현을 말로 할 경우에만 장난감 자동차를 주라고 자세히 설명하였다.)

〈보기〉
ㄱ. 간헐강화를 사용하였다.
ㄴ. 반응대가를 사용하였다.
ㄷ. 일반화를 고려하여 지도하였다.
ㄹ. 기술중심 접근법을 사용하였다.
ㅁ. 신체적 촉진(촉구) 자극을 사용하였다.

① ㄱ, ㄴ ② ㄱ, ㄷ
③ ㄴ, ㄷ ④ ㄷ, ㄹ
⑤ ㄹ, ㅁ

11 2011 초등1-21

다음은 폭행과 폭언을 하는 아스퍼거 장애(증후군) 학생 영두를 지도하기 위하여 통합학급 김 교사와 특수학급 강 교사가 협의하여 작성한 2008년 개정 특수학교 국민공통기본교육과정 3학년 도덕과 교수 · 학습과정안이다. 이에 대한 바른 설명을 〈보기〉에서 고른 것은?

단원	함께 어울려 살아요.	
제재	2. 같은 것과 다른 것이 함께해요.	
목표	생김새나 생활 방식 등이 나와 다른 이웃과 친구들을 어떻게 대해야 하는지 바르게 판단한다.	
단계		교수 · 학습 활동
도덕적 문제의 제시		• 전시학습 확인 • 동기유발 • ㉠ <u>학습문제 확인</u>
도덕 판단 · 합리적 의사 결정의 연습	문제 사태 제시 및 상황 파악	• 폭언이나 폭행을 하는 예화 내용 파악하기
	입장 선택과 근거 제시	• 자신의 입장과 이유 발표하기
	잠정적 결정 및 가치원리 검사	• 가치 원리에 따른 바람직한 행동 알기 ※ ㉡ <u>영두를 위한 적절한 개별화 지도법 적용</u>
	최종 입장 선택	• 최종 입장 결정하기
도덕적 정서 및 의지의 강화		• 다양성을 이해하려는 마음 갖기
정리 및 실천 생활화		• ㉢ <u>실천과제 확인하기</u> ※ ㉣ <u>영두를 위한 수정 실천과제 제시</u> • 차시 계획

〈보기〉

ㄱ. ㉠의 학습문제 확인에서는 영두에게 은유법이나 상징을 사용하여 폭언이나 폭력의 심각성을 알려준다.

ㄴ. ㉡을 지도할 때, 영두에게 폭언이나 폭행을 하는 상황을 묘사하는 만화를 그리도록 하여 그 상황을 이해시키는 사회적 도해(social autopsy) 전략을 적용한다.

ㄷ. ㉢의 실천과제 확인하기에서 학급 동료들은 영두의 폭언이나 폭행에 대하여 1개월 동안 소거 기법을 사용하도록 한다.

ㄹ. ㉣의 영두를 위한 수정 실천과제 제시에서 영두에게 폭언이나 폭행 충동이 일어날 때 파워카드를 사용하도록 지도한다.

ㅁ. 정신장애 진단 및 통계 편람 제4판(DSM-Ⅳ-TR)에 근거하면, 영두와 같은 장애학생은 인지발달 또는 연령에 적절한 자조기술에서 임상적으로 유의한 지체를 보이지 않는다.

① ㄱ, ㄴ ② ㄴ, ㄷ ③ ㄴ, ㅁ
④ ㄷ, ㄹ ⑤ ㄹ, ㅁ

12 2011 중등1-2

김 교사는 전공과에서 직업교육을 받고 있는 자폐성장애 학생의 작업환경 조정을 위하여 구조화된 교수(TEACCH) 프로그램을 적용하려고 한다. 김 교사가 적용하려는 프로그램의 4가지 주요 요소에 해당하는 내용으로 적절하지 <u>않은</u> 것은?

① 각각의 조립 순서를 그림으로 상세히 제시한다.
② 사무용 칸막이를 이용하여 별도의 작업 공간을 정해 준다.
③ 각 시간대별 활동 계획표를 작성해 주어 다음 작업을 예측할 수 있도록 한다.
④ 일과가 끝나면 작업 내용에 대하여 토의하고 다음 날의 작업에 대하여 학생에게 설명한다.
⑤ 작업대 위에 견본 한 개와 일일 작업량만큼의 부품들을 올려놓고, 작업대 옆 완성품을 담는 상자에 작업 수당에 해당하는 액수를 적어 놓는다.

13 2011 중등1-8

사회적 의사소통 능력의 결함으로 인해 대인관계에서 다양한 부적응 행동을 보이는 자폐성장애 학생을 중재하기 위하여 교사는 다음과 같은 지원 전략을 세웠다. (가)~(다)에 해당하는 가장 적절한 중재 기법을 고른 것은?

단계	전략
1단계	학생이 보이는 문제행동의 기능을 파악한다.
2단계	문제행동과 관련된 환경 및 선행사건을 수정한다.
3단계	(가) 자연스러운 상황에서 사회적 의사소통 기술을 지도하여 문제행동의 발생을 예방함과 동시에 습득한 기술을 다른 사회적 기술로 확장시켜 학생 스스로 환경적 문제에 대처하도록 한다.
	(나) 문제행동과 동일한 기능을 가진 수용 가능한 교체 기술을 가르친다.
4단계	(다) 문제행동의 발생 빈도를 평가하고, 문제행동에 대한 반응적 중재 방법을 마련한다.
5단계	학생이 학습한 행동을 다양한 환경에서 독립적으로 수행하게 한다.

	(가)	(나)	(다)
①	촉진적 의사소통 (FC)	비연속 시행훈련 (DTT)	중심축 반응 훈련 (PRT)
②	촉진적 의사소통 (FC)	기능적 의사소통 훈련(FCT)	중심축 반응 훈련 (PRT)
③	중심축 반응 훈련 (PRT)	촉진적 의사소통 (FC)	교수적 접근, 소거, 차별강화
④	중심축 반응 훈련 (PRT)	기능적 의사소통 훈련(FCT)	교수적 접근, 소거, 차별강화
⑤	교수적 접근, 소거, 차별강화	기능적 의사소통 훈련(FCT)	비연속 시행훈련 (DTT)

14 2012 유아1-8

다음은 자폐성장애 유아의 일반적인 특성과 이에 따른 교수 전략을 설명한 것이다. 적절한 교수 전략이 아닌 것은?

	일반적인 특성	교수 전략
①	상동적이고 반복적인 동작을 한다.	의미 없어 보이는 상동행동이라도 행동의 기능이나 원인이 무엇인지 먼저 파악하여 접근한다.
②	시각적인 정보처리에 강점을 보인다.	복잡한 내용을 설명할 때는 마인드 맵(mind map)을 활용한다.
③	정해진 순서나 규칙에 집착하거나 변화에 매우 민감하다.	갑작스러운 일에도 잘 적응하도록 자주 예기치 않은 상황을 만들어 준다.
④	사회적 관습이나 규칙에 대해 이해하는 데 어려움을 보인다.	사회적인 상황이나 문제를 설명해 주는 간단한 상황 이야기(social stories)를 활용한다.
⑤	제한된 범위의 관심 영역에 지나치게 집중하거나 특별한 흥미를 보이는 행동을 한다.	유아가 보이는 특별한 흥미를 강점으로 이해하고 이를 동기로 활용할 수 있는 교수방법을 찾아본다.

15 2012 유아1-9

다음은 일반학급 교사와 정호 어머니가 정호에 대해 특수학급 교사에게 제공한 정보이다. 〈보기〉에서 특수학급 교사가 이 정보에 근거하여 파악한 정호의 특성과 교육적 조치로 적절한 것을 고르면?

〈관찰 일지〉

유아명	김정호	반	초롱반
관찰 기간	2011. 3. ~ 2011. 7.	담당 교사	이세명
관찰 내용 요약			
○ 스스로 간단한 문장 표현은 가능하나, 질문에 간혹 엉뚱한 말을 하거나 특정한 구나 말을 반복하여 의사소통이 곤란함 ○ 익숙한 몇몇 친구의 접촉은 거부하지 않으나, 놀이를 할 때 언어적 상호작용을 잘 못하며, 혼자 원 그리는 놀이에 몰두함 ○ 간단한 지시나 수업 내용은 수행 가능하나, 최근 짜증을 잘 내고 산만하며 과잉행동성이 증가함			
♧ 행복초등학교 병설유치원 ♧			

선생님께
정호의 상태에 대해 간단히 적어 보내드립니다.
○ 출생 : 정상분만
○ 1~2세 : 간단한 말을 하였으나 점차 의미 있는 말이 줄고, 가족들과 사람들에게 관심이 없어지고 시선을 회피함
○ 현재 : 말을 의미 없이 즉각 따라 하는 것이 늘고, 일일학습지 지도 시 자주 자리에서 일어나며, 억지로 앉히려고 하면 괴성을 지르고 짜증을 자주 내어 걱정됨
잘 부탁드립니다!
2011. 9. 5.
정호 엄마 드림

〈보기〉
ㄱ. 유아의 주요 문제는 인지적 어려움이므로 과민감성 줄이기를 목표로 정하여 지도해 나가도록 한다.
ㄴ. 의미 없는 말이나 엉뚱한 말을 하므로 정확한 문법의 문장을 따라 말할 수 있도록 큰 소리로 반복 지도한다.
ㄷ. 관심이나 성취 등을 타인과 자발적으로 나누는 데 어려움이 있으므로 사회적 또는 정서적 상호성을 신장시킨다.
ㄹ. 언어의 형태에 비해 언어의 내용과 사용 측면에 어려움이 두드러진 유아이므로 심층적인 언어평가를 받도록 안내한다.
ㅁ. 언어행동의 문제가 있으므로 반향어와 의도적인 구어 반복 구별하기 등의 적절한 언어 중재를 통해 부적절한 언어 사용 행동을 개선한다.

① ㄱ, ㄴ, ㄷ ② ㄱ, ㄷ, ㅁ
③ ㄴ, ㄷ, ㄹ ④ ㄴ, ㄹ, ㅁ
⑤ ㄷ, ㄹ, ㅁ

16 2012 유아1-34

다음은 유아의 '마음 이론(theory of mind)' 발달을 측정하는 과제이고, (가)는 이 과제의 질문에 대한 유아 A와 유아 B의 반응이다. 두 유아의 '마음 이론' 발달의 특징을 기술한 것으로 적절하지 않은 것은?

	㉠ 철수는 찬장 X에 초콜릿을 넣어 두고 놀러 나간다.
	㉡ 철수가 나간 사이에 어머니가 들어와 초콜릿을 찬장 Y로 옮겨 놓고 나간다.
	㉢ 철수가 돌아온다.

유아 A와 유아 B에게 위의 ㉠~㉢ 장면을 보여주고 설명한 후, "철수는 초콜릿을 찾기 위해 어디로 갔을까?"라고 묻는다.

(가)	• 유아 A: 철수는 찬장 X로 가요. • 유아 B: 철수는 찬장 Y로 가요.

① 유아 A는 유아 B보다 철수의 관점을 더 잘 읽을 수 있다.
② 유아 A는 유아 B보다 마음 이론이 더 잘 발달되어 있을 수 있다.
③ 유아 B는 유아 A보다 상위인지 능력이 더 발달되어 있을 가능성이 높다.
④ 유아 A는 철수의 생각이나 믿음이 실제와 다를 수 있다는 것을 이해한다.
⑤ 유아 B는 자기가 알게 된 정보를 이용하여 철수의 행동을 자기중심적으로 설명한다.

17

2013 유아A-7

수호는 만 5세 고기능 자폐성장애 유아로 유치원 통합학급에 재원 중이다. 다음은 자유놀이 상황에 대한 김 교사의 관찰 및 중재 내용이다. 물음에 답하시오.

수호와 영미는 자유놀이 시간에 블록 쌓기를 하는 중이다. 영미는 다양한 색의 블록을 사용하여 집을 만들려고 하였다. 반면에 수호는 빨강색을 너무 좋아해서 빨강색 블록만을 사용하여 집을 만들려고 하였다. 영미가 다른 색의 블록으로 쌓으려 하면, 수호는 옆에서 블록을 쌓지 못하게 방해하였다. 결국 블록 집은 수호가 좋아하는 빨강색 블록만으로 만들어졌다. 이에 기분이 상한 영미는 수호에게 "이제 너랑 안 놀아!"라고 하며, 다른 친구에게로 갔다.

이것을 옆에서 지켜보던 김 교사는 수호를 위해 그레이(C. Gray)의 이론을 근거로 아래와 같은 (㉠)을(를) 제작하여 자유놀이 시간이 되기 전에 여러 번 함께 읽었다.

[친구와 블록 쌓기 놀이를 해요]

나는 친구들과 블록 쌓기를 해요.
친구들은 블록 쌓기를 좋아하고 나도 블록 쌓기를 좋아해요.
나와 영미는 블록으로 집을 만들어요.

나는 빨강색을 좋아하지만, 영미는 여러 색을 좋아해요.
빨강 블록 집도 예쁘지만 다른 색으로 만들어도 멋있어요.
여러 색으로 집을 만들면 더 재밌어요.
그러면 영미도 좋아해요. 나도 좋아요.

㉡ <u>나는 친구들과 여러 색으로 블록 쌓기 놀이를 할 수 있어요.</u>

또한, 김 교사는 다양한 놀이 상황에서 수호가 실수를 한 후 자신의 잘못을 깨닫게 하는 중재법을 적용하였다. ㉢ <u>이 중재법</u>은 수호가 잘못한 상황을 돌이켜 보도록 함으로써, 자신의 잘못으로 인해 다른 친구들이 마음의 상처를 받을 수 있다는 것을 이해하도록 도와주는 것이다.

1) ㉠에 들어갈 말을 쓰시오.

2) 김 교사가 ㉠을 적용하였을 때, 기대할 수 있는 수호의 변화를 2가지 쓰시오.

3) ㉡과 같은 문장의 기능을 쓰시오.

4) ㉢의 중재법이 무엇인지 쓰시오.

PART 07

18 2013 유아B-4

다음은 통합유치원에 재원 중인 만 5세 자폐성장애 유아 민지에 관한 내용이다. 물음에 답하시오.

(가) 민지의 특성

- 시각적 정보 처리 능력이 뛰어난 편이다.
- 좋아하지 않는 활동에 잘 참여하지 않는다.
- 다양하게 바뀌는 자료에 대해 과민하게 반응한다.
- ㉠장난감 자동차 바퀴를 돌리는 행동을 계속 반복한다.
- 다른 사람과 대화를 시작하거나 유지하는 데 어려움을 보인다.

(나) 교수 · 학습계획

세부내용: 주변의 여러 가지 물체와 물질의 기본 특성을 알아본다.

목표	교수 · 학습 활동
친숙한 물체와 물질의 특성을 파악한다.	• 여러 가지 물건(다양한 공, 블록, 털 뭉치 등)의 크기, 모양, 색 알아보기 • 여러 가지 물건을 굴려 그 특성을 알아보기 • 비밀상자 안에 들어 있는 다양한 물건을 만져 보고 느낌 표현하기

(다) 민지 지원 방안

① 다양한 자료를 제시하여 각 활동에 적극적으로 참여할 수 있도록 지원한다.
② 활동에 사용할 자료를 자유선택활동 시간에 미리 제시하여 관심을 가지게 한다.
③ 전체적인 활동 순서를 그림이나 사진으로 제시하여 각 활동의 순서를 쉽게 이해하도록 지원한다.
④ 자유선택활동 시간에 여러 가지 물건 굴리기 활동을 민지가 좋아하는 도서 활동 영역에서 해보도록 한다.
⑤ 비선호 활동을 수행하기 전에 선호하는 활동을 먼저 수행하도록 하여, 비선호 활동에 보다 잘 참여할 수 있도록 한다.

1) 다음 괄호 안에 들어갈 말을 쓰시오.

> (가)의 ㉠에 나타난 민지의 행동은 '정신장애진단통계편람(DSM-IV-TR)'에 제시된 자폐성장애의 진단기준 3가지 중 (   )에 해당한다.

3) (다)에서 민지의 지원 방안으로 적절하지 않은 것 2가지를 ①~⑤에서 찾아 기호를 적고, 그 이유를 각각 쓰시오.

- 기호: (   ), 이유:
- 기호: (   ), 이유:

19 2013 초등B-5

다음의 (가)는 특수학교 초임교사가 실과시간에 '간단한 생활용품 만들기' 단원을 지도하기 위해 수석교사와 나눈 대화 내용의 일부이다. 이 수업에 참여하는 세희는 사회적 의사소통에 어려움을 보이는 자폐성장애 학생이다. (나)는 초임교사가 적용하고자 하는 중심축 반응 교수(Pivotal Response Training) 전략이다. 물음에 답하시오.

(가) 대화 내용

> 수석교사: 프로젝트 활동 수업은 어떻게 준비되고 있나요?
> 초임교사: ㉠ 학생들이 만들고 싶어 하는 생활용품이 매우 다양해서 제가 그냥 연필꽂이로 결정했어요. 먼저 ㉡ 연필꽂이를 만드는 정확한 방법과 절차를 가르치려고 해요. 그리고 ㉢ 모둠 활동에서 상호작용과 역할 분담이 이루어지는지 확인할 거예요. ㉣ 활동이 끝나면 만든 작품들을 전시하고 발표하는 시간을 가질 거예요.
> 수석교사: 그러면 세희는 프로젝트 활동에 참여하는 것이 조금 어려울 것 같은데 지원 계획은 있나요?
> 초임교사: 네, 세희가 활동에 보다 의미 있게 참여하도록 하기 위하여 중심축 반응 교수 전략을 사용하려고 해요.

(나) 중심축 반응 교수 전략

> ㉤ 세희가 질문에 정확하게 반응할 경우에만 강화를 제공한다.
> ㉥ 다양한 연필꽂이 만들기 재료 중에서 세희가 요구하는 것을 준다.
> ㉦ 세희를 위해 하나의 단서와 자극에 반응할 수 있도록 환경을 구조화한다.
> ㉧ 세희가 연필꽂이 만드는 순서를 모를 때, 도움을 요청할 수 있도록 가르친다.

3) (나)의 ㉤~㉧에서 적절하지 않은 것 2개를 찾아 기호를 쓰고, 바르게 고쳐 쓰시오.

- 기호와 수정 내용 :
- 기호와 수정 내용 :

20 2013추시 유아A-6

다음은 교사 협의회 중 2명의 유아특수교사가 나눈 대화 내용이다. 물음에 답하시오.

> 박 교사: 선생님, 저는 ㉠ 요즘 혜수를 위해 학급의 일과를 일정하게 하고 등원 후에는 하루 일과를 그림으로 안내해 줘요. 그리고 활동이 끝나기 5분 전에 종을 쳐서 알려 줘요.
> 김 교사: 그래서인지 혜수가 활동에 잘 참여하는 것 같아요. 그런데 걱정하시던 혜수의 언어 평가 결과는 어때요?
> 박 교사: 다른 부분은 다 좋아졌는데, ㉡ 말의 높낮이, 강세, 리듬, 속도와 같은 언어의 (   )측면에는 전혀 변화가 없어요.
> 김 교사: 그런 부분은 자폐성장애의 특성 중 하나지요.
> 박 교사: 그런데 ㉢ 제가 계획한 대로 교수 활동이나 중재전략을 정확하고 일관성 있게 적용하고 있는지 객관적으로 점검해 보고 싶은 생각이 들어요.
> 김 교사: 좋은 생각이네요. 교사들도 지속적으로 자신의 교수 실행을 점검할 필요가 있어요. 저는 ㉣ 부모님이나 주변 사람들이 아이들의 변화를 느끼고 있는지, 이런 변화가 생활 속에서 의미 있다고 생각하는지도 알아보고 있어요.
> 박 교사: 맞아요. 그렇게 하면 우리 아이들의 변화를 좀 더 객관적으로 알 수 있겠네요.

1) 다음 문장을 완성하시오.

> ㉠과 같이 일과와 환경에서의 구조화는 (   )을(를) 높여 혜수의 활동 참여를 증가시킬 수 있다.

2) ㉡의 ( ) 안에 적합한 말을 쓰고 ㉡의 이유를 자폐성장애 아동의 사회적 의사소통 특성에 근거하여 쓰시오.

- ______________ 측면
- 이유 :

PART 07

21 2013추시 유아A-7

다음은 발달지체 유아인 민아의 개별화교육계획 목표를 활동중심 삽입교수로 실행하기 위해 박 교사가 작성한 계획안이다. 물음에 답하시오.

<table>
<tr><td>유아명</td><td>정민아</td><td>시기</td><td>5월 4주</td><td>교수 목표</td><td>활동 중에 제시된 사물의 색 이름을 말할 수 있다.</td></tr>
</table>

<table>
<tr><th colspan="3">교수활동</th></tr>
<tr><th>활동</th><th>㉠ 학습 기회 조성</th><th>㉤ 교사의 교수 활동</th></tr>
<tr><td>자유선택 활동 (쌓기 영역)</td><td>블록으로 집을 만들면서 블록의 색 이름 말하기</td><td rowspan="6">㉡ <u>민아에게 사물을 제시하며 “이건 무슨 색이야?” 하고 물어본다.</u>
“빨강(노랑, 파랑, 초록)” 하고 색 이름을 시범 보인 후 “따라 해 봐” 하고 말한다.
㉢ <u>정반응인 경우 칭찬과 함께 긍정적인 피드백을 제공하고 오반응인 경우 색 이름을 다시 말해 준다.</u></td></tr>
<tr><td>자유선택 활동 (역할놀이 영역)</td><td>소꿉놀이 도구의 색 이름 말하기</td></tr>
<tr><td>자유선택 활동 (언어 영역)</td><td>존대말 카드의 색 이름 말하기</td></tr>
<tr><td>대소집단 활동 (동화)</td><td>그림책 삽화를 보고 색 이름 말하기</td></tr>
<tr><td>간식</td><td>접시에 놓인 과일의 색 이름 말하기</td></tr>
<tr><td>실외활동</td><td>놀이터의 놀이기구 색 이름 말하기</td></tr>
</table>

<table>
<tr><th colspan="6">㉣ 관찰</th></tr>
<tr><td rowspan="2">정반응률</td><td>월</td><td>화</td><td>수</td><td>목</td><td>금</td></tr>
<tr><td>%</td><td>%</td><td>%</td><td>%</td><td>%</td></tr>
</table>

2) 비연속 개별 시도 교수(Discrete Trial Teaching ; DTT)의 구성 요소에 근거하여 ㉡, ㉢에 해당하는 교수전략을 각각 쓰시오.

㉡ :

㉢ :

22 2013추시 유아B-8

준이는 통합유치원에 다니는 만 5세 자폐성장애 유아이다. 물음에 답하시오.

(가) 준이의 행동 특성

- 단체 활동에서 차례를 기다리는 것을 어려워한다.
- 친구가 인사를 하면 눈을 피하면서 ㉠ 반향어 형태의 말만 하고 지나간다.
- 친구가 제안하는 경우 놀이에 참여하나 자발적으로 친구에게 놀이를 제안하거나 시작행동을 보이지는 않는다.

(나) 활동계획안

활동명	친구와 나의 그림자
활동 목표	• 그림자를 보면서 나와 친구의 모습을 인식한다. • 빛과 그림자를 탐색한다.
활동 자료	• 빔 프로젝터, 동물 관련 동요 CD • ㉡ 재생과 정지 버튼에 스티커를 붙인 녹음기
활동 방법	1. 빔 프로젝터를 통해 비치는 자신의 그림자를 탐색해 본다. • 유아의 순서를 네 번째 정도로 배치해 차례 기다리기를 지도한다. 2. 신체를 움직여 보면서 달라지는 그림자를 관찰한다. 3. 다양한 동작을 이용하여 그림자를 만들어 본다. • 유아들이 그림자 모양을 만들 때, ㉢ 친구와 손잡고 돌기, 친구 껴안기, 친구와 하트 만들기, 간지럼 태우기 등 유아 간의 신체적 접촉이 일어나도록 그림자 활동을 구조화하여 지도한다. • 동요를 들으며 유아가 선호하는 동물모양을 친구와 함께 다양한 동작으로 표현하도록 지도한다.

2) 다음은 ㉠에 나타난 준이의 특성에 비추어 교사가 고려해야 할 점이다. 적절하지 않은 내용 1가지를 찾아 번호를 쓰고 바르게 고쳐 쓰시오.

① 자폐성장애 아동의 반향어는 언어 발달을 저해하므로 소거해야 한다.
② 자폐성장애 아동이 여러 단어로 구성된 반향어를 사용하더라도 그 표현은 하나의 단위로 인식할 수 있다.
③ 반향어를 환경 내의 행위나 사물에 연결시켜 반향어와 환경적인 요소들 사이의 관계를 강조하도록 해야 한다.
④ 반향어는 주로 아동이 자신이 들은 언어를 분할하지 못할 때와 이해력이 제한되었을 때 발생하므로, 교사는 아동의 정보 처리 능력에 적합한 언어를 사용한다.

- 번호 :

- 수정 내용 :

23 2014 유아A-4

보라는 특수학교 유치부에 다니는 4세의 자폐성장애 여아이다. (가)는 보라의 행동 특성이고, (나)는 보라를 지원하기 위한 활동계획안이다. 물음에 답하시오.

(가) 보라의 행동 특성

- 교실이나 화장실에 있는 ㉠ 전등 스위치만 보면 계속 반복적으로 누른다.
- ㉡ 타인의 말을 반복한다.
- 용변 후 물을 내려야 한다는 것을 모른다.
- 용변 후 손을 제대로 씻지 않고 나온다.
- 배변 실수를 자주 한다.

(나) 활동계획안

활동명	화장실을 사용해요.	
활동 목표	• 화장실을 사용하는 순서를 안다. • 화장실에서 지켜야 할 규칙을 안다.	
활동 자료	PPT 자료	보라를 위한 지원방안
활동 방법	1. PPT 자료를 보며 화장실의 사용 순서에 대해 알아보기 – 화장실 문을 열고 들어가요. – 문을 닫고 옷을 내려요. – 화장실 변기에 앉아 용변을 봐요. – 옷을 올리고 물을 내려요. – 문을 열고 나가요. – 손을 씻어요. 2. 화장실에서 지켜야 할 규칙에 대해 알아보기(화장실로 이동한다.)	• 화장실에 가고 싶을 때 용변 의사를 표현하도록 가르친다. • 화장실 사용 순서 중 옷 올리기 기술을 작은 단계로 나누어 교수한다. • 화장실 변기의 물 내리는 스위치 부분에 스티커를 붙여준다. • ㉢ 세면대 거울에 손 씻기 수행 순서를 사진으로 붙여 놓는다. • 손을 씻을 때 교사는 ㉣ 물비누통을 세면대 위 눈에 잘 띄는 곳에 놓아둔다.

1) 현행 '「장애인 등에 대한 특수교육법 시행령」 [별표] 특수교육대상자 선정기준(제10조 관련) 6. 자폐성장애를 지닌 특수교육대상자'에 제시된 내용에서 (가)의 ㉠행동이 해당되는 내용을 쓰시오.

2) 다음은 (가)의 ㉡과 관련하여 교사가 관찰한 내용이다. ①에서 나타난 자폐성장애의 의사소통 특성을 쓰고, 보라의 말이 의도하는 의사소통 기능을 쓰시오.

> 오전 자유선택활동이 끝나고 정리 정돈하는 시간이 되자 보라는 교사를 화장실 쪽으로 끌면서 ① 며칠 전 들었던 "화장실 갈래?"라는 말을 반복하였다. 교사는 "화장실에 가고 싶어요."라고 말한 후 화장실로 데리고 갔더니 용변을 보았다.

①:

• 의사소통 기능:

24

2014 초등B-2

특수학교 손 교사는 자폐성장애 학생 성주가 있는 학급에서 과학과 '식물의 세계' 단원을 지도하고자 한다. (가)는 성주의 행동 특성이고, (나)는 교수 · 학습 과정안이다. 물음에 답하시오.

(가) 성주의 행동 특성

- 과학 시간을 매우 좋아하나 한 가지 활동이 끝날 때마다 불안해하며 교사에게 "끝났어요?"라는 말로 계속 확인하기 때문에 학습 활동에 집중하기가 어려움
- 성주가 "끝났어요?"라고 말할 때마다 교사는 남아 있는 학습 활동과 끝나는 시각을 거듭 말해 주지만, 성주가 반복해서 말하는 행동은 수업 후반부로 갈수록 증가함

(나) 교수 · 학습 과정안

단원명	식물의 세계	제재	채소와 과일의 차이 알기
학습 목표	• 채소와 과일의 차이점을 설명한다. • ___________㉠___________ • 주변에서 보는 채소와 과일에 호기심을 갖는다.		
단계	교수 · 학습 활동		
도입	(생략)		
전개	활동 1. 채소밭과 과수원 • 채소밭과 과수원 그림에 다양한 식물의 열매 사진을 붙여 채소밭과 과수원 꾸미기		
	활동 2. 맛있는 식물 게임 • 돌림판을 돌려 화살표가 가리키는 식물의 모형 자료를 채소 상자나 과일 상자에 담기		
	활동 3. 나의 식물 사전 • 두 개의 작은 사진첩에 다양한 채소와 과일 사진을 꽂아 채소 사전과 과일 사전 만들기		
정리	(생략)		
평가	• ㉡기본 개념의 이해: 채소와 과일의 차이점을 말할 수 있는가?		

1) (가) 성주의 행동 특성을 고려하여 수업 참여도를 높일 수 있는 구조화 전략을 1가지 쓰고, 그 적용 이유를 쓰시오.

- 구조화 전략:
- 적용 이유:

25

2014 중등A-15

다음은 특수학교에 재학 중인 자폐성장애 학생 A를 위해 특수교사인 박 교사와 특수교육실무원이 그림교환 의사소통체계(Picture Exchange Communication System ; PECS) 훈련 6단계 중 일부 단계를 실시한 내용이다. 제시된 내용의 바로 다음 단계에서 학생 A가 배우게 되는 과제를 쓰시오.

학생 A와 의사소통 상대자인 박 교사는 서로 마주 보고 앉고, 실무원은 학생 A의 뒤에 앉는다. 실무원은 학생 A가 테이블 위에 놓여 있는 그림카드를 집어서 박 교사에게 줄 수 있도록 신체적 촉진을 제공한다. 이때 실무원은 언어적 촉진은 제공하지 않는다. 학생 A가 박 교사에게 자신이 좋아하는 야구공이 그려진 그림카드를 집어 주면, 박 교사는 "야구공을 갖고 싶었구나!"라고 하면서 학생 A에게 즉시 야구공을 준다. 이와 같은 방식으로 학생 A가 하나의 그림카드로 그 카드에 그려진 실제 물건과의 교환을 독립적으로 하게 되면, 박 교사는 학생 A와의 거리를 점점 넓힌다. 학생 A가 박 교사와 떨어져 있는 상황에서도 하나의 그림카드를 박 교사에게 자발적으로 갖다 주면, 박 교사는 학생 A에게 그 그림카드에 그려진 실제 물건을 준다.

26 2015 유아A-1

민수는 5세 고기능 자폐성장애 유아이다. (가)는 김 교사와 민수 어머니의 상담 내용이고, (나)는 민수를 위한 지원 전략이다. 물음에 답하시오.

(가) 김 교사와 민수 어머니의 상담 내용

민수 어머니:	선생님, 요즘 민수가 유치원에서 잘 지내는지요?
김 교 사:	네, 많이 좋아지고 있어요. 그런데 민수가 친구들과 어울릴 때 어려움이 있어요.
민수 어머니:	친구들과 잘 지내는 것이 힘든 것 같아요. 그리고 약간 염려스러운 것은 민수가 글자와 공룡만 너무 좋아해요. 매일 티라노 공룡을 들고 다녀요. 다른 어머니들은 민수가 글자를 안다고 부러워하시는데 저는 잘 모르겠어요.
김 교 사:	네, 공룡을 좋아하지요. 민수는 글자를 좋아할 뿐 아니라 읽기도 잘해요. 저는 친구들과 어울리는 데 어려움이 있는 민수가 친구들과 잘 지낼 수 있도록 돕기 위해 두 가지 지원 전략을 고려하고 있어요.

(나) 지원 전략

〈 ㉠ 〉

스크립트

티라노랑 친구들은 그네 타기를 좋아해요.
어떤 때는 티라노가 좋아하는 그네를 친구들이 타고 있어요.
그럴 때 티라노는 친구에게 "나도 타고 싶어. 우리 같이 타자."라고 말해요.
㉡ <u>친구들에게 말하지 않고, 그냥 타면 친구들이 속상해 해요.</u>
티라노는 친구들과 차례차례 그네를 탈 수 있어요.

타고 싶은 그네를 다른 친구가 타고 있을 때:
① 그네를 타고 있는 친구 옆으로 간다.
② 친구를 보면서 "나도 타고 싶어. 우리 같이 타자."라고 말한다.
③ 친구가 "그래"라고 하면 그네를 탄다.

카드

① 그네를 타고 있는 친구 옆으로 간다.
② 친구를 보면서 "나도 타고 싶어. 우리 같이 타자."라고 말한다.
③ 친구가 "그래"라고 하면 그네를 탄다.

(나) 지원 전략(계속)

〈상황이야기〉

다른 친구와 장난감 놀이를 해요.

나는 친구들과 장난감 놀이를 해요.
나와 친구들은 장난감을 아주 좋아해요.
어떤 때는 내 친구가 먼저 장난감을 가지고 놀아요.
그럴 때는 친구에게 "이 장난감 같이 가지고 놀아도 돼?"라고 물어보아요.
친구가 "그래"라고 말하면 그때 같이 가지고 놀 수 있어요.
㉢ <u>그래야 내 친구도 기분이 좋아요.</u>

나는 친구에게 "친구야, 이 장난감 같이 가지고 놀아도 돼?"라고 물어볼 수 있어요.

1) ㉠에 들어갈 지원 전략의 명칭을 쓰시오.

㉠:

2) 김 교사가 (나)를 계획할 때 고려한 민수의 행동 특성 2가지를 (가)에서 찾아 쓰시오.

①:

②:

3) ㉡과 ㉢문장의 공통적 기능을 쓰고, 상황이야기 작성 방법에 근거하여 ㉢에 해당하는 문장 유형을 쓰시오.

① 문장의 공통적 기능:

② 문장 유형:

27 2015 유아A-2

다음은 발달지체 유아 지우에 대해 통합학급 김 교사와 특수학급 박 교사가 나눈 대화 내용이다. 물음에 답하시오.

김 교사: 선생님, 지우 때문에 의논 드리고 싶은 일이 있어요. 오늘 ㉠ <u>친구들이 역할놀이 영역에서 집안 꾸미기를 하는데, 지우는 목적 없이 교실을 돌아다니기만 해요. 제가 놀이하는 모습을 보여 주려고 해도 쳐다보지 않아요.</u>
박 교사: 그렇다면 지우의 참여 행동을 구체적으로 점검해 봐야 할 것 같아요. 참여 행동을 진단하려면 맥윌리엄(R. McWilliam)의 이론에 따라 참여 수준과 함께 (㉡)와(과) (㉢)을(를) 살펴보는 게 좋겠어요.
김 교사: 네, 그래야 할 것 같아요. 또 지우는 한 활동이 끝나고 다른 활동으로 전이하는 것도 힘들어하는 것 같아요.
박 교사: 그러면 ㉣ <u>지우에게 그림 일과표를 보여 주세요. 활동을 마칠 때마다 그림카드를 떼어 다음 활동을 알 수 있도록 하면 좋을 것 같아요.</u>
김 교사: 아! 그러면 지우의 참여 행동에 도움이 될 수 있겠네요. 참여를 해야 비로소 학습이 시작되고, 그래야 학습한 내용을 습득할 수 있겠지요. 그 다음에 (㉤), 유지와 일반화가 이루어지므로 참여가 중요한 것 같아요.

3) ㉣에서 박 교사가 물리적 환경을 구조화하기 위해 제안한 방법 1가지를 쓰시오.

28 2015 유아A-5

영수는 ○○유치원 5세 반에 다니고 있다. (가)는 담임교사인 박 교사의 관찰 메모이고, (나)는 박 교사와 특수교육지원센터 순회교사인 최 교사와의 대화 내용이다. 물음에 답하시오.

(가) 박 교사의 관찰 메모

관찰대상: 영수	관찰일: 4월 2일	관찰 장면: 자유선택활동

다른 아이들은 아래 그림을 보고 '5'와 '가방'이라고 말했는데, ㉠ <u>영수는 '3'과 '꽃'이라고 대답했다.</u>

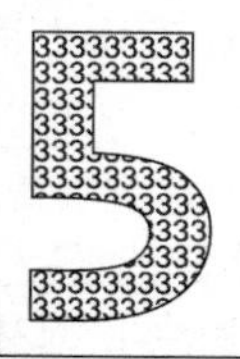

아이들이 퍼즐놀이를 하면서 항상 ㉡ <u>높낮이의 변화 없이 같은 톤으로 말하는 영수를 보고, "선생님, 영수는 말하는 게 똑같아요."</u>라고 했다.

(나) 두 교사의 대화

박 교사: 선생님, 지난번 특수교육지원센터에서 영수의 발달 문제로 검사를 하셨잖아요.
최 교사: 네. ㉢ <u>한국 웩슬러유아지능검사(K-WPPSI)</u>와 ㉣ <u>한국판 적응행동검사(K-SIB-R)</u>를 했어요. 그 외 여러 가지 장애진단 검사들도 실시했어요.
박 교사: 그래요? 그럼 결과는 언제쯤 나오나요?
최 교사: 다음 주에 나올 것 같아요.
박 교사: ㉤ <u>검사 결과가 나오면 그것을 토대로 개별화교육지원팀이 영수의 개별화교육계획을 수립할 수 있겠네요.</u>

1) 자폐성장애 유아에게 나타나는 ㉠과 같은 인지적 결함은 무엇인지 쓰시오.

2) ㉡과 관련하여, 다음의 A에 들어갈 알맞은 말을 쓰시오.

> 영수의 특성은 자폐성장애 유아의 언어적 결함 중 하나로 음운론적 영역 가운데 (A) 사용의 제한을 보인다.

• A:

29 2015 초등B-4

(가)는 특수학교 김 교사가 색 블록 조립하기를 좋아하는 자폐성장애 학생 준수에게 '2011 개정 특수교육 교육과정' 중 기본 교육과정 수학과 3~4학년군 '지폐' 단원에서 '지폐 변별하기'를 지도한 단계이다. 물음에 답하시오.

(가) '지폐 변별하기' 지도 단계

단계	교수·학습 활동
주의집중	교사는 준수가 해야 할 과제 수만큼의 작은 색 블록이 든 투명 컵을 흔들며 준수의 이름을 부른다.
㉠	교사는 1,000원과 5,000원 지폐를 준수의 책상 위에 놓는다. 이때 ㉡ <u>교사는 1,000원 지폐를 준수 가까이에 놓는다.</u> 교사는 준수에게 "천 원을 짚어 보세요."라고 말한다.
학생 반응	준수가 1,000원 지폐를 짚는다.
피드백	교사는 색 블록 한 개를 꺼내, 준수가 볼 수는 있으나 손이 닿지 않는 책상 위의 일정 위치에 놓는다. (오반응 시 교정적 피드백 제공)
시행 간 간격	교사는 책상 위 지폐를 제거하고 준수의 반응을 기록한다.

* 투명 컵이 다 비워지면, 교사는 3분짜리 모래시계를 돌려놓는다. 준수는 3분간 색 블록을 조립한다.

1) (가)의 ㉠단계의 명칭을 쓰시오.

2) (가)에서 김 교사가 준수에게 색 블록을 사용하여 강화를 한 것은 자폐성장애의 어떤 특성을 활용한 것인지 쓰시오.

3) (가)에서 김 교사가 적용한 지도법의 일반적인 제한점을 1가지 쓰시오.

30 2016 유아B-3

(나)는 통합학급 5세반 활동의 예시이다. 물음에 답하시오.

(나)

> 자폐성장애 유아인 정호는 버스 그리기를 좋아하며, 직선과 원을 그릴 수 있어 최근에는 십자형태 그리기를 배우고 있다. 박 교사는 교통기관 그리기 활동 시간에 그림교환의사소통체계(Picture Exchange Communication System; PECS)를 활용하여 정호의 자발적 의사소통도 지도하고 있다.
>
> 박 교사: (버스 밑그림이 그려진 도화지를 들고 있다.)
> 정　호: (도화지를 보자마자 가져가려고 한다.)
> 박 교사: (도화지를 주지 않고, 버스 그림카드와 기차 그림카드가 붙어 있는 그림교환의사소통판을 보여 주고, 정호가 고를 때까지 기다린다.)
> 정　호: (손에 잡히는 대로 기차 그림카드를 떼어서 교사에게 건넨다.)
> 박 교사: (그림교환의사소통판에 기차 그림카드를 붙여 다시 보여 주고, 정호가 고를 때까지 기다린다.)
> 정　호: (그림교환의사소통판을 바라보고 버스 그림카드를 떼어서 교사에게 건넨다.)
> 박 교사: (버스 밑그림이 그려진 도화지를 정호에게 건네준다.) [A]
> 정　호: (신이 나서 ㉠ <u>버스에 눈, 코, 입을 그린다.</u> 십자형이 들어간 원을 그린다.)
> 박 교사: 와! 바퀴도 그렸네요.
> 정　호: (㉡ <u>도화지의 여백에 십자형이 들어간 원 여러 개를 한 줄로 나열하여 그린다.</u>)

3) 그림교환의사소통체계(PECS) 6단계 중 (나)의 [A]에 해당하는 단계의 지도 목적을 쓰시오.

31 2016 유아B-4

다음은 김 교사가 작성한 활동계획안의 일부이다. 물음에 답하시오.

<table>
<tr><td>활동명</td><td>식빵 얼굴</td><td>활동 형태</td><td>대·소집단 활동</td><td>활동 유형</td><td>미술</td></tr>
<tr><td>대상 연령</td><td>4세</td><td>주제</td><td>나의 몸과 마음</td><td>소주제</td><td>감정 알고 표현하기</td></tr>
<tr><td>활동 목표</td><td colspan="5">• 얼굴 표정을 보고 어떤 감정인지 안다.
• 친구들과 협동하며, 도움이 필요할 때 도움을 주고받는다.
• 미술 재료를 이용하여 다양한 표정의 얼굴을 표현한다.</td></tr>
<tr><td>누리과정 관련요소</td><td colspan="5">• 사회관계: 나와 다른 사람의 감정 알고 조절하기
– 나와 다른 사람의 감정 알고 표현하기
• 사회관계: 다른 사람과 더불어 생활하기
– (㉠)
… (생략) …</td></tr>
<tr><td>활동 자료</td><td colspan="5">얼굴 표정 가면, 다양한 표정의 반 친구 사진, 식빵, 여러 색깔의 초콜릿펜</td></tr>
</table>

<table>
<tr><th>활동 방법</th><th>발달지체 유아 효주를 위한 활동 지원</th></tr>
<tr><td>• 얼굴 표정 가면을 이용하여 나의 감정에 대해 이야기 나눈다.</td><td rowspan="2">… (생략) …</td></tr>
<tr><td>• 다양한 표정의 반 친구 사진을 보며, 친구의 감정에 대해 이야기 나눈다.</td></tr>
<tr><td>• 활동 방법을 소개한다.
– 식빵과 그리기 재료를 나눈다.
– 식빵에 초콜릿펜을 이용하여 얼굴 표정을 그린다.</td><td>• 좋아하는 친구와 짝이 되어 협동 활동을 하도록 한다.
• 초콜릿펜 뚜껑을 열기 어려워할 경우, 도움을 요청하도록 한다.</td></tr>
<tr><td>• 식빵에 다양한 표정의 얼굴을 그린다.
– 어떤 표정을 그렸니?
– 누구의 사진을 보고 표정을 그렸니?
• ㉡ <u>'식빵 얼굴'을 들고 앞으로 나와 친구들에게 보여 준다.</u></td><td>• 상호작용을 촉진하기 위해 각각 다른 색깔의 초콜릿펜을 주고, 친구와 바꿔 쓰게 한다.
• ㉢ <u>얼굴 표정 전체를 그리기 어려워하는 경우, 얼굴 표정의 일부를 표현하게 한다.</u></td></tr>
<tr><td>• 활동에 대해 평가한다.
– 무엇이 재미있었니?
– 어려운 점은 없었니?</td><td>• 활동 후 성취감을 느끼도록 친구들과 서로 칭찬하는 말이나 몸짓을 주고받을 수 있게 한다.</td></tr>
</table>

2) ㉡에서 효주는 다음과 같은 행동을 하였다. 효주가 이러한 행동을 하는 이유는 어떤 능력이 아직 발달하지 않았기 때문인지 쓰시오.

> 효주가 식빵에 얼굴 표정이 그려진 쪽을 자신에게 향하게 하고, 친구들에게는 얼굴 표정이 보이지 않는 쪽을 보여 주자, 친구들이 "얼굴이 안 보여."라고 말했다. 이에 효주는 "난 보이는데…."라고 말했다.

32 (2016 초등A-6)

다음은 자폐성장애 학생을 지도하기 위해 작성한 '2011 개정 특수교육 교육과정' 중 기본 교육과정 사회과 1~2학년군 '마음을 나누는 친구' 단원의 교수 · 학습 과정안의 일부이다. 물음에 답하시오.

단원	마음을 나누는 친구	제재	친구의 표정을 보고 마음 알기
단계	교수 · 학습 활동	자료(㉶) 및 유의 사항 (㉾)	
	⋯		
전개	〈활동 1〉 • 같은 얼굴 표정 그림카드끼리 짝짓기 • 같은 얼굴 표정 상징카드끼리 짝짓기	㉶ 얼굴 표정 그림카드 얼굴 표정 상징카드	
	〈활동 2〉 • 같은 얼굴 표정 그림카드와 상징카드를 짝짓기 • 학습지 풀기	㉶ ㉠ 바구니 2개, 학습지 4장 ㉾ (㉡) ㉶ 〈학습 활동 순서〉 책상에 앉기 학습지 준비하기 연필 준비하기 학습지 완성하기 [A]	
	〈활동 3〉 ⋯ (생략) ⋯	㉾ ㉢ 학생이 학습 활동 순서에 따라 학습지를 완성할 수 있도록 시각적 단서를 제공한다.	
정리 및 평가	• 학습 내용 정리하기 • 형성 평가: 실제 학교생활에서 친구의 얼굴을 보며 친구의 마음을 표정으로 표현하기	㉾ ㉣ 학생의 일상생활 및 학교생활 등 실제 생활 장면과 연계하는 다양한 평가 방법을 활용한다.	

2) 교사가 〈활동 2〉에서 '자폐성장애와 관련 의사소통 장애 아동의 중재와 교육(TEACCH)'의 구성 요소 중 하나인 '작업 체계(work system)'를 적용하려고 한다. ㉠을 활용하여 ㉡에 들어갈 유의 사항의 예를 쓰시오.

33

2016 중등B-6

초임 특수교사 A는 자폐성장애 학생 성우의 자발화를 분석하기로 하였다. (가)는 성우와 어머니의 대화를 전사한 것이다. 〈작성 방법〉에 따라 순서대로 서술하시오.

(가) 전사 기록

(주차장에서 차 문을 열면서)
성 우: ㉠ 성우 주차장에서 뛰면 안 돼.
어머니: 그렇지. 엄마가 주차장에서 뛰면 안 된다고 말했지?

(엘리베이터를 타고 나서)
성 우: 일 이 삼 사 오 육 칠 (5초 경과) 칠 육 오 사 삼 이 일.
어머니: 성우야, 육층 눌러야지.
성 우: 육층 눌러야지.

(마트 안에서)
성 우: 성우 아이스크림 먹고 싶어요.
어머니: 알았어. 사줄게.
성 우: 네.
어머니: 성우야, 무슨 아이스크림 살까?
성 우: ㉡ 오늘 비 왔어요.

(식당에서)
어머니: 성우야, 뭐 먹을래?
성 우: ㉢ 물 냄새나요 물 냄새나요.
어머니: 성우야, 김밥 먹을래?
성 우: ㉣ 김밥 먹을래?

〈작성 방법〉

- 자폐성장애 학생의 언어적 특성에 근거하여 (가)의 밑줄 친 ㉠과 ㉣의 공통점 1가지를 쓰고, ㉠의 의사소통 기능을 쓸 것

34 2017 유아A-2

다음은 유아특수교사인 김 교사와 유아교사인 최 교사 간 협력적 자문 내용의 일부이다. 물음에 답하시오.

최 교사: 선생님, 지난 회의에서 자폐성장애의 주요 특성은 '사회적 의사소통 및 사회적 상호작용에서의 어려움'과 '제한된 반복 행동, 흥미, 활동'을 보이는 것이라고 하셨지요? 이와 관련해서 민수를 조금 더 잘 이해하고 싶은데 어떻게 하면 좋을까요?

김 교사: 민수를 잘 이해하시려면 민수의 사회적 의사소통 특성을 아는 것이 중요해요. 그리고 '제한된 반복 행동, 흥미, 활동'을 이해하는 것도 필요한데, 여기에는 상동행동, 동일성에 대한 고집과 그 외에 ㉠ 다른 특성들이 더 있어요.

최 교사: 그리고 활동 시간에 민수를 잘 지도할 수 있는 구체적인 방법을 알고 싶어요. 예를 들어, 교실에서 ㉡ 민수가 원하는 것을 요구할 수 있도록 가르치기 위해 제가 할 수 있는 일에는 무엇이 있을까요?

김 교사: 요구하기를 지도하기 위한 방법에는 여러 가지가 있는데요, 저는 요즘 민수에게 (㉢)을/를 적용하고 있어요. 이 방법은 핵심영역에서의 지도가 다른 기술들을 배우는 데 도움을 주어 의사소통능력과 사회적 상호작용을 촉진하는 데 효과적입니다. 이 방법에서는 주로 (㉣), 복합 단서에 반응하기, 자기 관리, ㉤ 자기 시도를 핵심영역으로 제시하고 있습니다. 민수에게 이를 적용한 결과, 핵심영역에서 배운 기술을 통해 다른 영역의 기술을 수월하게 익혀 가는 것을 볼 수 있었어요.

1) DSM-5의 자폐스펙트럼장애(자폐성장애) 진단기준에 근거하여 ㉠에 해당하는 특성 2가지를 쓰시오.

①:

②:

2) ㉢에 들어갈 중재방법의 명칭을 쓰시오.

3) ㉣에 들어갈 핵심영역을 쓰시오.

4) ㉡과 관련하여 ㉤의 핵심영역에서 설정할 수 있는 민수의 목표행동을 쓰시오.

35 2017 유아B-3

(가)는 5세 통합학급 심 교사가 작성한 반성적 저널이고, (나)는 자폐성 장애 유아 성규를 위한 마음이해 향상 프로그램의 일부이다. 물음에 답하시오.

(가)

> 일자: 2016년 ○월 ○일
>
> 간식 시간에 수지가 간식을 먹지 않아서 그 이유를 물었더니, ㉠ "선생님께서 어른이 먼저 드실 때까지 먹지 말라고 해서요."라고 대답하며 내가 자리에 앉을 때까지 기다렸다. 그 순간 성규가 수지의 간식을 먹어 버렸고, 수지가 속상해 하며 울었다. 그러나 성규는 울고 있는 수지에게 전혀 관심을 두지 않았다. 이러한 상황이 반복되면 성규와 다른 아이들 간의 사회적 관계에 어려움이 심화될 수 있으므로, 성규가 친구들의 생각을 이해할 수 있도록 마음이해 향상 프로그램을 적용해야겠다. 그리고 성규가 마음이해 프로그램에서 배운 내용을 일상생활에 잘 적용하도록 ㉡ 우리 반의 일과와 활동을 분석하여 연습할 수 있는 학습 기회를 구성해야겠다.
>
> … (하략) …

(나)

활동명	엄마의 간식 바구니
활동 자료	인형(엄마, 동생), 간식 바구니, 식탁, 거실 탁자
활동 과정	1. 엄마가 간식 바구니를 찾는 상황에 대한 활동임을 설명한다. 2. 상황을 설정하고 교사가 시범을 보인다. 1) 엄마가 간식이 들어 있는 바구니를 부엌의 식탁 위에 둔다. 2) 엄마가 방에 들어간 후 동생이 나와서 간식 바구니를 거실에 있는 탁자로 옮긴다. 3) 엄마가 방에서 나와서 간식 바구니를 찾는다. 3. ㉢ "엄마는 어디에서 간식 바구니를 찾으려고 할까?"라고 성규에게 물어본다. 4. 왜 그렇게 생각하는지 질문하고 피드백을 준다. 5. 역할놀이를 통해 연습한다. 6. 활동을 정리한다.

3) (나)에서 성규는 ㉢에 대해 "엄마는 거실에 있는 탁자에서 간식 바구니를 찾는다."라고 대답하였다. 이를 근거로 성규에게 필요한 '믿음-바람 추론 구조'의 요소를 쓰시오.

36

2017 초등B-6

(가)는 특수교육 수학교육연구회에서 계획한 2015 개정 특수교육 교육과정 중 기본 교육과정 수학과 1~2학년 '측정' 영역에 해당하는 수업 개요이고, (나)는 자폐성장애 학생에게 (가)를 적용할 때 예측 가능한 학생 반응을 고려하여 구상한 수업 시나리오의 일부이다. 물음에 답하시오.

(가)

◦ 공부할 문제: 물의 양이 같은 것을 찾아보아요.
◦ 학습 활동

〈활동 1〉 같은 양의 물이 들어 있는 컵 살펴보기
- 같은 양의 물이 들어 있는 2개의 컵 살펴보기
- 준비물: 투명하고 ㉠ 모양과 크기가 같은 컵 2개, 물, 주전자

〈활동 2〉 컵에 같은 양의 물 따르기
- ㉡ 같은 위치에 표시선이 있는 2개의 컵에 표시선까지 물 따르기
- 준비물: 투명하고 모양과 크기가 같은 컵 2개, 물, 주전자, 빨간색 테이프, 파란색 테이프, 빨간색 사인펜, 파란색 사인펜

〈활동 3〉 컵에 같은 양의 물이 들어 있는 그림 찾기
- 2개의 그림 자료 중 같은 양의 물이 들어 있는 그림 자료 찾기
- 준비물:

[그림 자료 1]

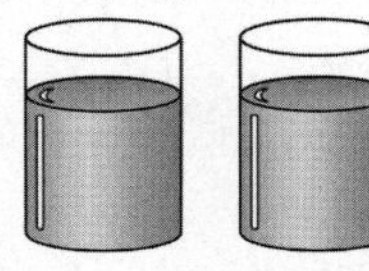

같은 양의 물이 들어 있는 컵 2개가 그려진 자료

[그림 자료 2]

다른 양의 물이 들어 있는 컵 2개가 그려진 자료

(나)

〈활동 2〉
교사: (컵 2개를 학생에게 보여주며) 선생님이 컵에 표시선을 나타낼 거예요. (책상 위에 놓여 있는 빨간색 테이프, 파란색 테이프, 빨간색 사인펜, 파란색 사인펜을 가리키며) ㉢ 테이프 주세요.
학생: (색 테이프 하나를 선생님에게 건네준다.)
교사: (2개의 컵에 색 테이프로 표시선을 만든다.) 이제 표시선까지 물을 채워 봅시다.

…(중략)…

〈활동 3〉
교사: (학생에게 [그림 자료 1]과 [그림 자료 2]를 제시하며) 물의 양이 같은 것은 어느 것인가요?
학생: (머뭇거리며 교사를 쳐다본다.)
교사: (㉣ 학생에게 [그림 자료 1]과 [그림 자료 2]를 다시 제시하며) 물의 양이 같은 것은 어느 것인가요?

2) 중심축 반응 훈련(PRT)을 통해 '복합 단서에 반응하기'를 지도하고자 할 때 ① (나)의 〈활동 2〉에서 교사의 지시문 ㉢이 적절하지 않은 이유를 쓰고, ② 적절한 지시문의 예 1가지를 쓰시오.

①:

②:

37 2017 중등A-7

다음은 「정신장애의 진단 및 통계 편람 제5판(DSM-5)」의 자폐스펙트럼장애(자폐성장애) 진단기준과 관련하여 일반교사와 특수교사가 나눈 대화의 일부이다. ㉠에 들어갈 내용을 쓰고, ㉡에 해당하는 예를 1가지 쓰시오.

> 일반교사 : 최근에 자폐스펙트럼장애의 진단기준이 새롭게 제시되었다면서요?
> 특수교사 : 네. DSM-5에 의하면, 자폐스펙트럼장애의 대표적인 특징에는 2가지가 있습니다. 첫째, 다양한 분야에 걸쳐 사회적 의사소통 및 사회적 상호작용의 지속적인 결함이 현재 또는 과거력상 나타나야 합니다. 둘째, 제한적이고 반복적인 행동, 흥미, 활동이 현재 또는 과거력상 나타나야 합니다.
> 일반교사 : 네, 그렇군요. 첫 번째 특징인 사회적 의사소통 및 사회적 상호작용의 지속적 결함에는 어떤 것들이 있나요?
> 특수교사 : 여기에는 3가지 하위 특징이 있습니다. 첫째, (㉠)의 결함을 보입니다. 예를 들어, 사회적 상호작용의 시작 및 반응에서 실패하는 것을 말합니다. 둘째, ㉡ 사회적 상호작용을 위한 비언어적 의사소통 행동의 결함입니다. 셋째, 관계 발전, 유지 및 관계에 대한 이해의 결함을 보입니다. 예를 들면, 상상 놀이를 공유하거나 친구를 사귀는 것이 어렵습니다.
>
> … (하략) …

38 2017 중등B-3

다음은 자폐성장애 학생 Y의 의사소통 중재와 관련하여 김 교사와 박 교사가 나눈 대화의 일부이다. ㉠에 공통으로 들어갈 중재 전략을 쓰고, ㉡의 경우에 적용하는 지도 방안을 제시하시오.

> 김 교사 : 선생님, 우리 반의 Y가 어휘력이 부족한데 어떻게 지도해야 할까요?
> 박 교사 : 자폐성장애 학생의 어휘력을 향상시키는 데 효과적인 전략이 있습니다. 예를 들어, Y에게 필요한 어휘 목록을 10개 준비하고 주의를 집중하게 한 뒤, '지구본'이라는 단어 카드를 제시하면서 "이 단어는 무엇이지?"라고 질문하세요. Y가 "지구본"이라고 대답을 하면 "잘했어."라고 하세요. 잠시 간격을 두고 나서 다음 단어 카드를 보여 주면서 앞에서 말한 절차를 반복하면 됩니다. 이와 같이 (㉠)은/는 학생이 변별자극에 정확하게 반응할 수 있을 때까지 간격을 두고 반복하여 시행하는 것입니다.
> 김 교사 : 그런데 이 전략을 사용할 때, "이 단어는 무엇이지?"라는 질문에 ㉡ Y가 대답하지 못하거나 오답을 말하면 어떻게 해야 하나요?
>
> … (하략) …

39

2018 유아A-6

다음은 예비 유아특수교사가 통합학급 4세반 준혁이의 의사소통 특성을 관찰한 일화 기록의 일부이다. 물음에 답하시오.

관찰 장소	통합학급
㉠ 통합학급 교실로 준혁이가 들어오며 말없이 고개만 끄덕이자 통합학급 담임 교사가 준혁이에게 "선생님, 안녕하세요?"라고 말한다. 미술 영역에서 유아특수교사는 준혁이와 '소방차 색칠하기' 활동을 하고 있다. 준혁이의 자발적 발화를 유도하기 위해서 ㉡ 교사는 소방차를 색칠하면서 "소방차는 빨간색이니까 빨간색으로 칠해야겠다."라고 말한다. 준혁이가 색칠하기에 집중하고 있을 때 지섭이가 소방차 사이렌 소리를 요란하게 내면서 교사와 준혁이 옆을 지나간다. ㉢ 준혁이는 갑자기 몸을 웅크리며 두 귀를 양손으로 막는다. 준혁이는 활동 중에 큰 소리가 나거나 여러 유아들이 함께 큰 소리를 내면 귀를 막으며 소리를 지르는 행동을 보인다.	

2) 밑줄 친 ㉢에서 준혁이가 보이는 감각 체계 특성을 쓰시오.

40 2018 초등A-4

(가)는 자폐성장애 학생 지호의 특성이고, (나)는 최 교사가 2015 개정 특수교육 교육과정 중 기본 교육과정 과학과 3~4학년 '지구와 우주' 영역을 주제로 작성한 교수 · 학습 과정안의 일부이다. 물음에 답하시오.

(가)

- 모방이 가능함
- 낮과 밤을 구분할 수 있음
- 동적 시각 자료에 대한 주의집중이 양호함

(나)

영역	일반화된 지식
지구와 우주	지구와 달의 운동은 생활에 영향을 준다.

단계	활동	자료 및 유의점
탐색 및 문제 파악	• ㉠실험실에서 지켜야 할 일반적인 규칙 상기하기 • 낮과 밤의 모습 살펴보기 • 낮과 밤이 생기는 까닭 예측하기	㉡실험실 수업 규칙 영상
가설 설정	• 가설 수립하기 수립한 가설: (㉢)	다양한 의견을 수렴하고 교사 안내로 가설 수립
실험 설계	• 실험 과정 미리 안내하기 • 실험 설계하기 -같게 할 조건과 다르게 할 조건 알아보기	모형 실험 영상, 지구의, 손전등
실험	• 지구의를 돌리며 모형 실험하기	
가설 검증	• 실험 결과에 따라 가설 검증하기 • ㉣지구 자전 놀이로 알게 된 내용 정리하기	대형 지구의, 손전등
적용	(㉤)	가설 검증 결과와 연결 지을 수 있도록 지도

4) 다음은 (나)의 밑줄 친 ㉣의 지도 장면이다. 지호가 밑줄 친 ⓐ와 같이 오반응을 보이는 이유를 자폐성장애의 결함 특성과 관련하여 쓰시오.

최 교사: (실험실의 조명을 어둡게 한다.) 지호, 민희, 승우 모두 실험 결과를 잘 이해하고 있군요. 이제 지구 자전 놀이로 실험 내용을 정리해 봅시다.
(학생들을 [그림 자료]와 같이 배치한다.)
지호야, 지호가 바라보는 지구는 지금 낮과 밤 중 어느 쪽일까요?

지 호: 낮이요.

최 교사: 잘했어요. 지호야, 그렇다면 민희가 바라보는 지구는 지금 낮과 밤 중 어느 쪽일까요?

지 호: ⓐ 낮이요.

[그림 자료]

41 2018 초등B-5

(가)는 2011 개정 특수교육 교육과정 중 기본 교육과정 실과 5~6학년 '단정한 의생활' 단원 전개 계획의 일부이고, (나)는 가정 실습형 모형에 따라 자폐성장애 학생을 위해 작성된 '손빨래하기' 수업 활동 개요의 일부이다. 물음에 답하시오.

(가)

단원	차시	학습 주제
㉠ 단정한 의생활	1	단정한 옷차림하기
	2	계절에 알맞은 옷차림하기
	3	활동에 알맞은 옷차림하기
	4	세탁기 사용하기
	5	손빨래하기
	~~	~~~
	10	티셔츠, 바지, 손수건, 양말 중 하나를 골라 스스로 정리하기

(나)

차시		5/10	학습 주제	손빨래하기
목표		• 손수건을 빨 수 있다. • 손걸레를 빨 수 있다.		
장소	단계	교수 · 학습 활동		
학교	문제 제기	• 손빨래와 관련된 경험 상기 • 손빨래가 필요한 상황에 대하여 이야기하며 학습 목표 제시 및 확인 • 손빨래를 위한 개별화된 과제 제시		
	실습 계획 수립	• 손빨래 실습 계획 수립 • 손빨래에 필요한 준비물(빨랫비누, 빨래통, 빨래판 등) 준비 및 기능 설명 • 손빨래 방법 안내		
	시범 실습	• 손빨래 순서에 따른 시범 • ㉡ <u>시각적 단서를 활용하여 순서에 따라 학생이 직접 손빨래하기</u> • 손빨래 시 유의할 점 안내		
	㉢	• 부모와 함께 학생이 손빨래를 해 보도록 활동 요령 지도		

※ 유의 사항: ㉣ <u>학생에게 그림교환의사소통체계(PECS)를 통해 '문장으로 의사소통하기' 지도</u>

2) 다음은 (나)의 밑줄 친 ㉡에서 적용한 환경 구조화 전략이다. ① ⓐ에 들어갈 전략의 명칭을 <u>쓰고</u>, ② ⓑ에 들어갈 시간의 구조화 전략의 예 1가지를 쓰시오.

> • (ⓐ): 손빨래 활동 영역을 칸막이로 표시함
> • 시간의 구조화: (ⓑ)

①:

②:

42

2018 중등A-5

다음은 자폐스펙트럼장애와 관련하여 오 교수와 예비 특수교사가 나눈 대화의 일부이다. ㉠에 공통으로 들어갈 내용과 ㉡에 들어갈 내용을 순서대로 쓰시오.

43 2018 중등B-2

(가)는 자폐스펙트럼장애 학생 D에 대한 특수교사와 통합학급 교사의 대화이고, (나)는 학생 D를 위해 그레이(C. Gray)의 이론에 근거하여 만든 중재방법이다. 〈작성 방법〉에 따라 서술하시오.

(가) 특수교사와 통합학급 교사의 대화

통합학급 교사: 선생님, 우리 반에 있는 학생 D가 ㉠ 광고에 나오는 단어나 문장을 일정한 시간이 지난 뒤에 다시 말할 때가 자주 있어요.

…(중략)…

통합학급 교사: 그리고 학생 D가 수업시간 중에 갑자기 일어서는 행동을 자주 보여요. 적절한 중재방법이 없을까요?

(나) 학생 D를 위한 중재방법

1. (㉡)을/를 사용하여 지도함
   - 학생 D가 통합학급 수업에 참여하기 전 다음의 글을 소리 내어 읽음

수업시간에 친구와 함께 공부하기

나는 교실에서 친구들과 함께 공부를 한다.
친구들과 함께 공부하는 것은 즐거운 일이다.
우리는 수업시간에 바른 자세로 선생님 말씀을 듣는다.
나는 때때로 가만히 앉아 있는 것이 힘들다.
내가 갑자기 일어서면 친구들에게 방해가 될 수도 있다.
㉢ 나는 도움이 필요할 때 "선생님 도와주세요."라고 말할 것이다.
선생님이 나에게 와서 도와줄 것이다.
교실에서 친구와 함께 수업하는 것은 즐거운 일이다.

2. (㉣)을/를 사용하여 지도함
   - 학생 D가 교사와 대화하면서 다음과 같은 그림을 그림

〈작성 방법〉

- 밑줄 친 ㉠에 해당하는 반향어의 유형을 쓸 것
- ㉡에 들어갈 중재방법의 명칭을 쓸 것
- 밑줄 친 ㉢의 문장 유형 명칭과 그 기능을 1가지 서술할 것
- ㉣에 들어갈 중재방법의 명칭과 그 장점을 1가지 서술할 것

44 2019 초등A-5

다음은 특수학교 5학년 학생을 지도하는 특수교사의 음악수업 성찰 일지이다. 물음에 답하시오.

〈수업 성찰 일지〉

(2018년 ○월 ○일)

11월 학예회에서 우리 반은 기악 연주를 할 예정이다. 어떤 종류의 악기가 좋을까? 바이올린 같은 현악기, 리코더 같은 단선율악기, 피아노와 같은 건반악기로 연주하는 것도 좋겠지만, 우리 반 학생들은 개인차가 너무 커서 그런 여러 가지 가락악기를 모두 사용하기는 어려울 것 같다. 마침 요즘 음악시간에 ㉠ 핸드벨을 배우고 있으니 핸드벨 중심으로 발표를 해야겠다.
연주곡으로는 평소 학생들이 좋아하고 익숙하게 느끼는 '숲속을 걸어요'가 적절할 것 같다. 그런데 학생들이 이 노래의 박자나 음악 기호에 맞추어 연주할 수 있을지 모르겠다. 우선 코다이의 리듬음절 읽기를 적용하여 연습해 본 후, 추가로 지도방법 수정이 필요할지 검토해 봐야겠다.

… (생략) …

발표 준비를 위해서 교과 수업 운영 시간을 조정해야겠다. 음악수업이 한 시간씩 떨어져 있어 아무래도 집중적인 연습이 어려울 것 같다. 두세 시간을 묶는 방식으로 수업시간을 조정해야겠다. 그런데 이미 정해진 일과가 흐트러지면 자폐성장애 학생인 지수가 혼란스러워할 텐데 어떻게 해야 할까?
지난번 연수 후 지수를 위한 환경 구조화의 일환으로 제작해 사용하고 있는 (㉣)을/를 적용해 봐야겠다. 벨크로를 이용해 만들었기 때문에 과목카드를 쉽게 붙였다 떼었다 할 수 있다. 그것으로 지수에게 음악시간과 원래 교과 시간이 바뀌었음을 설명해 주면 금방 이해하고 안정을 찾을 것 같다. [A]
그리고 구어 사용이 어려운 지수에게 악기 연습 시간에 사용할 수 있는 그림카드를 만들어 주어야겠다. 연주를 시작할 때, 핸드벨 카드를 제시하면 핸드벨을 주는 방식으로 지도해 봐야겠다. 지수는 시각적 학습에 익숙한 편이니, ㉤ 그림교환의사소통체계를 활용해 봐야겠다.

3) [A]를 참조하여 ㉣에 들어갈 구조화된 지원 방법을 쓰시오.

4) 다음은 ㉤에 대한 설명이다. 적절하지 않은 것 2가지를 찾아 ①과 ②에 각각 기호를 쓰고 바르게 고쳐 쓰시오.

ⓐ 교환 개념 훈련 단계에서 교환 개념을 획득시킬 때, 학생의 선호도보다 교과에서 사용되는 단어의 그림카드를 우선적으로 사용한다.
ⓑ 자발적 교환훈련 단계에서의 '아, ○○을 좋아하는구나!' 등과 같은 사회적 강화를 제공한다.
ⓒ 자발적 교환훈련 단계에서는 보조교사가 신체적 지원을 서서히 줄여 나가야 한다.
ⓓ 변별학습 단계에서 제시하는 그림카드는 선호도의 차이가 큰 세트부터 먼저 지도한다.
ⓔ 변별학습 단계에서는 목표로 하는 그림카드가 아닌 다른 그림카드를 제시하는 행동에 대해서도 보상을 해 준다.

①:

②:

PART 07

45

2019 초등B-6

다음은 교육 봉사를 다녀온 예비 특수교사와 지도 교수의 대화 내용이다. 물음에 답하시오.

예비 특수교사: 교수님, 어제 ○○학교에 교육 봉사를 다녀왔습니다. 교실 환경이 상당히 인상 깊었는데, 가장 특이했던 것은 교실 한쪽에 있던 커다란 플라스틱 이글루였어요. 입구에 '북극곰의 집'이라고 쓰여 있고 흔들의자도 있는 것 같았어요. 마침 1교시 시작할 때였는데 자폐성장애 학생인 민우가 그 안에서 나오는 거예요. 담임 선생님께 여쭤 보니 민우가 자주 이용하는 곳이라고 하시더군요.

지 도 교 수: 아하! 아마도 (㉠)인가 봐요. 교실 한쪽이나 학교 내 별도 공간에도 둘 수 있는 건데, 물리적 배치를 통해 환경적 지원을 제공하기 위한 거죠. 유의해야 할 점은 타임아웃을 하거나 벌을 주기 위한 공간은 아니라는 겁니다.

…(중략)…

예비 특수교사: 2교시에는 민우가 흥분이 되었는지 몸을 점점 심하게 흔드는 거예요. 그때 담임 선생님께서 손짓과 함께 '민우야, 북극곰!' 하시니까, 갑자기 민우가 목에 걸고 있던 명찰 같은 것을 선생님께 보여 주면서 '민우 북극곰, 민우 북극곰' 그러더라고요. 목에 걸고 있던 거랑 똑같은 것이 민우의 책상과 이글루 안쪽에도 붙어있었어요.

지 도 교 수: 그건 자폐성장애 학생에게 주로 사용하는 파워카드 전략입니다. 자폐성장애 학생의 (㉡)을/를 활용해 행동 변화의 동기를 제공하기 위한 시각적 지원 전략의 하나죠. 파워카드에는 그림과 (㉢)이/가 사용됩니다.

예비 특수교사: 중재 전략이 정말 다양하더군요.

지 도 교 수: 중요한 것은 어떤 전략이든 ㉣ <u>자연스러운 환경에서 적용해야 일반화가 쉽다는 겁니다. 언어중재도 마찬가지예요.</u>

1) ① ㉠에 들어갈 적절한 말을 쓰고, ② 그 기능을 1가지 쓰시오.

①:

②:

2) ㉡과 ㉢에 들어갈 말을 각각 쓰시오.

㉡:

㉢:

46 2019 중등B-7

(나)는 '주방의 조리 도구' 수업 지도 계획의 일부이다. 〈작성 방법〉에 따라 서술하시오.

(나) '주방의 조리 도구' 수업 지도 계획

학습 목표	여러 가지 조리 도구의 용도를 안다.
〈중심축 반응 훈련(PRT) 적용〉 • ㉢'조리 도구 그리기', '인터넷을 통해 조리 도구 알아보기', '조리 도구 관찰하기' 활동을 준비하여 지도함 • ㉣조리 도구의 용도를 묻는 질문에 답하도록 지도함 • ㉤조리 도구의 용도를 모를 때 학생이 할 수 있는 행동을 지도함	〈유의 사항〉 • 학생이 할 수 있는 다른 활동과 함께 제시 • 자연스러운 강화제 사용 • 다양한 활동, 자료, 과제량 준비

〈 작성 방법 〉

- 밑줄 친 ㉢과 ㉣을 할 때 '동기' 반응을 향상시키기 위한 방법을 순서대로 서술할 것(단, <유의 사항>에서 제시된 방법을 제외할 것)
- 밑줄 친 ㉤을 할 때 교사가 가르칠 내용을 '자기주도(self-initiation)' 반응 측면에서 서술할 것

47 2020 유아A-1

(가)는 5세 자폐범주성 장애 민호와 진우의 특성이고, (나)는 민호 어머니가 가입한 장애아동 부모 커뮤니티의 게시물이며, (다)는 교사의 반성적 저널의 일부이다. 물음에 답하시오.

(가)

	특성
민호	• 주위 사람들에게 친밀감을 보이지 않고 상호작용을 하지 않음 • 구어적 의사소통을 거의 하지 않음 • 그림과 사진 등의 자료에 관심을 보이기 시작함
진우	• ㉠ 사물의 전체가 아니라 부분에 집중함. 예를 들면 코끼리 그림을 보면 전체적인 코끼리 그림을 보는 것이 아니라, 코끼리의 꼬리나 발과 같은 작은 부분에만 집중하여 그림이 코끼리인지 아는 것에 결함이 있음 • 동화책의 재미있는 부분만 큰 소리로 읽음 • 자신의 기분을 표현하기 어려워하고 다른 사람의 감정을 이해하지 못함 • 또래들과 어울리지 못함

(나)

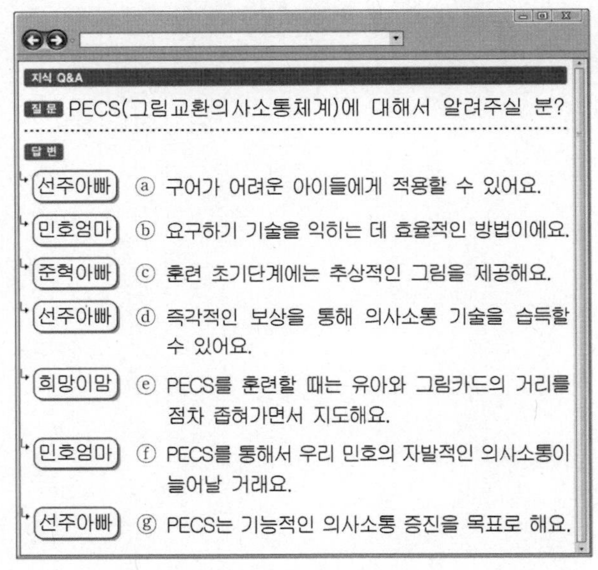

(다)

> 우리 반 진우는 생일잔치에 참여하는 데 어려움이 있다. 그래서 다음과 같은 문장을 활용하여 지도하였다.
>
> [A]
> 오늘은 ○○ 생일이에요.
> 교실에서 생일잔치를 해요.
> 케이크와 과자가 있어요.
> 나는 기분이 참 좋아요.
> 친구들도 즐겁게 웃고 있어요.
> 모두 신났어요.
> 나는 박수를 쳐요.
> 선생님도 기뻐해요.
> 앞으로 나는 친구들과 생일잔치에서 즐겁게 놀 거예요.
>
> … (하략) …

1) (가)의 ㉠에서 진우가 결함을 보이는 인지적 특성을 무엇이라고 하는지 쓰시오.

2) (나)의 ⓐ~ⓖ 중 틀린 것을 2가지 찾아 기호를 쓰고, 각각 바르게 고쳐 쓰시오.

3) (다)의 [A]는 5세반 담임교사가 진우의 마음이해 능력을 촉진하기 위한 전략에 활용한 것이다. ① 이 전략을 무엇이라고 하는지 쓰고, ② [A]에서 친구들의 마음을 잘 읽을 수 있는 문장 중 1가지를 찾아 쓰시오.

①:

②:

48 2020 유아A-8

다음은 통합학급 5세반 황 교사와 유아특수교사 정 교사의 대화이다. 물음에 답하시오.

황 교사: 선생님, 영주는 ㉠ 말의 흐름이 자연스럽지 않고, 말 리듬이 특이해서 무슨 말을 하는지 이해하기가 힘들어요. 특정 음절을 반복, 연장하고, 말이 막히기도 해요. 반면, 선미는 말을 할 때 ㉡ 부자연스러운 고음과 쥐어짜는 듯한 거칠고 거센소리를 내요.

…(중략)…

황 교사: 지수의 경우는 점심시간에 제가 지수에게 "계란줄까?"라고 물어봤는데, ㉢ 지수가 로봇처럼 단조로운 음으로 바로 "계란줄까, 계란줄까, 계란줄까."라고 했어요. 또 "연필 줄래?"라고 했더니 연필은 주지 않고 "줄래, 줄래, 줄래."라고 말했어요. 또 ㉣ 자신의 말하기 순서를 기다리지 못해서 불쑥 얘기하기도 해요.

정 교사: 그렇군요. 그건 지수와 같은 아이들에게서 자주 나타나는 현상이죠.

황 교사: 그리고 지수는 ㉤ 몸을 앞으로 숙였다 펴고, 손을 들어 손가락을 접었다 펴는 행동을 반복해요. 그러면서 "꺄악꺄악"이라는 의미 없는 소리를 내기도 해요.

…(하략)…

2) ㉢과 같이 지수가 보이는 의사소통의 특성을 무엇이라고 하는지 쓰시오.

3) ㉤의 행동 특성을 무엇이라고 하는지 쓰시오.

49 2020 초등A-4

(가)는 초등학교 6학년 자폐성장애 학생 민호의 특성이고, (나)는 '지폐 변별하기' 지도 계획의 일부이다. 물음에 답하시오.

(가) 민호의 특성

- 물건 사기와 같은 일상생활의 문제를 해결하기 위해 스스로 계획하고 수행하는 데 어려움이 있음 [A]
- 점심시간과 같이 일상적으로 반복되던 시간에 작은 변화가 생기면 유연하게 대처하기보다 우는 행동을 보임 [A]
- 수업시간 중 과자를 먹고 싶을 때 충동적으로 과자를 요구하거나 자리이탈 행동을 자주 보임 [A]
- 다른 사람의 감정과 사고를 파악하는 데 어려움이 있음
- 시각적 자극으로 이루어진 교수 자료에 관심을 보임
- 지폐의 구분과 사용에 어려움이 있음

(나) '지폐 변별하기' 지도 계획

- 표적 학습 기술: 지폐 변별하기
- 준비물: 1,000원짜리 지폐, 5,000원짜리 지폐
- 학습 단계 1
  - 교사가 민호에게 "천 원 주세요."라고 말했을 때, 1,000원짜리 지폐를 찾아 교사에게 주도록 지도함
  - 교사가 민호에게 "오천 원 주세요."라고 말했을 때, 5,000원짜리 지폐를 찾아 교사에게 주도록 지도함
  - 민호가 정반응을 보일 때마다 칭찬으로 강화함
  - 민호가 정해진 수행 기준에 따라 '지폐 변별하기'를 습득하면 다음 학습 단계로 넘어감
- 학습 단계 2
  - ㉠ 민호가 '지폐 변별하기' 반응을 5분 내에 15번 정확하게 수행할 수 있도록 지도한 다음, 더 짧은 시간 내에 15번 정확하게 수행할 수 있도록 연습하게 함

…(중략)…

- 유의 사항
  - ㉡ 민호가 습득한 '지폐 변별하기' 기술을 시간이 지난 뒤에도 수행할 수 있도록 '학습 단계 1'의 강화 계획(스케줄)을 조정함
  - 민호가 ㉢ 습득한 '지폐 변별하기' 기술을 일상생활에서 사용할 수 있도록 다양한 실제 상황(편의점, 학교 매점, 문구점 등)에서 1,000원짜리 지폐와 5,000원짜리 지폐를 변별하여 민호가 좋아하는 과자를 구입하도록 지도함

1) (가)의 [A]와 같은 행동 양상이 나타나는 이유를 자폐성장애의 인지적 특성과 관련지어 쓰시오.

50 2020 초등B-6

다음은 자폐성장애 학생들이 포함되어 있는 학급의 특수교사가 2015 개정 특수교육 교육과정 중 기본 교육과정 과학과 3~4학년군 '생물과 무생물' 단원의 '새싹 채소가 자라는 모습을 살펴보기' 수업을 준비하며 작성한 수업 설계의 일부이다. 물음에 답하시오.

1. 예상되는 어려움과 대안
   가. 새싹이 자라는 기간이 길기 때문에 이를 살펴보고 이해하는 것이 학생들에게 어려울 수 있음
   → ㉠ 컴퓨터 보조수업 활용: 실제 활동 전 새싹 채소를 키우는 것과 유사한 상황에서 씨앗 불리기, 씨앗 뿌리기, 물 주기 등 필요한 행동을 선택해 나가며 새싹 키우는 과정을 체험해보게 함
   나. 학생 간 수행 수준의 차이가 큼
   → 개별 지도가 필요한 학생의 경우 개인 교수형 컴퓨터 보조수업을 활용함

2. 새싹 채소 키우기 활동(교과서 ○○쪽)
   물 속에서 씨앗 불리기 → 플라스틱 용기에 넣은 솜이 젖을 정도로 물 뿌리기 → … (중략) … → ㉡ 씨앗의 모양이 어떻게 변해 가는지, 만졌을 때의 느낌은 어떠한지 등을 오감을 통해 살펴보기

3. 과학 수업의 방향 고려
   초등학교 수업은 (㉢) 지식을 중심으로 계획함

4. 자폐성장애 학생들의 특성 및 지도상의 유의점
   가. 정민이의 경우 ㉣ 촉각자극에 대한 역치가 매우 낮고 감각 등록이 높으므로 물체를 탐색하는 과정에서 이를 고려함
   나. 경태의 경우 수업 중 규칙을 잘 지키지 않아 친구를 당황하게 하는 경우가 많음
   → 계속해서 문제가 발생할 경우 아래와 같이 사회적 도해(사회적 분석, social autopsies) 방법으로 자신의 실수를 이해하고 수정하도록 함

수업 중 자신이 한 실수가 무엇인가? → 실수로 인해 상처를 받은 사람은 누구인가? → 문제해결책은 무엇인가? → (㉤)

   다. 새싹 채소 키우기 학습을 모두 마친 후 식물원 견학 시 정민이와 경태의 ㉥ 불안감 감소, 학습 참여 증진 방안을 고려함
   → 견학 전 미리 준비한 동영상을 통해 식물원 가는 길이나 식물원의 모습 등을 보여줌
   → 식물원에서는 새로운 식물을 살펴보기 전에 사진 자료를 활용하여 식물에 대해 설명해 줌
   [A]

3) ㉣로 인해 나타날 수 있는 반응 특성을 1가지 쓰시오.

4) ① ㉤에 들어갈 내용을 쓰고, ② [A] 활동을 통해 ㉥이 될 수 있는 이유를 1가지 쓰시오.

①:

②:

51 2020 중등A-5

(가)는 자폐성장애 학생 D의 특성이고, (나)는 행동지원 계획안의 일부이다. 〈작성 방법〉에 따라 서술하시오.

(가) 학생 D의 특성

- 친구의 얼굴 표정이나 눈빛을 보고 감정을 이해하는 데 어려움을 보임 ⓐ
- 친구가 싫어할 수 있는 이야기를 지나치게 솔직하게 말함 ⓐ
- 친구의 관심과는 관계없이 자신이 좋아하는 주제와 관련된 이야기를 계속함 ⓐ
- 가수 E를 매우 좋아하여 가수 E가 출연하는 프로그램은 거의 모두 시청하고 있음

(나) 행동지원 계획안

〈지원 방법 : 파워카드 전략〉

○ 개념 : 적절한 사회적 상호작용을 교수하기 위해 학생의 특별한 관심과 강점을 포함하는 시각적 지원 방법임

…(중략)…

○ 목표 행동 : ⓑ 대화할 때 친구의 기분을 고려하여 말하기

○ 구성 요소

1) 간략한 시나리오
   - 시나리오에 학생 D가 영웅시하는 가수 E의 사진을 포함함
   - 시나리오는 학생 D의 (㉠) 수준을 고려하여 작성함
   - 시나리오 구성
     - 첫 번째 문단 : (㉡)
     - 두 번째 문단 : 학생 D가 친구의 기분을 고려하여 말할 수 있도록 구체적인 행동을 3~5단계로 나누어 제시함
2) 명함 크기의 파워카드
   - 학생 D의 주머니에 넣고 다니게 하고, 책상 위에도 붙여두고 보도록 함

〈 작성 방법 〉

- (가)의 ⓐ와 같은 행동 양상이 나타나는 이유를 자폐성장애의 인지적 특성과 관련지어 1가지 쓸 것
- (나)의 괄호 안의 ㉠에 해당하는 내용을 쓸 것
- (나)의 괄호 안의 ㉡에 해당하는 내용을 밑줄 친 ⓑ의 목표 행동을 고려하여 1가지 서술할 것

52 2021 유아B-4

다음은 유아특수교사의 놀이 기록 일부이다. 물음에 답하시오.

[A] '종이꽃으로 놀아 보자'라는 주제로 유아들에게 다양한 미술 재료와 도구를 이용하여 마음대로 꽃을 표현하도록 하였다. 정우는 큰 박스의 표면을 긁어내어 울퉁불퉁한 골판지 꽃밭을 만들었고, 연진이는 부드러운 한지를 가위로 작게 잘라서 위로 뿌리고, 바닥에 떨어진 한지를 다시 모아 위로 뿌리기를 반복하였다. 우진이는 매끈한 기름 종이를 입에 대고 불어서 날리기도 하고, 동글동글 말아서 꽃을 표현하기도 하였다.

자폐성장애 선우에게는 선우가 좋아하는 색종이로 꽃을 만들 수 있도록 '꽃 만드는 그림순서표 카드'를 제시하였다. [B] 그런데 선우는 카드에 그려진 꽃에는 관심이 없고, 카드의 테두리선에만 반응을 보였다. 이처럼 주요 단서가 되는 자극에 주의를 기울이지 못하는 선우에게는 변별훈련을 통해서 과제해결을 더 잘할 수 있도록 지도해야겠다.

…(중략)…

다양한 꽃들로 교실이 가득할 때 갑자기 우진이가 "얘들아, 우리 '오소리네 집 꽃밭' 동화로 극놀이 하자."라고 큰 소리로 말했다. 그러자 ㉠ 아이들은 동화의 줄거리를 이야기하고, 극놀이에 필요한 배경과 소품을 만들었다. 소품이 완성된 후 "선생님, 점심 먹을 시간이에요. 우리 점심 먹고 와서 극놀이 준비를 계속 해요."라고 우진이가 말했다. 점심을 먹기 위해 아이들과 이동하려고 하는데 선우가 "아니야, 아니야."하면서 소품을 만지작거렸다. "선우야, 지금은 점심시간이야. 밥 먹으러 가자."라고 말했지만, 선우는 그 자리에서 움직이지 않았다. 선우에게는 ㉡ 활동 간 전이 계획이 필요한 것 같다.

2) [B]에서 알 수 있는 선우의 인지적 특성을 쓰시오.

3) ㉡에서 교사가 선우에게 사용할 수 있는 방법을 ① 시각적 측면과 ② 청각적 측면에서 1가지씩 쓰시오.

①:

②:

53 2021 초등A-4

(가)는 사회과 수업 설계 노트의 일부이다. 물음에 답하시오.

(가) 수업 설계 노트

ㅇ기본 교육과정 사회과 분석
- 내용 영역: 시민의 삶
- 내용 요소: 생활 속의 질서와 규칙, 생활 속의 규범
- 내용 조직: ㉠나선형 계열구조

ㅇ은수의 특성 [A]
- 3어절 수준의 말과 글을 이해함
- 말이나 글보다는 그림이나 사진 자료의 이해도가 높음
- 통학버스 승하차 시, 급식실, 화장실에서 차례를 지키지 않음

ㅇ목표
- 순서를 기다려 차례를 지킬 수 있다.

ㅇ교수 · 학습 방법
- '사회 상황 이야기'

문제 상황
은수는 수업을 마치고 통학버스를 타러 달려간다. 학생들이 통학버스를 타려고 줄을 서서 기다리고 있을 때 맨 앞으로 끼어든다.

[B]

ㅇ평가 방법
- 자기평가
  - 교사에 의해 설정된 준거와 비교하기
  - (㉡)와/과 비교하기
  - 다른 학생들의 수준과 비교하기
- 교사 관찰: ㉢상황 간 중다기초선설계
- 부모 면접

2) [A]와 [B]를 고려하여 '사회 상황 이야기'를 개발하려고 한다. ① 은수에게 사용할 수 있는 조망문(perspective sentences)의 예를 1가지 쓰고, ② '사회 상황 이야기' 카드 제작 시 제공할 수 있는 시각적 단서의 예를 1가지 쓰시오.

①:

②:

54 2021 초등B-6

(가)는 2015 개정 특수교육 기본 교육과정 미술과 5~6학년군 '이미지로 말해요' 단원의 수업 활동 아이디어 노트이다. 물음에 답하시오.

(가) 수업 활동 아이디어 노트

ㅇ성취기준

㉠ 일상생활 속에 나타난 이미지를 활용하여 표현한다.

ㅇ수업 개요

㉡ 본 수업은 픽토그램 카드를 만들고, 그 결과물을 학생의 사회성 기술 교수를 위한 자료로 활용하고자 한다.

ㅇ픽토그램의 개념

픽토그램은 의미하는 내용을 (㉢)(으)로 시각화하여 사전에 교육을 받지 않고도 모든 사람이 즉각적으로 이해할 수 있어야 하므로 단순하고 의미가 명료해야 한다.

ㅇ수업 활동

활동1	• 픽토그램에서 사용한 모양 이해하기  • 픽토그램에서 사용한 색의 의미 알기
활동2	• 픽토그램 카드 만들기
활동3	• 픽토그램 카드 활용하기 교환 가치 형성하기 → ㉣ 자발적 교환하기 → 변별 훈련하기 → 문장으로 만들어 이야기하기 → 단어를 사용하여 질문에 반응하기→ 의견 설명하기 [A]

2) (가)의 [A]에 해당하는 ① 중재 방법을 쓰고, ② ㉣을 응용행동 분석 원리로 지도할 때 ⓐ에 들어갈 학생의 행동을 쓰시오.

선행 자극		행동		후속 결과
그림 카드를 학생과 먼 거리에 배치한다.	➡	ⓐ	➡	그림 카드에 해당하는 사물을 준다.

①:

②:

55 2021 중등A-8

다음은 자폐성장애 학생 D를 지원하기 위한 TEACCH (Treatment and Education of Autistic and Related Communication Handicapped Children)의 구조화된 교수 요소이다. 〈작성 방법〉에 따라 서술하시오.

〈구조화된 교수 요소〉

교수 요소	교사가 학생에게 제공해야 할 정보
(㉠)	• 어떤 활동이 어떤 순서로 일어나는가?
과제 구성	• 무엇을 해야 하는가? • 얼마나 많은 항목을 해야 하는가? • 최종 결과물은 어떠한 것인가?
(㉡)	• 특정 활동을 어디서 해야 하는가? (글, 상징, 사진 등의 시각적 단서 제공)
㉢ 작업 체계	• 수행해야 할 작업은 무엇인가? • 어느 정도 많은 작업을 해야 하는가? • (㉣)

〈작성 방법〉

- 괄호 안의 ㉠, ㉡에 들어갈 교수 요소의 명칭을 순서대로 쓸 것
- 밑줄 친 ㉢을 적용하기 위한 과제로 선정될 수 있는 조건을 1가지 서술하고, 괄호 안의 ㉣에서 제공해야 할 정보를 1가지 제시할 것

56 2022 유아A-1

다음은 통합학급 김 교사와 유아특수교사 박 교사가 나눈 대화의 일부이다. 물음에 답하시오.

1) [A]에서 비연속시행교수(Discrete Trial Training ; DTT) 구성 요소 중 ① 변별자극과 ② 후속결과를 찾아 각각 쓰시오.

①:

②:

3) 박 교사가 [B]와 같이 설명한 이유를 1가지 쓰시오.

57 2022 유아A-3

(가)는 자폐성장애 유아 재우의 행동 특성이고, (나)는 유아특수 교사 최 교사와 홍 교사가 나눈 대화 내용이다. 물음에 답하시오.

(가)

ⓐ 매일 다니던 길로 가지 않으면 울면서 주저앉는다.
ⓑ 이 닦기, 손 씻기, 마스크 쓰기를 할 수 있지만 성인의 지시가 있어야만 수행한다.
ⓒ 이 닦기 시간에 "이게 뭐야?"라고 물으면 칫솔을 아는데도 칫솔에 있는 안경 쓴 펭귄을 보고 "안경"이라고 대답한다.
ⓓ 1가지 속성(예 색깔 또는 모양)만 요구하면 정확히 반응하는데 2가지 속성(예 색깔과 모양)이 포함된 지시에는 오반응이 많다.

(나)

최 교사: 선생님, 재우에 대한 가족진단 내용을 보면서 지원 방안을 협의해 봐요.
홍 교사: 네. 재우 부모님은 재우의 교육목표에 대해 다양한 요구가 있으신데, 그중에서도 재우가 혼자 할 수 있는 일은 시키지 않아도 스스로 하기를 가장 원한다는 의견을 주셨어요. [A]
그리고 교육에도 적극적이셔서 가정에서 사용할 수 있는 지도방법에 관심이 많으세요.
최 교사: 그럼, 부모님의 의견을 반영해서 개별화교육계획 목표를 '성인의 지시 없이 스스로 하기'로 정해요. 재우의 행동특성을 고려해 보면 중심축반응훈련을 적용해서 지도하면 좋을 것 같아요.
홍 교사: 네. 지시가 있어야만 행동하는 특성에는 중심(축) 반응 중에서 자기관리 기술을 습득하도록 지도해야 겠지요?
최 교사: 네. 먼저 이 닦기부터 적용해 보죠. 재우가 이 닦기 그림을 보고 이를 닦고 난 후, 스티커를 붙여서 수행 여부를 확인하는 시각적 자료를 활용하면 좋을 것 같아요. [B]

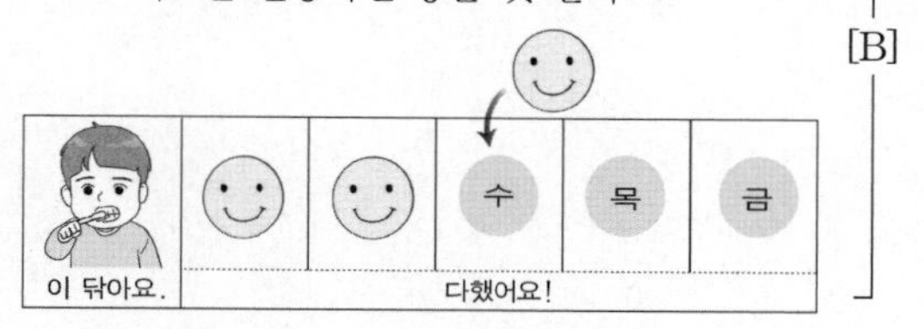

홍 교사: 이 자료를 재우 어머니에게 보내 드려서 가정에서도 지도할 수 있게 해야겠어요.
최 교사: 좋아요. 그리고 재우는 ㉠ <u>제한적인 자극이나 관련 없는 자극에 반응하는 특성</u>이 있기 때문에 중심(축) 반응 중 (㉡)을/를 증진시켜야겠어요.

…(하략)…

3) ① (가)의 ⓐ~ⓓ 중 ㉠에 해당하는 재우의 행동 특성을 2가지 찾아 기호를 쓰고, ② 중심(축)반응 4가지 중 ㉡에 들어갈 말을 쓰시오.

①:

②:

58 2022 초등A-5

다음은 4학년 자폐성 장애 학생 성규의 통합학급 수업 지원을 위한 통합학급 교사와 특수교사의 협의록 일부이다. 물음에 답하시오.

〈통합교육 지원 협의록〉

…(중략)…

❑ 교과: 사회
단원명: 지역의 위치와 특성

가. 통합학급 수업 운영 및 지원
ㅇ이번 주 수업 중 행동 관찰

학습 활동	• 지도의 기본 요소 알아보기
성규의 수업 중 수행특성	– 지도 그리기에 관심이 없고 자신이 좋아하는 위치에만 스티커를 붙이려고 고집함 – 함께 사용하는 스티커를 친구가 가져가면 소리를 지름 – 친구들의 농담에 무표정하고 별다른 반응이 없음 – 활동 안내를 그림 카드로 제시했을 때 활동의 참여도가 높아짐 [A]

ㅇ다음 주 수업지원 계획

학습 활동	• 우리 생활에서 지도를 어떻게 활용하는지 알아보기 • 우리 지역의 중심지 알아보기 – ㉠ 3학년 사회과에서 다루는 학교 주변의 '우리 고장'에서 범위를 넓혀, 4학년 때는 '시·도' 규모의 지역 중심지를 탐색하고 답사하기
성규를 위한 수정계획	• 지도의 주요 위치에 스티커로 표시해주기 • 시각적 일과표와 방문하게 될 장소에 대한 안내도 제시하기 • 현장학습 시, 친구들과의 상호작용을 돕고 지켜야 할 규칙을 알 수 있도록 ㉡ 상황이야기 또는 좋아 하는 캐릭터를 삽입한 파워카드 적용하기

2) [A]에 근거하여 ㉡의 이유에 해당하는 자폐성 장애의 일반적인 특성 2가지를 쓰시오.

①:

②:

59 　2022 중등B-7

(가)는 자폐성장애 학생 F에 관해 교육 실습생과 특수 교사가 나눈 대화의 일부이고, (나)는 교육 실습생이 작성한 사회상황 이야기(Social Stories) 초안이다. 〈작성 방법〉에 따라 서술하시오.

(가) 대화

교육 실습생: 선생님, 우리 반 학생 F는 여러 가지 정보 중에서 필요한 정보를 선택하고 이것을 의미 있게 연계하는 것을 힘들어해요. 그리고 복잡한 정보를 처리하는 것도 어려워하는 것 같아요. 국어 시간에 글을 읽고 나서 특정 부분이나 사소한 내용은 잘 기억하는데, 전체적인 흐름과 내용 파악은 어려워 해요.

특 수 교 사: 예, 그것은 자폐성장애 학생이 흔히 보이는 인지적 결함 중에서 (㉠) 때문인 것 같아요.

… (중략) …

교육 실습생: 선생님, 학생 F는 점심시간에 자신의 차례를 지키는 것이 어려운 것 같아요. 좋은 방법이 있나요?

특 수 교 사: 예, 학생 F에게는 여러 가지 중재 방법 중에서 사회상황이야기를 적용해 볼 수 있을 것 같아요. 선생님이 먼저 초안을 작성해 보세요.

(나) '사회상황이야기' 초안

나는 점심시간에는 친구와 함께 식당에서 점심을 먹어요.
우리는 줄을 서서 기다리고, 줄을 서서 이동해야 해요.
줄 서서 이동할 때에는 줄에서 벗어나면 안 돼요.
선생님이 식당에 가기 전에 "여러분, 줄을 서세요."라고 말하면 나는 줄을 서려고 노력해야 해요.
내가 줄서는 것을 어려워하면 선생님이 도와줄 수 있어요.
선생님의 도움이 필요할 때에는 "선생님, 도와주세요."라고 말해요.
점심시간에 줄 서서 이동할 때에는 나와 친구는 조금 거리를 두어야 해요. ㉡ <u>이것은 매우 중요한 일이에요.</u>
조금 떨어져서 간격을 유지하는 것은 기분 좋은 일이에요.
내가 차례를 지키지 않으면 친구가 속상해할 수도 있어요.
나는 점심시간에 줄을 서서 차례를 지키려고 노력할 거예요.
점심시간에 줄을 서서 차례를 지키는 것은 ________ 일이에요. [A]

〈작성 방법〉

- (가)의 괄호 안 ㉠에 해당하는 내용을 쓸 것
- (나)의 밑줄 친 ㉡의 문장 유형을 쓰고, [A]와 같은 문장 유형의 기능을 1가지 서술할 것[단, 그레이(C. Gray, 2010)의 이론에 근거할 것]
- (나)의 '사회상황이야기' 초안에 나타난 오류 중에서 1가지를 찾아 그 이유를 서술할 것[단, 그레이(C. Gray, 2010)의 이론에 근거할 것]

60 2023 유아A-4

(가)는 유아특수교사가 자폐성장애 유아 지수를 위해 작성한 지원 계획이며, (나)와 (다)는 교사가 제작한 그림책이다. 물음에 답하시오.

(가)

- 지수의 특성
  - 그림책 읽기를 좋아함
  - 공룡을 좋아하여 혼자만 독차지하려고 함
  - 얼굴 표정(사진, 그림, 도식)을 보고 기본 정서를 말할 수 있음
- 지원 계획
  - 상황이야기 그림책과 마음읽기 그림책으로 제작하여 지도하기
  - 교사가 제작한 그림책을 ㉠ 매일 지수가 등원한 직후와 놀이 시간 직전에 함께 읽기
  - 참여도를 높이기 위해 지수가 그림책을 읽을 때마다 공룡 스티커를 주어 5개를 모으면 ㉡ 공룡 딱지로 바꾸어 주기

(나)

친구도 공룡을 가지고 놀고 싶어요

놀이 시간에는 교실에 있는 놀잇감을 가지고 놀아요.
나는 공룡을 가지고 노는 걸 제일 좋아해요.
나처럼 공룡을 가지고 놀고 싶어 하는 친구들도 있어요.
나만 공룡을 가지고 놀면, 친구들은 (㉢).
㉣ 나는 공룡을 바구니에 두어 친구들도 가지고 놀 수 있게 할 거예요.
이것은 친구와 사이좋게 노는 방법이에요.

(다)

유미가 공룡을 가지고 놀고 있어요.
민호가 유미의 공룡을 빼앗아 갔어요.
공룡을 빼앗긴 유미의 기분은 어떨까요?
기쁠까? 슬플까? 화날까? 겁날까?

2) (나)의 상황이야기에서 ① ㉢을 지수가 친구의 마음을 이해하는 내용이 되도록 쓰고, ② ㉣의 문장 유형이 무엇인지 쓰시오.

①:

②:

3) 하울린, 바론-코헨과 하드윈(P. Howlin, S. Baron-Cohen, & J. Hadwi n)의 마음읽기 중재 단계에 근거하여 (다)의 단계에서 교사가 지수에게 지도하고자 하는 정서 이해의 목표를 쓰시오.

61 2023 유아A-6

(가)는 작은 운동회를 위한 특수학교 교사들의 사전 협의회의 일부이고, (나)는 자폐성장애 유아 진서를 위한 파워카드이다. 물음에 답하시오.

(가)

김 교사: 10월에 실시할 작은 운동회를 위한 협의회를 시작하도록 하겠습니다.

…(중략)…

김 교사: 이제 작은 운동회 내용을 정리해 보겠습니다.

이 교사: ㉠ 축구 코스에서는 아이들이 발로 미니 골대 안에 공을 넣도록 해요. 지수는 다리에 힘이 조금 부족하지만 워커로 이동할 수 있으니 (㉡).

홍 교사: ㉢ 뻥뻥 코스에서는 의자 위에 올려놓은 뻥과자를 엉덩이로 부숴 봐요.

박 교사: 터널 코스에서는 유아들이 터널을 기어서 통과하도록 하겠습니다.

김 교사: 그리고 ㉣ 출발점부터 도착점까지 유아들이 걷거나 달려도 되는데 너무 빨리 달리지 않도록 지도해 주세요.

교사들: 네, 알겠습니다.

김 교사: 그런데 홍 선생님 반의 진서가 갑자기 강당 밖으로 뛰어나간 적이 있었는데 선생님은 어떻게 지도하세요?

홍 교사: 로봇 그림을 사용한 파워카드 전략으로 강당에 올 때마다 지도하고 있어요. 작은 운동회 때도 파워카드를 사용하도록 하겠습니다.

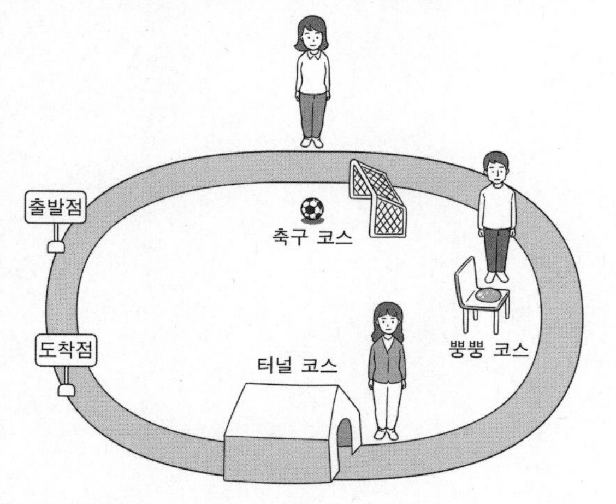

(나)

3) (나)에서 홍 교사가 로봇 그림을 사용한 이유를 파워카드 전략에 근거하여 쓰시오.

62 2023 유아A-8

(가)는 병설유치원 개별화교육지원팀 협의 내용의 일부이다. 물음에 답하시오.

(가)

임 교 사:	유치원에서 '내 친구는 그림으로 말해요'라는 주제로 경수가 사용하는 그림교환의사소통체계(Picture Exchange Communication System: PECS)의 사용 방법을 설명해 준 이후로 친구들도 경수가 그림으로 대화할 수 있다는 것을 알게 되었어요. 1단계에서 기차놀이를 즐기는 경수는 기차 그림카드를 교사에게 제시해야 기차를 받을 수 있다는 교환의 의미를 이해했어요. 2단계에서는 ㉠ <u>경수가 기차 그림카드를 찾아와 멀리 있는 제게 건네주어 기차와 교환할 수 있게 되었어요.</u> 3단계에서는 ㉡ <u>좋아하는 2개의 기차 중 경수가 더 원하는 기차의 그림카드를 교사에게 건네주어 그 기차로 바꿀 수 있었어요.</u> 4단계로, 요즘은 원하는 것을 문장으로 요청하도록 지도하고 있습니다.
경수 어머니:	그림으로 의사소통하는 방법을 체계적으로 교육해 주셔서 이제 경수는 좋아하는 것 중에서도 더 좋아하는 것을 구분할 수 있게 되었어요.

1) ① ㉠단계의 지도 목적을 쓰고, ② 3단계 '그림 식별하기'에서 ㉡보다 먼저 지도할 내용을 쓰시오.

①:

②:

63 2023 초등B-3

(가)는 특수학교의 김 교사가 작성한 자폐성장애 1학년 학생 동호의 행동 관찰 노트이고, (나)는 교사들이 나눈 대화 내용의 일부이다. 물음에 답하시오.

(가) 행동 관찰 노트

- 관찰자: 김○○ 교사
- 관찰 기간: 2022년 3월 7일 ~ 3월 11일(5일간)
- 관찰 결과
  - 구어보다 그림 카드를 더 잘 이해함
  - 손 씻기 지도를 위해 비누를 제시했을 때, 비누는 보지 않고 비누통에 붙은 캐릭터에만 집중함
  - 수업 중에 교사가 칠판을 가리키며 "여기를 보세요."라고 할 때 칠판은 보지 않고 교사의 단추만 보고 있음

  [A]

(나) 대화 내용

김 교사: 학기 초라서 그런지 동호가 학교생활에 적응을 잘 못 하네요.
최 교사: 예를 들면, 어떤 문제가 있나요?
김 교사: 교실도 못 찾고, 자기 책상도 못 찾고, 신발도 제자리에 못 넣습니다.
최 교사: 그러면 동호에게 가외자극 촉구를 적용해서 ㉠ 신발장에 신발을 제자리에 놓을 수 있도록 도와주는 방법을 한번 써 보면 좋을 것 같아요.
김 교사: 감사합니다.

… (중략) …

김 교사: 다음 주 슬기로운 생활 수업 주제는 '학교에서 보내는 하루'예요. 어떤 방식으로 수업을 하면 좋을까요?
최 교사: 제 경험에 비춰 보면, 그 수업에서 ㉡ 학생들이 자신의 주변 장소나 사람, 환경과 같은 주변의 모습에 관심을 가지고 이해하도록 학교에서의 일과를 사진 찍는 활동으로 하니 참 좋아했습니다.
김 교사: 그렇군요. 그리고 ㉢ 동호는 수업이 끝나고 쉬는 시간마다 가방을 메고 집에 가겠다고 해요.

… (중략) …

㉣ 급식실에서 밥을 먹고 나면 어디로 가야 할지 몰라 복도를 서성거려요.
최 교사: 그럼, 동호에게 시각적 일과표를 한번 활용해 보는 건 어떨까요?
김 교사: 좋은 생각이네요. 동호는 시각적인 자료를 사용하면 더 쉽게 이해하니까요.

1) (가)의 [A]에 나타난 자폐성장애의 인지적 특성을 1가지 쓰시오.

3) 시각적 일과표를 제작할 때 (나)의 ㉢과 ㉣을 해결하기 위한 방안을 각각 1가지씩 쓰시오.

①:

②:

PART 07

64 2023 초등B-4

(나)는 수업 설계 노트이다. 물음에 답하시오.

(나) 수업 설계 노트

- 수업 개요
  - 단원(제재)명: 소중한 생명(반려견 돌보기)
  - 수업 목표: ㉠ 반려견 돌보기 활동을 통해 생명의 소중함을 알고 실천한다.
  - 수업 활동

[활동 1] 반려견 돌보는 방법 알기
[활동 2] 반려견 돌보기 사회상황 이야기(social story) 스크립트 만들기

〈반려견 돌보기 사회상황 이야기 스크립트 초안 일부〉

우리 집에는 강아지가 살고 있다. 학교에서 돌아오면 강아지가 반갑다고 꼬리 치며 자꾸 나에게 다가온다.

	강아지가 내 앞에 앉아 있고, 나는 강아지를 쓰다듬고 있다.	(㉡)
	내가 강아지를 쓰다듬으면 강아지의 기분이 좋아진다.	조망문

[활동 3] 스크립트를 통해 반려견 돌보기 실천하기

- 가정과의 수업 연계 및 협조 사항
  - 가정통신문을 통한 사전 동의 및 안내
  - ㉢ 가정으로 학습의 장소를 확대하여 실생활에서 적용 실천할 수 있는 관찰, 실습, 조사 등의 활동으로 구성
  - 사회상황 이야기 자료를 활용하여 지우가 반려견 돌보기 행동을 실천하도록 안내
  - 행동계약서를 만들고 규칙을 실천할 때마다 (㉣)을/를 제공하면 효과적임을 안내

2) ㉡에 들어갈 사회상황 이야기 문장 유형을 쓰시오.

65 2023 중등B-10

다음은 자폐성장애 학생 A에게 일상생활 활동 기술을 지도하기 위해 특수 교사가 작성한 수업 구상 메모의 일부이다. 〈작성 방법〉에 따라 서술하시오.

〈수업 구상 메모〉

- 목적: 일상생활 활동 기술 지도
- 수업 시간에 사용할 전략과 유의사항
  - 전략: 중심축 반응 훈련(PRT)
  - 유의사항
    - 학생의 특성과 흥미를 고려하여 다양한 수업 자료를 준비함
    - ㉠ PRT의 중심축 반응 중 '동기(motivation)'를 향상시키기 위해 준비한 수업 자료를 사용함
    - PRT의 중심축 반응 중 '동기'를 향상시키기 위해 수업 활동 중 다음 요소를 고려하여 지도함

요소	지도 중점
(㉡)	• 질문에 응답하기 위한 모든 노력에 칭찬하기 • 질문에 응답하기 위한 비언어적 행동에도 긍정적으로 반응하기 • 틀린 반응이더라도 학생의 노력에 긍정적으로 반응하기

- 촉진 감소 방법: (㉢)
  - 학생이 정반응만 보일 수 있는 자극 촉진을 사용함
  - 반복된 오반응으로 인한 학생의 좌절감 발생을 예방하도록 자극 촉진을 사용함
  - 최대–최소 촉진을 이용한 용암법을 통해 촉진을 제거함
- 최대–최소 촉진 적용 시 (㉣)을/를 예방하기 위한 고려사항
  - 촉진은 가능한 빨리 제거함
  - 촉진의 수준과 양을 너무 빠르거나 느리지 않게 점진적으로 감소시킴
  - 촉진을 필요 이상으로 제공하지 않음

… (하략) …

〈작성 방법〉

- 밑줄 친 ㉠에 해당하는 방법 1가지를 서술할 것(단, 학생의 행위 측면에서 서술할 것)
- 괄호 안의 ㉡에 해당하는 내용을 쓸 것

66 2024 유아A-1

(가)는 자폐성장애 유아 동주의 특성이고, (다)는 유아 특수교사 임 교사와 유아교사 배 교사가 동주의 놀이를 지원하는 장면과 임 교사의 지도 노트이다. 물음에 답하시오.

(가)

- 곤충을 좋아함
- 동영상 보기를 좋아함
- 상호작용을 위한 말을 거의 하지 않음
- 상호작용 중 상대방이 가리키거나 쳐다보는 사물, 사람, 혹은 사건을 함께 쳐다볼 수 있음

(다)

동　　주: (배 교사의 손을 잡아 그림책에 있는 곤충에 갖다 댄다.)
배 교사: 무당벌레.
동　　주: (책장을 넘겨 배 교사의 손을 잡아 곤충 그림에 갖다 댄다.)
임 교사: 뭐예요?
동　　주: 뭐예요?
배 교사: 사슴벌레.
동　　주: (책장을 넘긴다.)
임 교사: 뭐예요?
동　　주: 뭐예요?
배 교사: 애벌레.
동　　주: (책장을 넘긴다.)

동주에게 제공하고 있는 구어 시범을 용암시키기 위해 며칠 전 놀이시간에 찍어 둔 동영상을 편집했다. 동영상 내용 중에서 내가 구어 시범을 제공하는 장면만 삭제하여 동주가 독립적이고 성공적으로 수행하는 모습이 되도록 했다. 동영상은 동주가 곤충 그림책을 보며 책장을 넘길 때마다 스스로 교사에게 "뭐예요?"라고 묻고 배 선생님이 대답해 주는 장면으로 구성되었다. 내일부터 놀이시간 직전에 동주와 이 동영상을 함께 시청하며 지도해야겠다. [A]

3) (다)의 중심(축)반응훈련을 통해 동주에게 지도하는 중심(축)반응 영역이 무엇인지 쓰시오.

67 2024 유아B-1

(가)는 5세반 통합학급의 간식시간 장면이고, (나)는 유아특수교사 김 교사와 유아교사 윤 교사의 대화 장면이며, (다)는 중재 사례의 일부이다. 물음에 답하시오.

(가)

윤 교사: 오늘 간식 도우미는 채은이지요? 채은아, 친구들에게 쿠키를 한 개씩 나누어 주세요.
채 은: 네!

(㉠ 쿠키를 나누어 주다가 다희의 발을 보지 못하고 밟고 그냥 지나간다.)

다 희: 아야! 선생님, 채은이가 내 발 밟았어요!

… (중략) …

(채은이가 친구들의 접시에는 쿠키를 한 개씩 놓고, 마지막으로 자신의 접시에는 쿠키를 세 개 놓는다.)

하 준: 채은아, 너는 왜 쿠키를 세 개나 가져가?
채 은: 나는 쿠키를 좋아해.
하 준: 채은아, 그러면 안 돼. 우리는 사랑반이니까 모두 똑같이 나누어야 해. (채은이의 접시에 있는 쿠키를 두 개 가져가려 한다.)
채 은: 내 거야! (㉡ 하준이를 밀친다.)
하 준: 아야! 다른 친구들보다 네가 더 많이 가져간 거잖아!

… (하략) …

(나)

윤 교사: 선생님, 요즘 채은이가 친구 관계에서 어려움을 보이네요.
김 교사: 저도 채은이가 친구를 미는 행동이 걱정이 되었어요. 그래서 (㉢)을/를 활용해 보아야겠다고 생각했어요. 이 방법은 아이들이 좋아하는 형식의 시각적 지원을 통해 사회적 상황에서 겪는 어려움을 명시적으로 지원하는 것이에요.
윤 교사: 그렇군요. 채은이가 그림 그리기를 좋아하고, 그림으로 표현하는 능력이 뛰어난 편이니 이 방법이 적절하겠네요.

(다)

채은이의 (㉢)

(생략)

○ 상황 파악하기

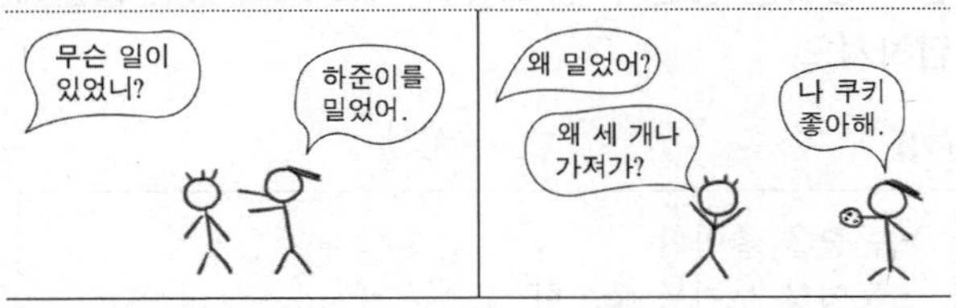

무슨 일이 있었니?
하준이를 밀었어.
왜 밀었어?
왜 세 개나 가져가?
나 쿠키 좋아해.

○ 상대방의 마음 이해하기

하준이는 어땠어?
아야!
하준이 마음이 어떨까?
속상해.

… (중략) …

○ 해결 방안 모색하기

다음에는 어떻게 할까?
㉣

3) ① (나)와 (다)의 ㉢이 무엇인지 쓰고, ② (다)에서 ㉣에 들어갈 채은이의 말을 쓰시오.

①:

②:

68

2024 유아B-5

(가)는 5세 자폐성장애 유아 혜진이에 대한 6월 가정 통신문의 일부이다. 물음에 답하시오.

(가)

혜진이의 놀이 이야기(6월)

혜진이의 놀이

요즘 바다반 친구들이 물감놀이를 즐기고 있습니다. 평소에 ㉠ 끈적이고 미끌거리는 액체를 만지는 것에 대해 강한 거부감을 보이던 혜진이는 물감놀이에 참여하는 것을 어려워했습니다.

[A] 그래서 혜진이와 친구들이 모두 즐겁게 참여하도록 '데칼코마니' 활동을 준비했습니다. ㉡ 평소에 치약 냄새를 아주 좋아하는 혜진이를 위해 도화지 위에 혜진이가 짜놓은 치약에 물감을 조금씩 섞어 주었습니다. 그랬더니 혜진이가 손에 물감을 직접 묻히지 않는 치약물감놀이에는 참여하기 시작하였습니다.

… (하략) …

1) (가)를 참고하여 ㉠의 혜진이가 보이는 감각 체계 특성을 쓰시오.

69

2024 초등B-6

(가)는 2015 개정 특수교육 기본 교육과정 미술과 5~6학년군 '눈이 즐거운 평면 표현' 수업 활동에 대한 아이디어 노트의 일부이다. 물음에 답하시오.

○ 자폐성장애 학생 희주의 특성

[A]
- 촉감을 느끼기 위해서 책상 모서리를 계속 문지름
- 장난감 자동차 바퀴의 회전하는 모습을 보려고 바퀴를 지속적으로 돌림
- 끈적임을 느끼기 위해 풀의 표면을 손으로 계속 문지름

○ 수업 방향

- ㉠ 미술 수업 시간에 물감을 감각적으로 탐색하는 다양한 미술 활동을 지도하고자 함

○ 수업 활동 계획

- 활동 1: ㉡ 물감 표면의 촉각적인 느낌 탐색하기
  - ↳ ㉢ 물감을 손으로 만지는 활동하기

… (중략) …

- 활동 2: ㉣ 실그림 기법으로 작품 완성하기
- 활동 3: (㉤) 기법으로 작품 완성하기

1) 던(W. Dunn)의 감각 처리 모델에 근거하여 (가)의 [A]에 대해 ① 감각 처리 패턴의 특성을 신경학적 역치 측면에서 1가지를 쓰고, ② 감각 처리 패턴의 지도 전략과 관련하여 ㉠의 목적 1가지를 쓰시오.

①:

②:

70

2024 중등B-8

(가)는 중복장애 학생 A에 대한 담임 교사와 수석 교사의 대화이다. 〈작성 방법〉에 따라 서술하시오.

(가) 담임 교사와 수석 교사의 대화

담임 교사: 학생 A는 지체장애와 자폐성장애를 같이 가지고 있는데, 낮은 촉각 역치를 보입니다. 학생 A에게 손 씻기를 지도하는데 어떤 방법으로 지도할까요?

수석 교사: 다양한 방법으로 지도할 수 있습니다. ㉠ 세면대 거울에 손 씻는 단계 그림을 붙여서 학생 A에게 손 씻기를 지도할 수 있고, ㉡ 손을 씻어야 한다는 의미로 선생님의 손으로 수도꼭지를 살짝 건드려서 학생 A에게 손 씻기를 알려 줘도 됩니다. 그리고 다른 방법으로는 ㉢ 학생 A가 손을 씻을 수 있도록 손목을 잡아 줄 수 있으며, ㉣ 선생님이 손을 씻는 모습을 학생 A에게 보여 주고 학생 A가 이를 모방 하도록 할 수도 있습니다.

담임 교사: 잘 알겠습니다. 그러면 학생 A에게 학급 규칙을 어떻게 지도해야 할까요?

수석 교사: 학생 A는 규칙을 언어적으로 이해하는 데 어려움이 있으니, 학생이 지켜야 할 학급 규칙을 그림으로 제시하는 (㉤)의 방법으로 지도해 보세요. 이것은 교사가 학생에게 기대하는 행동에 대한 구체적인 목표가 있을 때 효과적인 방법입니다.

담임 교사: 그렇게 하면 학생 A에게 다른 규칙도 지도할 수 있겠네요.

수석 교사: 네, 학생의 수준에 맞는 다양한 그림이나 상징으로 지도할 수 있어요.

담임 교사: 그러면 어떤 기준으로 그림이나 상징을 선택하면 좋을까요?

수석 교사: 학생의 수준에 맞게 ㉥ 그림이나 상징을 보고 그것이 나타내는 것이 무엇인지 알 수 있는 정도를 고려해서 선택하면 좋겠어요.

〈 작성 방법 〉

- (가)의 밑줄 친 ㉠~㉣ 중 학생 A에게 적절하지 않은 지도 방법을 1가지 찾아 기호와 그 명칭을 쓰고, 그 이유를 1가지 서술할 것

71 2025 유아A-3

다음은 유아 특수교사와 5세 발달지체 유아 선우, 5세 자폐성장애 유아 지혜의 대화 및 지혜의 언어 표본이다. 물음에 답하시오.

(요리 활동 후 유아들이 피자를 먹으려고 앉아 있다.)
교사: 얘들아, 우리가 만든 맛있는 피자 먹자!
선우: ㉠ (손을 내밀며 달라는 눈빛을 보인다.)
교사: 아! 선우 피자 줄까?
선우: (웃으며 두 손을 모으고 달라는 손짓을 한다.)
교사: 선우야, "주세요."해야지.
선우: 주세요! ㉡ (많이 달라는 의미로 큰 소리로 빠르게 말하며) 많이! 많이!
교사: 그래, 선우야. (유아들에게 피자를 나누어 주며) 피자 한 개씩 줄게.
지혜: 두 개.
교사: 오늘은 한 개씩만 먹을 수 있어. 피자 다음에 더 줄게.

… (중략) …

(피자를 다 먹은 후, 자유놀이 시간에 유아들이 기차놀이를 하고 있다.)
[A]
지혜: (기차놀이를 하면서) 피자 다음에 더 줄게.
교사: (지혜를 바라보며) 피자 다 먹었어.
지혜: (피자 상자를 바라보며) 피자 다음에 더 줄게.
교사: (지혜를 바라보며)그래, 더 먹고 싶구나.
지혜: (피자를 달라는 간절한 눈빛으로 선생님을 바라보며) 피자 다음에 더 줄게. 피자 다음에 더 줄게.

… (하략) …

2) ① [A]에서 지혜가 사용한 반향어의 유형을 쓰고, ② 이 반향어의 의사소통 기능을 쓰시오.

①:

②:

72 2025 초등A-3

(가)는 일반 학교에서 통합교육을 받고 있는 자폐성장애 학생들의 특성이고, (나)는 예비교사와 특수교사가 나눈 대화의 일부이다. 물음에 답하시오.

(가)

학생	특성
승우	• 학교에 오면 나무 블록을 일렬로 세워 놓는 행동을 계속 반복함 • 색연필이나 사인펜을 무지개색 순서대로 항상 정리함 [A] • 큰 소리에 과민하게 반응하며 귀를 틀어막음
유라	• ㉠ 며칠 전에 들었던 "구독, 좋아요, 알림 설정"을 상황에 맞지 않게 반복하여 말하고 다님 • 선생님이 "연필 꺼내야지."라고 말하면, "연필 꺼내야지."라고 말함
정우	• 2어문 수준에서 말할 수 있음 • 문장으로 말을 할 때, "선생님이 와요."를 "선생님이가 와요.", "밥이 맛있어요."를 "밥이가 맛있어요."라고 말함 [B]

(나)

예비 교사: 선생님께서 정우에게 지도하고 있으신 독립시행 훈련의 절차에 대해 알고 싶습니다.
특수 교사: 그럼, 예시를 보면서 절차를 설명해 드리겠습니다.

독립시행훈련

○ 과일 단어 카드 10개를 1세트로 준비하여 훈련을 10회 반복 실시

〈시행 1〉

• 교사 : (정우의 주의를 집중시킨다.)
• 정우 : (교사를 바라본다.)
• 교사 : ('사과', '수박', '딸기' 단어 카드를 제시하며) "사과를 골라 보세요." [C]

• [정반응] 정우 : ('사과' 단어 카드를 골라낸다.)
• [피드백] 교사 : "잘했어요!" (강화제 제공)

• [오반응] 정우 : ('수박' 단어 카드를 골라낸다.)
• [피드백] 교사 : "아니야." ('사과' 단어 카드를 보여 주며) "이게 사과예요."

▶ (㉡)

〈시행 2〉

• 교사 : (정우의 주의를 집중시킨다.)

…(중략)…

예비 교사: 예, 독립시행훈련은 학생이 선행 자극에 정반응이나 정반응에 가까운 반응을 하면 강화를 주는군요.
특수 교사: 예, 그래요. 그런데 중심축반응훈련은 동기를 유발하기 위해 선행 자극에 학생이 (㉢)을/를 하면 강화를 해 줍니다.

…(하략)…

1) (가)의 ① [A]에 해당하는 DSM-5의 자폐스펙트럼장애 진단기준을 쓰고, ② 밑줄 친 ㉠과 같은 자폐성장애의 의사소통 특성을 쓰시오.

①:

②:

3) (나)의 ② ㉡에 들어갈 절차를 쓰고, ③ ㉢에 들어갈 내용을 쓰시오.

②:

③:

73

2025 초등B-6

(나)는 학교 밖 교사학습공동체 협의회에 참여한 교사들 간 대화의 일부이다. 물음에 답하시오.

(나)

유 교사: 저희 반에 자폐성장애와 지적장애를 가진 학생이 있는데, 교실 환경을 다시 구조화해 보고 싶어요. 어떻게 하면 좋을까요?

김 교사: 만약 그 학생이 인지 능력이 낮은 경우에는 그림 의사소통상징(Picture Communication Symbol : PCS)과 같이 ㉢ 도상성이 높은 상징을 활용하는 것이 좋아요. 환경을 구조화할 때는 일반적으로 ㉣ 카펫이나 테이프로 영역을 구분해 주는 것이 필요합니다.

… (하략) …

3) (나)의 밑줄 친 ㉣의 이유를 1가지씩 쓰시오.

74 2025 중등B-8

다음 (가)는 ○○ 고등학교 특수 교사와 일반 교사가 자폐성장애 학생 C에 대해 나눈 대화이고, (나)는 특수 교사가 제작한 상황 이야기이다. 〈작성 방법〉에 따라 서술하시오.

(가) 특수 교사와 일반 교사의 대화

일반 교사: 학생 D가 학생 C에게 키링을 선물했는데 학생 C가 싫다고 받지 않아 너무 속상해 했어요.
특수 교사: 그건 학생 C가 다른 사람의 생각이나 감정, 의도와 같은 내면 상태를 추론하는 능력이 많이 부족하기 때문일 수 있어요.
일반 교사: 그렇군요. 생각해 보니 학생 C가 친구가 하는 농담이나 관용어를 문자 그대로 받아들여 엉뚱한 대답을 해서 친구가 웃기도 했어요.
특수 교사: 맞아요. 학생 C는 상황이나 바람, 신념에 따라 달라지는 사람의 감정도 파악하기 어려워해요. [A]
일반 교사: 그럼 제가 학생 C를 어떻게 지도하면 좋을까요? 선물을 주었던 학생 D가 얼마나 속상했을지 알려 주고 싶어요.
특수 교사: 그럼 선생님이 학생 C와 그림을 그리면서 어제 일에 대해 이야기해 보실래요?
일반 교사: 그림을 그리면서 이야기를 나눌 수 있나요?
특수 교사: 네. 막대 사람, 말풍선, 생각 풍선 같은 간단한 상징을 사용하기 때문에 빠르게 그리면서 말을 주고받을 수 있어요. 교사와 학생이 생각이나 감정을 그림으로 그리고, 색으로 표현하면서 학생 C가 자신과 타인의 생각이나 기분에 대해 조금씩 파악할 수 있게 돼요. [B]
일반 교사: 네, 한번 해 볼게요. 그런데 선생님, 또 다른 방법도 있나요?
특수 교사: 네. 상황 이야기 중재도 있어요.

… (하략) …

(나) 상황 이야기

친구가 준 선물이 마음에 들지 않을 때는 어떻게 말해야 할까요?
사람들은 축하하고 싶은 일이 있을 때 선물을 해요. 선물을 받으면 기분이 좋지만, 가끔은 마음에 들지 않는 선물도 있어요. 그럴 때 솔직하게 말하는 것은 친구의 마음에 상처를 줄 수 있어요. 왜냐하면 선물을 주는 사람은 받는 사람이 기뻐하길 기대하기 때문이지요. "이 선물, 마음에 들지 않아."라고 말하면, ㉠ 친구가 슬퍼하거나 화를 낼 수도 있어요. 실망스러운 선물을 받았을 때 ㉡ 친구의 마음을 생각하여 "고마워."라고 말하도록 노력해요.

〈작성 방법〉

- (가)의 [A]에서 학생 C가 나타내는 인지적 결함이 무엇인지 쓸 것
- (가)의 [B]에서 특수 교사가 제안한 중재 기법의 명칭을 쓸 것
- (나)의 밑줄 친 ㉠에 사용된 상황 이야기의 문장 유형을 쓰고, 자기 코칭문과 밑줄 친 ㉡에 사용된 상황 이야기의 문장 유형이 다른 점을 1가지 서술할 것

MEMO

김남진
KORSET 특수교육 기출분석 ❷

초판인쇄 | 2025. 4. 3. **초판발행** | 2025. 4. 10. **편저자** | 김남진
발행인 | 박 용 **발행처** | (주) 박문각출판 **등록** | 2015년 4월 29일 제2019-000137호
주소 | 06654 서울특별시 서초구 효령로 283 서경 B/D **팩스** | (02) 584-2927
전화 | 교재 주문 (02) 6466-7202, 동영상 문의 (02) 6466-7201

저자와의 협의하에 인지생략

ISBN 979-11-7262-744-7 / ISBN 979-11-7262-743-0(세트)
정가 30,000원(분권 포함)